우리 문화재 수난일지 1

# 우리 문화재 수난일지 1

2016년 11월 27일 초판 1쇄 인쇄
2016년 11월 30일 초판 1쇄 발행

글쓴이 정규홍
펴낸이 권혁재

편집 김경희
출력 CMYK
인쇄 한일프린테크

펴낸곳 학연문화사
등록 1988년 2월 26일 제2-501호
주소 서울시 금천구 가산동 371-28 우림라이온스밸리 B동 712호
전화 02-2026-0541~4
팩스 02-2026-0547
E-mail hak7891@chol.net

ISBN 978-89-5508-354-5 94910
ISBN 978-89-5508-353-8 (SET)

# 우리 문화재
# 수난일지

# 1

정규홍

학연문화사

# ▮ 책머리에

대한매일신보는 1910년 4월 12일자 '국보산실國寶散失의 비悲'란 논설에서 "긴 채찍을 들고 반도강산에 횡행하는 저 외인外人이 백 가지 권리를 다 잡으며 백 가지 이익을 다 취하다가 필경에는 나라 보배에까지 손을 대어 오늘에 한 가지를 실어가고 내일에 또 한 가지를 실어가니" 하는 대목에서 외국인의 야심과 쓰러져가는 우리나라의 현실을 직시하고 있다. 마지막으로, "원하노니 동포는 지금이라도 나라 보배를 보존하여 지키는데 유의하여 나라의 광영을 보존하며 나라의 정신을 발전케 할지어다" 하는 대목은 오늘날의 우리들에게 적용되는 무서운 경고가 아닌가 여겨진다.

한말의 혼란한 틈바구니 속에서 밀려든 강대국들의 선교사, 공사관 관계자, 상인들은 하나같이 우리 문화재에 손을 뻗쳤다. 심지어 외국공사관에서는 '한국의 고대 갑옷과 투구를 산다'는 광고까지 신문에 올리기까지 하였으니, 초기 한국에 건너온 외국인들에게는 미처 문화재에 눈을 뜨지 못한 한국은 신천지와 같았다.

경술국치 이후부터는 일제에 의해 고적조사라는 미명하에 지하의 무덤을 발굴하고 그들의 방식으로 해석하고 필요에 따라 연구 목적을 핑계 삼아 반출을 서슴지 않았다. 관권에 의한 무단 반출과 한 밑천 잡아보겠다고 밀려든 상인, 수집가들에 의한 반출은 도굴을 부추기고 이로 인하여 저지른 사료의 파괴는 치유할 수 없는 상처를 남겼다.

1866년 병인양요 때 프랑스 군대가 약탈해 간 외규장각도서가 불완전한 반환 합의기는 하지만 145년 만에 조국의 품으로 돌아왔다. 그러나 여전히 정처 없이 해외로 떠돌고 있는 우리 문화재는 그 수가 막대하다 할 수 있다. 그 하나하나가 한국의 독자적 문화와 사연을 품고 있다. 외지로 유출된 우리 문화재를 찾는 것은 참으로 중요한 일이다. 이와 함께 현재 남아 있는 우리 문화재의 보존 역시 중요한 일이다.

보물로 지정한 유물도 그 보존 관리가 허술하기 짝이 없는 것도 있는가 하면, 도 지정 문화재도 방치하다시피 한 것이 적지 않다. 지정 문화재 만이 중요한 것이 아니다. 원래 탑이 있어 탑리 또는 탑동이라 불리면서도 전설만 남고 실물은 없는 곳이 많다. 비록 하나의 탑재만 남아 있어도 이들을 함부로 경시하여 방치하는 일이 없어야 할 것이다. 이에 대한 가치는 후세에 계속해서 새로이 부여되기 때문이다.

필자가 문화재에 눈을 돌리게 된 동기는 참으로 우연이라 할 수 있다. 1981년에 교직공무원 연수를 받으면서 당시 들었던 강의 내용은 필자의 공부 방향을 완전히 바꿔 놓고 말았다. 당시 강사는 1960년대에 석굴암 수리 공사를 할 때 고 황수영 박사의 조수로 참여한 분이라는 것만 기억하지만 그 내용은 필자에게 상당한 충격으로 와 닿았다.

그 내용인즉 해방 이후 석굴암 수리 공사를 할 때 당시 책임자였던 황수영 박사가 화장실 벽판으로 사용한 '석굴암중수상동문石窟庵重修上棟文'을 발견했다는 일화이다. 이 화장실은 일제강점기에 일본인들이 석굴암을 해체 수리하면서 만든 간이화장실이라 할 수 있다. 석굴암에 대한 다른 이야기도 많았지만, 이 일화 하나만으로도 당시 우리 문화재가 어떻게 취급되었는지를 알 수 있는 단면이라 할 수 있다.

이 충격은 내내 머리에서 떠나지 않았으며 조금씩 자료를 수집했다. 그렇게 8, 9년이 지나니 이것을 정리해야겠다는 생각에 두서없이 다시 15, 16년을 몰두를 하게 되었으며, 그 결과 2005년에 처음으로 졸저『우리 문화재 수난사』를 내놓게 되었다. 그러나 어딘가 모르게 부족함과 공허함을 바로 느낄 수가 있었다. 그것을 메울 수 있는 방법이 없을까 고민하다가 생각해 낸 것이 수난일지나 연보였다.

시대적 흐름을 파악할 수 있는 연보나 일지가 필요하다는 생각에 바로 작업에 들어갔다. 그 부산물로 몇 권의 책을 더 발표하기도 했다.

그러나 일지를 쓰기에는 연월일의 불명이 대부분이라 자료의 부족함과 수집의 어려움으로 시간만 축 내고 있던 차에 국립중앙박물관에 소장한 총독부박물관 공문서가 공개되면서 의문에 빠져 고민하던 많은 부분이 해결되면서 속도를 올리게 되었다.

'우리 문화재 수난일지'는 1866년 병인양요 때부터 1945년 해방이 되던 해까지의 기록으로, 각종 보고서와 잡지, 신문기사 등을 기초로 문화재 관련 법규, 고적조사, 도굴, 도난, 반출, 파괴, 전시 등을 연월일별로 기록하여 당시의 상황과 피해를 파악하고자 했다. 우리 문화재의 역경을 작은 단서라도 보태는 마음으로 정리를 했다.

그동안 희생을 감수해준 아내 김영숙에게 고마움을 전한다.

마지막으로 이 같이 분량이 큰 책을 출판하기에는 상당한 어려움이 있음에도 불구하고 출판을 승낙해준 권혁재 사장님께 감사의 마음을 드린다. 또한 편집과 교정에 많은 노고를 아끼지 않은 김경희 씨에게도 진심으로 고마움을 표한다.

2016년 11월　정 규 홍

# ▌ 목차

朝日修好條規

大日本國與

大朝鮮國素敦友誼歷有年所

洽欲重修舊好以固親睦

全權辦理大臣陸軍中將兼

隆特命副全権辨理大臣議

華府朝鮮國政府簡列中樞府

承各遵所添論旨議立條款開列于左

第一款

朝鮮國自主之邦保有與日本國平等之權嗣後兩

# 우리 문화재
# 수난일지

**1866~1882년**

# 1866년 10월

## 병인양요와 외규장각 도서

1866년 1월에 대원군은 천주교 금압령禁壓令을 내리고, 프랑스 신부와 조선인 천주교신자 수 천 명을 처형했다. 이 박해 때 프랑스 선교사는 12명 중 9명이 잡혀 처형되었으며 3명만이 화를 면할 수 있었다. 이때 탈출한 리델 신부는 당시 중국에 주둔하고 있던 프랑스 극동함대 사령관 로즈P.G. Roze 제독에게 조선에서 일어난 천주교도 학살사건을 알렸다. 이 사건으로 인해 프랑스 극동함대 사령관 로즈 제독은 주청공사 벨로네Bellonet와 본국 해군성에 이 사실을 통보하고 무력보복을 준비하였다. 1886년 7월 30일 프랑스 해군성이 로즈의 원정계획을 승인함으로써 프랑스함대의 조선침공이 결정되었다.

로즈의 제1차 원정은 강화해협을 중심으로 서울까지의 수로를 탐사하기 위한 예비적 탐사로, 군함 3척을 이끌고 9월 18일부터 10월 1일까지 서울 양화진楊花津 · 서강西江까지 올라와서 세밀한 지세 정찰과 수로를 탐사했다.

로즈는 10월 5일에 한강 봉쇄를 선언하고, 10월 11일에 제2차 조선원정길에 올랐다. 군함 7척, 함재 대포 10문, 총병력 1,000명, 향도 및 수로 안내인으로 리델 신부와 조선인 천주교도 3명을 대동하였다. 14일 강화도의 갑곶甲串에 상륙하고, 16일에는 강화부江華府를 점령하고 무기, 서적, 식량 등을 약탈했다. 당시 프랑스 장교가 수기한 약탈 내용은 다음과 같다.

리델 – 그해 5월 하순경 황해도 장연으로부터 엄중한 경계망을 탈주하여 청국으로 건너가서 조선 정부가 천주교도에게 대하는 참혹한 박해의 상황을 북경 주재 프랑스공사에게 보고하여 프랑스 함대의 조선원정을 책동한 프랑스인 천주교선교사를 통역으로 또한 3명의 개종자를 안내자를 정하여 3척의 군함이 한강을 답사하기로 파견되었다.

1개월 가량 조선 서해안을 답사한 셈스 함장이 제작한 항해도를 준비하여 9월 21일 한강을 향하여 거슬러 올라갔다. 불란서 사람들은 아름다운 초가을의 경치에 아주 미혹되었다. 잘 깔아놓은 미원米原을 지어서 황금빛 곡물은 이제 바야흐로 난숙기에 들어서 다만 낫과 도리깨가 기다리고 있을 뿐이다. <중략>

한강을 거슬러 올라갔다. 군함이 전진하다가 1,2의 포대에게 포격을 받았으며 어떤 곳에서는 목선들을 모아 엮어가지고 진로를 가로막고자 하였다. 잘 겨양한 두 발의 포탄은 군함에 맞았으나 방형보에 있는 포수의 머리에 명중한 탄환은 즉시 이를 침묵시켰다. 성벽은 완전히 파괴되어 25일 저녁에는 2척의 군함이 그곳에 닻을 내리어 지금은 불란서국의 국기가 왕도 서울의 전면에서 나붓기게 되었다. 시가를 둘러싼 모든 산위에는 이것을 구경하려는 군중으로 말미암아 희白여졌다. 이들은 증기선을 보기는 처음일 것이다.

군함은 서강 가까이 수일간 정박하였다. 그동안에 불국 병사들은 강을 측량하였다. 리델은 기독교도를 발견하여 어떠한 정보라도 입수하려는 희망을 가지고 상륙하여 보았으나 근처에도 오는 사람이 없었다.[1]

불란서 군함이 한강에 정박하는 동에는 서울에는 한 톨의 쌀이나 한 줌의 나무도 들어가지 못하였다. 이러한 상태가 8일 동안이나 계속한 결과 시

---

1 「병인양요시 佛國人의 朝鮮觀(1)」, 『每日申報』 1932년 2월 29일자.

가는 주림에 떨어져서 7천의 민가는 전혀 적막하였다. 한강의 측량을 마침으로 보아제섬(월미도 서쪽에 있는 작은 섬, 물유도)에 돌아왔다.

불란서 함대의 원정 목적과 한강 봉쇄는 즉시 청국 주재하였던 불국공사로부터 청국 정부와 각국 대표자에게 통고되었다. 그리하여 베로나 공사는 본국 정부의 호령도 얻지 않고 함대를 파견시켜 자기의 책임으로써 조선을 정벌하기로 하였다.

10월 11일. 7척으로 편성된 6백 명의 보병과 4백 명의 수병이 승조하였다.

10월 13일. 제독은 보아제섬에 함대를 멈추고 이튿날 포함砲艦 만을 한강에 향하여 거슬러 오르게 하였다. 도시로부터 반마일이 못미치는 곳(강화도 갑곶진)에 상륙하였다.

10월 15일 아침. 조선정부와는 하등의 교섭도 개시하기 전에 강화에 대한 위력정찰이 강행되어 2문의 대포를 걸어놓은 포루를 점령하였다. 강화는 반도 유일의 요색도시인 듯하나 높이 15피트 가량되는 총안銃眼을 갖춘 성벽으로 둘러싸고 이 방어물의 배후에는 조선병사가 철추, 활, 화승총으로써 방어를 하고 있다. 하절의 피서지 또는 피난소로서 이궁離宮은 수목이 울창한 구릉 위에 장엄화려하게 우뚝 서있어서 그곳으로부터는 바다와 모든 섬이며 본토가 굽어보인다.

10월 16일 아침 8시 주문主門(강화남문)에 대한 공격이 개시되었다. 백야드가량 앞으로부터 불란서 보병들은 일제히 함성을 지르며 돌진하였다. 뜨거운 탄환도 결코 그들(불병)을 두렵게 못하였다. 성벽에 접근한 그들은 사다리를 걸치고 기어올라 수백의 불별들은 순식간에 성내에 침입하여 완강히 저항하는 백의군(조선군)에게 돌격을 가하였다. 조선병은 수명에 불

과했다. 주문은 얼마 못되어 도끼에 의하여 깨어져버려 주력은 성내에 침입하였다. 화재는 즉시 잡고 고요한 시가는 승자의 수중에 돌아왔다. 약 80의 청동제대포 그 대부분은 매우 적은 구경이나 64병柄의 화승총과 수많은 공문서류가 전리품으로 포획되었다.

원래 이 강화는 서부조선의 요새지점이며 또한 화약제조의 주요한 곳이다. 대략 3만 7천불의 주금鑄金을 담은 은궤銀櫃 18과 기타 수많은 서적, 문서가 속속 발견되고 화살, 집 없는 장검, 투구, 아름답기는 하나 어울리지 않은 갑옷 등이 다수 발견되었다. 대포는 수레가 없는 대신에 통나무에 묶여 있고 그렇지 않으면 판자에 고착되어 있다. 그리고 이들의 대포는 저장총抵裝銃이므로 실탄에 채어 있는 화약은 포미로부터 철환은 총부리로부터 동시에 재이게 되는 모양이다. 그리고 이들의 대포는 대개 1개의 화문이

있으므로 포수는 총안선銃眼線에 연하여 재치있게 불을 붙이는 모양이다.[2]

『매일신보』 1932년 2월 29일자에 실린 「60여 년전 불란서 장교가 수기한 병인양요의 회고」라는 기사를 보면, 프랑스 해군 장교의 이 기록은 "대원군의 양선격퇴사건(1866) 당시 조선 내정來征의 불란서 함대의 승원으로 자초지종 동전투에 참가하였다가 전공을 세우지 못하고 돌아간 불란서 해군장교의 손에 의하여 기록된 당시의 전기가 요즈음 공교롭게도 당시 내정함대가 근거지로 삼았던 인천항에서 발견되었다. 이는 인천개항50주년 기념사업으로 편찬 중인 『인천부사』의 자료 수집 중에 우연히 발견된 것이다" 라고 해설을 붙이고 있다.

『매일신보』에는 당시 조선군이 기록한 약탈 내용도 게재하고 있는데 다음과 같다.

9월 7일에는 강화남문을 돌격하니 강화유수 이인희는 형세가 불리한 것을 보고 장영전에 봉안해 모셨던 숙종, 영종의 어진을 서문 밖 백연사로 모시고 군사를 지휘하여 교전을 하는 통에 불군 4명을 죽였으나 그러나 불국제독 로-제는 굴하지 않고 강화읍을 점령하였다. 강화읍을 점령한 불군은 강화산성에 저축하여 두었던 대포, 소총은 물론이고 은괴 40만양까지 빼앗아가고 사고四庫에 들어가 역사와 왕실실기王室實記를 군함으로 가져가 조선의 문화를 불국에 전하는 기회는 얻었으나 큰 치욕이라 아니할 수 없었다.[3]

---

2 「병인양요시 佛國人의 朝鮮觀(2)」, 『每日申報』 1932년 3월 1일자.
3 「병인양요시 조선인의 양인관(3)」, 『每日申報』 1932년 3월 7일자.

11월 9일에는 정족산성鼎足山城의 전투에서 천총千總 양헌수梁憲洙의 포수군에게 30여 명이 사상당하는 참패를 맛보았다. 『매천야록梅泉野錄』에는 다음과 같이 기술하고 있다.

병인년(1866) 9월에 프랑스의 군함이 강화에 정박하고 있었다. 그것은 순찰하기 위한 군함이며 침략할 뜻은 없었다. 혹자는 베르누 등이 사형을 당하고 서양의 사학을 엄히 금하기 때문에 보복하러 온 것이라고 하였다. 이때 류수 리인기李寅夔가 겁을 먹고 도주하여 성이 함락되었다. 양인들은 10일 동안 점거하고 있다가 많은 물품을 약탈해 갔다. 우리나라에서는 강화도를 천애의 요새로 생각하여 군량, 무기, 보화 능을 많이 비축하였으나 이때 모두 없어진 것이다.

프랑스 장교가 표현한 조선인
(『병인양요시 佛國人의 朝鮮觀(3)」,
『每日申報』 1932년 3월 2일자)

그리고 순무사 이경하와 중군 이원희 등은 도감의 병졸 5천여 명을 인솔하고 문수산으로 나가 강화도를 바라보고 있었지만 감히 강을 건너지 못하고 있었다. 이때 천총 양헌수가 추격전을 벌이자고 간청하였으나 원희는 명령을 어겼다고 처형하려 하였다. 헌수는 "죽기는 마찬가지니 차라리 적에게 죽겠습니다. 1개 병대만 주십시오"라고 하였다. 원희는 할 수 없이 포수 300명을 주었다. 헌수는 그날 밤 손석포를 건너 정족산성을 점거하였다.

그 다음날 양인들은 강화부에서 나와 군함을 타고 내려오려 하였으나, 조수가
얕아 산성에서 조금 쉬기 위해 서서히 남문 밖에 도착하였다. 이때 갑자기 복
병이 일어나자 적들은 황급히 후퇴하므로 그들을 대포로 추격하여 30여 명의
목을 베고 개선하였다. 이때 헌수를 황해병사로 임명하고 1년 후에는 대장으로
발탁하였다. 이 소란이 있은 후 사학을 금지하기 위해 척사윤음을 반포하였다.

이 전투의 참패로 로즈 제독은 점령했던 강화성에서 철수하면서 장녕전長寧
殿을 비롯한 모든 관아에 불을 지르고 막대한 양의 약탈물을 함대에 적재하여
퇴각하였다. 이 전투의 패전을 프랑스 장교는 다음과 같이 기록하고 있다.

제독은 정족산성을 약취하기로 결심하였다.
이 목적을 수행하기 위하여 그는 160명을 대포도 없이 파견하였다. 파견
꾼들은 말 위에 군량을 지워가지고 10월 27일 6시에 발정하였다.[4]
절에는 2, 3명의 승려가 거주할 뿐이었으나 지금은 수많은 병사가 주둔하
여 있다는 귀의자(조선 사람)가 보고하였다.
8시 30분 포대에 접근하였을 적에 일행 중에 식사를 요구하는 자가 있었다.
그러나 다른 일행은 탑을 포획함은 쉬울 터이니 그 다음 불상이 있는 법당
에서 식사를 하기로 제의하였다. 그러나 모두 부결되고 말았다. 그들은 3대
에 나누어 성문까지 100야드까지 전진하였다. 주위는 죽엄과 같이 고요하
였다. 이때 성벽으로부터 난데없는 섬광이 일어났다. 그러나 백의의 형체는

---

4 「병인양요시 佛國人의 朝鮮觀(3)」, 『每日申報』 1932년 3월 2일자.

도무지 발견할 수가 없다. 순식간에 불국군대의 종렬은 곤피困疲되어 단 한 명의 병사도 전진할 수가 없어졌다. 병사들은 후퇴하여 바위 그늘과 짚더미 등에 은신하였다. 그리고 장래할 포대의 역습을 피하기 위하여 부하들을 불러 모았다. 부상자들은 뒤에 호송되었으나 32명의 많은 수효에 달했다. 그래서 지금은 겨우 80명이 남았으나 그들은 미구에 심한 피로로 주림에 떨어질 것을 의식하였다. 그 까닭은 군량을 지운 말이 최초의 총소리에 대경하여 그만 조선 사람들이 있는 곳으로 달아나버린 것을 목격하였음에다 그들의 5배인지 10배인지 알 수 없는 병력을 가진 포대를 공격함과 같은 일은 우직한 일이라 하여 퇴각하기로 결정하였다. 건장한 병사는 부상된 전우를 업어 운반하고 다른 병사들은 후미의 엄호를 당하였다. 조선 병사는 뫼 위에 뛰어 올라 알 수 없는 고함을 지르며 승리를 축복하였다. <중략>

이튿날 아침 놀랍고 분개할 일은 총퇴각 명령이 내린 것이다. 노영의 주위에 축조 중이던 포루 공사도 중지되었다.

그리고 강화에 남았던 군대는 시가에 불을 질러서 시가는 얇은 잿더미로 변하여 버렸다. 침입군의 출발은 극히 신속을 요하였으므로 이날 전공을 세우려던 애국지사들은 다만 불유쾌한 퇴각을 안할 수 없어서 서로 묵묵히 바라볼 뿐이었다.

강화의 어떤 절에서 포획한 청동제의 거종은 노영까지 반이나 운반되었으나 드디어 버리고 말았다. 조선 사람들은 이것을 주워가지고 전승기념으로 삼았다.

불란서 군대는 당일 밤에 행군하여 이튿날 아침 6시에 보아제섬 근거지에 도착하였다.

제독은 청국에 귀항함에 당하여 본국 정부는 아마 베로네 공사의 선견先見 없는 이 모험을 승인하지 않을 것이라고 생각하였다.[5]

『고종실록』에는 다음과 같은 기사가 있다.

순무영에서 강화도의 피해 상황을 보고하다

순무영巡撫營에서 아뢰기를,

선봉 중군先鋒中軍 이용희李容熙가, 이달 5일 해시亥時에 강화도江華島에 검열하러 나갔던 별군관別軍官 박정화朴鼎和와 신석범申錫範이 돌아와서 보고한데 의하면 놈들에 의해 약탈과 파괴를 당한 참혹한 정상이 한눈에 가득 들어왔다고 합니다. 내성內城에서는 장녕전長寧殿과 만녕전萬寧殿, 객사客舍와 공해公廨가 다 불에 타 없어지고 아정당衙政堂은 단지 세 칸만 남았으며 아전衙前들이 일보는 건물은 온전하였다고 합니다. 그리고 향교鄕校, 충렬사忠烈祠, 열무당閱武堂, 중영中營과 포청捕廳은 온전하였으며 민가는 일일이 헤아릴 수 없었는데 불에 타서 없어진 호수가 절반 이상이었다고 합니다. 동문東門과 서문西門은 온전하였고 남문南門은 문짝과 현판, 여성女城이 모두 파괴되었으며 성위의 좌우에 우리나라 창 12병柄을 나누어 벌려놓았다고 합니다. 외성外城에는 진해루鎭海樓 안의 민가 한 집이 불에 타고 진해사鎭海寺와 전 금위영禁衛營 창고는 온전하였으며 훈련원訓練院과 어영청御營廳의 두 창고는 불에 타 없어졌고 인정종人定鍾은 외성 안 길 위에 운반하였습니

5  병인양요시 佛國人의 朝鮮觀(4)」, 『每日申報』 1932년 3월 3일자.

다. 우리나라의 대완구포 6좌座를 갑곶포 나룻가에 비치하고 우리나라의 총통 4좌는 외성 안에 흩어져 있었습니다.[6]

의정부議政府에서 아뢰기를,

방금 강화 유수江華留守 이장렴李章濂이 올린 장계狀啓의 등보謄報를 보니, 서양 오랑캐들이 강화부江華府를 점거하였을 때 약탈이 장차 산성 안에까지 미치게 되자 서리書吏 조희영趙羲永 등 7인이 외따로 떨어져 있는 깨끗한 곳에 토굴을 파고 선원각璿源閣과 사각史閣에 보관되어 있던 책궤들을 모두 임시로 봉안하 였는데, 환안還安하는 절차를 감히 제멋대로 할 수 없었다고 하였습니다.[7]

철수하던 프랑스군은 외규장각에 불을 질러 외규장각에 남아 있던 5천여의 귀중한 서적들이 대부분 불길에 사라졌다.[8] 또한 강화부의 행궁, 관아 건물에 불을 지르고 강화도에서 철수하였다. 선원각과 사각에 보관하였던 서책과 유 물은 피난을 시켜 다행히 화를 면하게 되었다.

1916년 11월에 전등사를 방문한 도쿠도미 소호德富蘇峰는 다음과 같이 기록 하고 있다.

---

6 『高宗實錄』, 高宗3년 10월 6일조.
7 『高宗實錄』, 高宗3년 10월 12일조.
8 외규장각에 봉안되었던 자료의 종류와 수량은 『江華府外奎章閣形止案』을 통해 알 수 있 다. 병인양요 전 1857년에 작성된 『강화부외규장각형지안』에 의하면, 당시 외규장각에 보 관된 자료는 옥책, 금보, 교명 등 왕실의 물품 25점, 어제, 어필 68점, 기타 족자류 6점, 의 궤 401종 667책, 의궤 외 서적 606종 4,400책으로 총 5,166점에 달하며 그 중 서적류가 총 1,007종 5,067점으로 가장 큰 비중을 차지했다(『외규장각 의궤』(국립중앙박물관)).

11월 9일에 독경 소리와 함께 자리에서 일어나다. <중략> 노승을 안내자로 하고 전등사 역域을 방문하니 평판이 높은 원의 청래물請來物 황동의 향로도 지금에는 이왕직박물관에 이치되고 유명한 옥로玉爐도 강화도를 습격한 프랑스 군함의 약탈한바 되고 기타 송판宋板 대장경, 원판元板 대장경 등은 형영形影도 없는데 노승의 말에 의한즉 프랑스인의 전리품으로 약탈해 간 것은 무려 4천여 권이라 한즉 지금은 서적이라 할 서적은 1책도 없도다. 이조실록을 저장한 장사각藏史閣이나 계보를 장한 선원보각이나 모든 서책은 모두 경성으로 지거하고 다만 공옥空屋 뿐 존재하니 폐잔廢殘의 상狀은 인忍하여 보지 못하겠도다. 서적이 있느냐 물은 즉 작년까지는 있었으나 절을 수선할 때 대부분 벽을 도塗하였다 답을 하니....[9]

## 중간 경로 및 반환 과정

프랑스군이 약탈해 간 물건은 로즈의 명에 의해 조사위원회가 구성되어 그 목록이 작성되었는 바, 1866년 11월 17일자 해군장관에 보낸 보고서에 첨부된 품품목록에 의하면, 19만7천 프랑 상당의 은괴 19상자, 가철서적假綴書籍 대大가 300권, 소小가 31권, 한 · 중 · 일 지도 1폭, 천문천체도天文天體圖 1, 비문碑文 7, 대리석 3, 대리석판大理石板이 든 소상자 3, 투구와 갑옷 3점이었다 한다.[10]

약탈해 간 외규장각의 자료는 프랑스 국왕과 상관에게 기증하였다. 당시 로

---

9  蘇峰生,「江華島遊記」,『每日申報』1916년 11월 22일자.
10  국사편찬위원회,『한민족독립운동사』, 11권, 1992.

즈 제독이 함상에서 프랑스황제 나폴레옹 3세에게 보낸 보고서에는 "우리는 국가의 고문서창고를 발견하였는데, 조선의 역사·전설·문헌에 관해 많은 신비를 설명할 수 있는 대단히 신기한 책들임을 확인하였습니다. 본인은 이 신기한 책들을 각하에게 보낼 생각인데…"라는 구절이 있다고 한다.[11] 그 중 외규장각 의궤는 프랑스국립도서관으로 보내졌다.

외규장각 의궤의 목록과 그것이 프랑스도서관에 보관되어 있다는 사실은 모리스 쿠랑의 『한국서지』 제2권(1895)을 통해 알 수 있었으나, 그 실체가 확인된 것은 많은 세월이 흐른 후의 일이다.

오랫동안 잊혀 있던 외규장각 도서는 1975년 재불학자 고 박병선 박사에 의해 그 존재가 세상에 다시 알려지게 되었다. 당시 프랑스에 근무하던 박병선

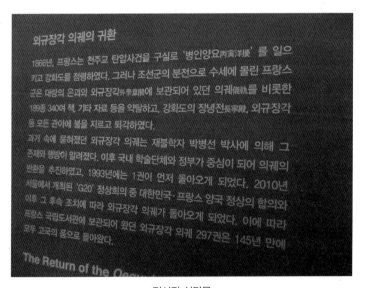

전시장 설명문

---

11 『서울신문』 1993년 8월 31일자.

돌아온 의궤

박사는 외규장각 의궤의 소재를 확인하고 목록을 만들어 공개하였다.

이후 국내 학술단체와 정부가 중심이 되어 의궤의 반환을 추진하였고, 이런 가운데 1993년 고속철 수주를 위해 방한한 프랑스의 미테랑 대통령이 김영삼 전 대통령의 요청으로 '휘경원 원소도감' 상하 두 권을 가져와 한 권을 한국에 반환했다.

그러나 이후 난항을 거듭하다가 2010년 3월 협상이 재개된 후 11월 12일 서울에서 개최된 'G20 정상회의' 중 우리나라와 프랑스 정상 간의 합의가 이루어졌다. 이어 2011년 2월 7일 양국 정부 간 합의문이 체결되고 이어 3월 16일 실무기관 간 약정이 체결되면서, 2011년 4월 14일부터 5월 27일까지 4차에 걸쳐 외규장각 의궤 196책이 프랑스국립도서관으로부터 145년 만에 고국으로 돌아오게 되었다.

**외규장각 도서 소장처는 과연 언제 국내에 소개 되었는가**

고국으로 돌아온 의궤는 2011년 7월 19일(화)부터 9월 18일(일)까지 국립중앙박물관에서 전람회를 가져 처음으로 일반에게 공개를 했다.

당시 전람회장에는 '국립중앙박물관 자료'라 하여 <외규장각 의궤의 귀환 경과>에,

"1975년. 재불학자 박병선 박사, 프랑스국립도서관에서 중국도서로 분류

된 외규장각 의궤 첫 발견."

돌아온 의궤

이란 글귀가 눈에 띤다. 즉 프랑스국
립도서관에 외규장각 도서가 소장
되어 있는 것을 직접 확인한 최초의
한국인임을 밝히고 있다. 발견 후 몇
년이 지나 국내에 알려옴으로써 이
것이 반환의 모태가 되었음은 틀림없다.

박병선 박사는 프랑스 유학 후 파리국립도서관에 근무하면서 '직지심체요절'과
'외규장각 도서'를 발견하여, 우리 문화유산의 가치를 세상에 널리 알리고 문화재
반환에 많은 기여를 했다.

전시장 설명문

그렇다면 과연 파리국립도서관에 외규장각 도서가 있다는 사실을 국내에 소개한 것이 박병선 박사가 최초일까?

파리국립도서관에 외규장각 도서가 있다는 사실을 1929년에 국내에 소개한 글이 있다. 이것이 최초가 아닌가 생각된다.

조선총독부박물관 주임(관장격) 후지타 료사쿠藤田亮策는 1929년에 구미의 박물관, 도서관 등에 소장되어 있는 한국과 일본의 문화재를 살피고 그 실태를 『조선』에 실었는데, 「조선과 구미박물관 上」(朝鮮總督府, 『朝鮮』 145호, 1929년 11월)이란 제하의 글에서 외규장각 도서에 대해 다음과 같이 기술하고 있다.

이태왕李太王 10년 추秋 불국佛國 동양함대 사령관 「로-쓰」 제독이 인솔한 함대가 강화도를 점령하고 부고府庫의 장서藏書 일체─切를 약탈한 후 도성에 방화하고 퇴각한 사실이 있다. 해장서亥藏書는 전부 현재 파리국립도서관에 보존하였으나 그 후 60년간 일차정돈─次整頓하지도 않고 장치藏置되어 있다. 파리외국어학교에도 다소 조선도서가 장치藏置되어 있으나 특별히 귀중한 자료는 없는 모양이다"

당시는 일제강점기 하에서 어느 누구도 이에 관심을 두지 않았다.

# 1868년 5월 10일

## 남연군묘 도굴 사건

독일 상인 오페르트는 1866년 두 차례의 통상 요구가 거절되자, 그는 병인박해 때 중국으로 탈출한 프랑스 신부 페롱과 중국인, 말레이인 선원 140여 명을 차이나호에 승선시키고 상해에서 출발하여, 1868년 5월 10일(음력 4월 18일)에 충청도 홍주군 행담도에 정박했다. 오페르트 일행은 소기선 에 옮겨 타고 덕산군 구만포에 상륙하였다.

프랑스군의 강화도 침범 이후, 지방 국경에서 해마다 열리는 교역 시장에 나가는 것은 모든 조선 사람에게 금지되었다. 어떠한 종류를 막론하고 외국의 물품을 드려오는 것은 사형으로 금지되었다. 국내 각 도시의 관청은 120명의 군대를 모집하여 훈련하라는 지시를 내렸다. 이 군대는 혹시 또 다시 있을지도 모를 외국의 공격을 막기 위하여 그 지방의 수비병 및 감시병을 두었다. 이런 상황에서 정상적인 통상 요구가 어렵게 되자 오페르트 일행은 교활한 수단을 동원하게 된 것이다.

당사자인 오페르트는 그의 저서 『금단의 나라 조선기행』에서 제3차 항행에 대해서 다음과 같이 기록하고 있다.

어느 날 페롱 씨는 심히 격하고 흥분하면서 나를 찾아왔다. 대원군이 새로운 폭행을 하였다는 보고가 들어온 것이다. 이 보고를 듣고서 페롱 씨와 그의 보호 하에 있던 조선 사람들은, 가장 크게 불안을 느끼게 된 것이다. 서로 상의한 결과 조선 사람 두서넛이 페롱 씨에게 일안—案을 제시하였다.

이 계획을 갖고 그들은 그들의 동포들이 받고 있는 폭행에 끝을 맺을 것을 바라고 있었다. 이 계획이 어떠한 종류의 것인가는 나는 그 당시 아무 것도 듣지 못했다. 그러나 이 계획이 대원군으로 하여금 정신 차리게 하는데 꼭 필요한 것이라고 조선 사람들이 생각하고 있다는 것은 나도 듣고 있었다.

그리하여 페롱 씨는 나에게 말하였다. "이제 내가 대원군과 그의 정부에 강요하여 문호개방의 요청에 응하게 하고, 또 이러한 뜻의 조약을 외국과 체결하도록 하는 방책을 당신에게 제공한다면, 당신은 이것을 수행하기 위하여 또 한 번 항행을 해볼 결심을 하겠습니까?

<중략> 대원군을 강요하여 문호를 개방하라는 요구를 듣게 하자는 우리의 목적을 달성하는 유일한 방법은 지금으로서는 이것뿐이라는 것입니다. 우리의 계획은 다만 대원에 대해서만 세워지고 있는데, <중략> 대원군에 대한 효과적인 강제수단이 있게 되는 한편 그 나라의 어떠한 개인의 생명이나 재산도 아무 해를 받지 않게 되리라는 것입니다"

이러한 말을 한 다음 페롱 씨는 나에게 다음과 같은 계획을 알려주었다.

대원군은 대단히 미신을 믿고 있는데 그는 몇 개의 고유물古遺物을 대단히 위하고 있었다. 이 유물은 오랜 옛날부터 대원군 집의 것이었으며, 이 대원군의 소유지인 궁벽한 장소에 간직하여 보호하고 있었다. 대원군과 그의 가정의 행복은 이 유물을 갖고 있는데 달렸다는 소문이었다. 그렇기 때문에 이 유물은 매우 존중되며 일종의 미신적인 경외敬畏하는 마음을 갖고 있었다. 대원군의 아들이 왕태후에 의하여 양자로 되기 전에는 이 대원군 자신에 대하여는 거의 아무 것도 알려지지 않았지만 그가 지배자가 되고 그리고 또 최고의 권력을 장악한 뒤로는 곧 이러한 사정은 세상 사람에게 알려지게 되었다. 그리고 이러한 사정을 기초로 하여 조선 사람들은 그들의 계획을 세운 것이다.

조선 사람들의 예측은 다음과 같다. 즉 이러한 유물을 잠시 동안 점령하는 것으로 그 점령자에게 거의 절대적인 권력을 부여할 것이며, 대원군은 이것을 다시 찾게 하기 위하여 누구에게든지 두말할 것 없이 찬의를 표할 것이며 따라서 그를 강요하여 그에게 제안된 조건을 수락하도록 할 수 있을 것이라는 것이다.[12]

여기서 말하는 계획은 바로 남연군묘의 도굴을 의미하는 것이다. 무덤 속에 대원군의 장래와 관련한 유물이 묻혀 있을 것이라는 미신을 믿고 이를 파내어 위협하려 한 것이다. 대원군의 가계에 대한 정보는 통상을 요구하는 자들이 이미 입수하고 있었으리라는 것은 짐작할 수 있겠지만, 남연군묘 이장에 관련한 이야기와 이곳에 대원군의 장래를 좌우하는 어떤 중요한 유물이 묻혔을 것이라는 엉뚱한 소문은 외국인들이 쉽게 얻을 수 있는 정보는 아닐 것이다. 또한 이 같은 계획이 조선인의 머리에서 나왔다는 사실은 놀라운 일이 아닐 수 없다.

5월 10일 이들 100여 명은 덕산 관아를 습격하여 군기를 빼앗고 건물을 파괴하였다. 군수 이종신 등이 그 곡절을 물어도 답하지 않고 총을 쏘아대고 칼질을 하면서 접근하지 못하게 하다가 곧바로 남연군南延君의 묘소로 달려가 묘촌墓村에서 호미와 괭이 등의 연장을 빼앗아 도굴을 자행했다. 덕산 군수德山郡守 이종신李鍾信은 아전, 군교, 군노, 사령들과 가동伽洞의 백성들을 거느리고 가서 맞섰으나 그들의 드센 칼과 총을 대적할 수가 없었다.

---

12  에룬스트·옵펠트, 『금단의 나라 조선기행』(한우근 옮김), 문교부, 1959.

오페르트 일행은 병석屛石을 무너뜨리고 봉분의 흙을 반쯤 헐고 밑으로 들어갔을 때 철벽 같은 석회층에 부딪치게 되어 결국 실패를 하고 5월 11일(음력 4월 19일 묘시卯時(5시~7시)에 구만포에 돌아가 행선行船하여 하리후포에 이박移泊하고 민가를 습격하여 물건들을 약탈해 갔다. 5월 12일(4월 20일)에 행담도에 이르러 차이나호에 탑승하여 퇴각했다.[13]

오페르트의 기록은 다음과 같다.

언덕의 중턱에 커다란 마을이 있었으며 마을 사람들이 가의 전부 나왔다. 그리고 우리 편 조선 사람들이 말하기를 여기서 그 장소를 발견하게 되리라는 것이다. 마을 사람들은 우리의 질문에 대하여 그 자리를 가리켜 주는 것을 조금도 주저하지 않았다. 그러나 내가 생각한 바로는 그 유물을 둘러싸고 있어야 할 돌로 만든 성벽이 둘러싸인 장소가 나타나지 않았다. 그리고 그 주위는 퇴토로 덮여 있었다. 퇴토의 한 쪽을 떼 낼 필요가 있었으며 거기에 내부로 들어가는 문이 있을 것이라고 생각되었다. 이러한 곤란이 있을 것이라고는 생각하지 않았기 때문에(우리 조선 사람 안내자는 문제 처리를 더 쉽게 이야기 했던 섯이다)

우리는 이러한데 쓸 도구라고는 거의 하나도 가져오지 않았다. 그리하여 우리는 필요한 물건을 마을에서 구하지 않으면 안 되었다. 그런 다음 작업이 개시되었다. 그러나 이 작업은 페롱 씨나 조선 사람 친구들이 생각하던 것 보다 훨씬 더 힘이 드는 것이라는 것이 알려지게 되었다.

---

13 『高宗實錄』1868년 4월 21일, 22일, 23일, 24일 조.

퇴토의 한 쪽을 떼내는 작업이 끝나는 데는 다섯 시간이 걸렸다. 물론 우리들 자신을 제외하고는 우리 일행의 아무도 조사의 대상과 목적을 모르고 있었다. 드디어 벽은 노출되었다. 그러나 이것은 새로운 더 큰 곤란을 주었다. 기다리고 있던 문은 안 나오고 커다란 돌덩이가 문이 있을 자리에 있었으며, 이것이 입구를 막고 있었다. 이 돌덩이를 떼내려고 애써 보았으나 쓸데없었다. 이 최후의 방해를 극복하는 데에는 적어도 대여섯 시간이 필요할 것이라는 것을 알게 되었다. 그러나 그렇게 오랫동안은 우리는 이곳에 머물러 있을 수 없었다. <중략>

조수가 완전히 빠지기 전에 쉬나호에 도착하는데 충분한 시간도 거의 없다는 사실을 걱정하지 않을 수 없었다. 그리하여 이 일을 이 이상 더 해보는 것을 모두 단념하고 우리 일행은 증기선으로 돌아가기로 결정되었다.[14]

영종첨사永宗僉使 신효철申孝哲이 5월 14일(음력 4월 22일)에 정탐을 목적으로 이보능李輔能과 교리校吏 4, 5인을 먼저 그들의 배가 정박한 영종진에 보냈는데, 영종永宗에 정박해 있는 서양 배에서 편지를 보내왔다. 겉봉에는 '대원군大院君 좌하에게 전하게 할 것'이라고 씌어 있었는데 그 내용은 다음과 같다.

삼가 말하건대 남의 무덤을 파는 것은 예의가 없는 행동에 가깝지만 무력을 동원하여 백성들을 도탄 속에 빠뜨리는 것보다 낫기 때문에 하는 수 없이 그렇게 하였습니다. 본래는 여기까지 관을 가져오려고 하였으나 과도한 것 같아

---

14 에룬스트 · 옵펠트, 『금단의 나라 조선기행』(한우근 옮김), 문교부, 1959.

서 그만두고 말았습니다. 이것이 어찌 예의를 중하게 여기는 도리가 아니겠습니까? 군사와 백성들이 어찌 석회石灰를 부술 기계가 없었겠습니까? 절대로 먼데 사람의 힘이 모자라서 그만두었으리라고 의아하게 생각하지 말 것입니다. 귀국의 안위安危가 오히려 귀하의 처리에 달려 있으니 만약 나라를 위하는 마음이 있거든 대관大官 1원員을 차송差送하여 좋은 대책을 강구하는 것이 어떻겠습니까? 만일 미혹에 빠져 결단을 내리지 못한 채 나흘이 지나면 먼데 사람들은 돌아갈 것이니, 지체하지 말 것입니다. 몇 달이 되지 않아서 반드시 나라를 위태롭게 하는 우환을 당할 것이니 후회하는 일이 없도록 하면 천만 다행이겠습니다. 아리망亞里莽 수군 제독 오페르트[15]

하였다. 상인 주제에 수군제독이라고 허풍을 떨면서 위협적인 내용을 담고 있었다. 회답 편지는 영종첨사의 명의로 보냈는데 그 내용은 다음과 같다.

우리나라 대원군大院君 각하는 지극히 공경스럽고 존엄한 위치에 있다. 이런 글을 어떻게 전달하겠는가? 그래서 도로 돌려보낸다. 귀국과 우리나라의 사이에는 애낭조 소통이 없었고 또 서로 은혜를 입었거나 원수진 일도 없었다. 그런데 이번 덕산德山 묘소에서 저지른 변고야말로 어찌 인간의 도리상 차마 할 수 있는 일이겠는가? 또 방비가 없는 것을 엿보고서 몰래 침입하여 소동을 일으키고 무기를 약탈하며 백성들의 재물을 강탈한 것도 어찌 사리상 할 수 있는 일이겠는가? 이런 지경에 이르렀기 때문에 우리나

---

15 『高宗實錄』 1868년 4월 23일 조.

라 신하와 백성들은 단지 힘을 다하여 한마음으로 귀국과는 한 하늘을 이고 살 수 없다는 것을 다짐할 따름이다.<중략>

몇 달 뒤에 설사 전선戰船이 온다고 하더라도 우리나라도 방비할 대책이 있다. 대원군 합하가 국정을 확고하게 잡고 있는 데 대해서는 내가 잘 알고 있다. 이제부터 표류해 오는 서양 각 국의 배에 대해서는 먼 곳의 사람을 회유하는 도리로 대우하지 않을 것이니, 다른 말을 하지 말라. 이렇게 알라.[16]

하였다. 전통적으로 조상의 묘를 신성시하던 조선에서는 이 사건으로 서양 열강에 대한 강경한 거부 정책이 더욱 고조되었다.

## 남연군묘

이하응은 부친인 남연군의 묘를 길지에 모시기 위해 지사地師 정만인을 시켜 전국을 살피게 했다. 정만인은 충청남도 예산군 덕산면에 있는 가야사라는 절이 있는 곳을 길지로 지목하여 '두 대에 걸쳐 천자가 나는 자리'라고 지목을 했다. 『매천야록』에는 다음과 같이 기록하고 있다.

그가 지사地師를 따라 덕산德山의 대덕사大德寺에 도착하자 지사는 한 고탑古塔을 가리키며 "저곳은 큰 길지吉地라 그 귀함을 말로 다 표현할 수 없다"고 하였다. 이 말을 들은 흥선군은 즉시 집으로 돌아가 그의 재산을 모두

---

16 『高宗實錄』 1868년 4월 23일 조.

팔아 현금 2만 냥을 마련한 후, 그 절반을 대덕사의 주지에게 주어 절을 소각하도록 하였다. 이에 그 절이 모두 타버리자 흥선군은 상여를 뫼시고 가서 재를 쓸고 그곳에 머물렀다.

한밤중에 그의 형들은 자리에서 일어나 제각기 꿈 이야기를 하였다. 흰옷을 입은 노인이 나타나 꾸짖기를, "나는 탑신塔神인데 너희들이 어찌 나의 사는 곳을 앗아가느냐? 만일 이곳에 장사를 하면 우제虞祭가 끝나기 전에 너희 4형제가 폭사할 것이니 속히 가거라" 하고 말했다는 것이다. 이상하게도 3형제의 꿈이 모두 동일하였다.

이 말을 들은 흥선군은 분통을 터뜨리며 "과연 그렇다면 참으로 길지입니다. 운명이란 주관한 자가 따로 있는 것이니 신神이 어찌 해를 끼치겠습니까? 그리고 종실宗室이 날로 몰락하여 우리 형제들이 옷자락을 끌고 날마다 장금壯金의 문전을 찾아다니며 구차히 사느니보다, 차라리 죽는 것이 쾌하지 않겠습니까? 형님들은 모두 자식이 있지만 혈육 하나도 두지 못한 것은 저 혼자뿐이니 죽어도 아무 두려움이 없습니다. 형님들은 아무 말씀 마시고 계십시오" 라고 하였다.

그가 이른 아침에 탑을 무너뜨리고 보니 탑 터가 모두 암석으로 되어 있었다. 도끼로 팠지만 도끼도 튀기만 하여, 그는 도끼를 어깨에 메고 공중을 향하여 크게 꾸짖었다. 그런 후 다시 도끼질을 하자 다시 튀지 않고 암석이 잘 파졌다. 이렇게 하여 하관을 한 후 혹 훗날 누가 옮길까 염려되어 수만 근의 철을 녹여 지어 붓고 그 위에 사토莎土를 하였다.

『매천야록』에서 수만 근의 철을 녹여 부었다는 것은 생석회를 지목하는 것으로 보인다. 또 『매천야록』에서 이르는 '고탑古塔'은 남연군의 묘를 쓸 때 "탑을 헐고 보니 그 속에 백자白磁 2개, 다병茶甁 2개, 사리舍利 3개가 있었는데 그 사리는 작은 머리만하여 빛이 매우 밝고 물에 담그면 물을 빨아들이고 물을 꿰뚫은 그 청기靑氣는 실오라기만한 연기 같았다"고 한다. 이 고탑은 『황성신문』 1906년 9월 8일자 「대동고사大東古事」에 의하면, "가야사伽耶寺는 덕산군 서 십리 가야산에 있으니, 절에는 철첨석탑鉄尖石塔이 있는데 사면에 석감石龕이 있어 석불을 안치하니 매우 기교奇巧하여 속칭俗稱 금탑金塔이라" 했다고 한다.

홍선 대원군이 여도월呂道月이란 승을 시켜 가야사를 불태우고 그곳에 남양군의 묘를 조영하였다. 후에 김벽담金碧潭이란 승에게 명하여 남연군묘에서 약 1km 떨어진 가야산 동록에 절을 짓게 하고 보덕報德한다는 뜻으로 보덕사報德寺라 하였다.

남연군묘(이곳에는 원래 석탑이 있었다고 전해진다)

# 1871년 7월

## 일제의 육군참모국 설치

일제는 초기 정한론征韓論의 대두擡頭와 함께 줄곧 한국 진출에 대한 야욕을 불태우면서 이를 구체화하기 위해 1871년(明治4년) 7월 대정개혁大政改革의 일환一環으로 병부성내兵部省內에 육군참모국陸軍參謀局(후에 참모본부로 개칭)을 설치했다.

이곳에서 기무밀모참화機務密謨參畵, 지도정지편집地圖政誌編輯, 간첩통보間諜通報 등의 사무를 장악掌握하고 한국과 만주일대에 밀정密偵을 파견하여 대륙진출을 위한 정탐활동偵探活動을 하였다.

이 같은 정탐활동은 『조선지지략朝鮮地誌略』에 잘 나타나 있는데, 무라카미 가즈히코村上勝彦의 「인방군사밀정隣邦軍事密偵과 병요지지兵要地誌」[17]에 의하면, 『조

참모본부(『매일신보』 1912년 8월 31일자)

---

17 『朝鮮地誌略』, 1981(復刻板), 京仁文化社, 1997 影印, pp.3-4.

선지지략』은 참모본부의 해외·국내 활동을 코데#出란 자의 제기提起로 만들어 졌으며, 그 소장처는 도쿄대종합도서관(권 1~3, 7), 도쿄대 국사편찬소(권 1~3), 도쿄 경제대학(권 4, 6~8), 국회도서관(권 8), 내각문고(권 8) 등 13책으로 권5 황해도지부가 포함된 것은 소재불명이라고 한다.

특히 도쿄대종합도서관 소장본은 관동대지진 직후 아리스가와미야가有栖川宮家가 기증한 것으로 아리스가와有栖川는 청일전쟁 때 참모본부장을 지낸 자이다.

이 책의 권8의 말미末尾에는, "明治廿一年(1888)十一月十七日出版 陸軍參謀本部"로 되어 있어[18] 1888년 11월에 육군참모본부에서 출판한 것임을 알 수 있다. 『조선지지략』은 일본 육군참모본부가 밀정을 파견하여 지도 작성 및 병요지지활동을 기록한 것으로서 조선침략을 위해 그들이 얼마나 치밀한 계획을 세워 왔는지 명백하게 보여 주고 있다.

이들의 활동상황을 한국과 관련 한 일부를 무라카미 가즈히코村上勝彦의「인방군사밀정과 병요지지」에서 보면 다음과 같은 활동 내용이 있다.[19]

* 1872년 조선근본처리방책朝鮮根本處理方策을 결정하고 외무대승外務大丞 하나부사 요시모토花房義質가 조선에 파견되어 도한할 때 수행한 기타무라北村 육군중좌, 베쓰후別府普介 소좌 등은 조선에 밀정으로 들어갔는데,[20] 당시

---

18 『朝鮮地誌略』, 1981(復刻板), 京仁文化社, 1997 影印, p.5.
19 村上勝彦의「인방군사밀정(隣邦軍事密偵)과 병요지지(兵要地誌)」(『朝鮮地誌略』, 1981 (復刻板), 京仁文化社, 1997 影印), p.6~37.
20 朴賢洙의「일제의 식민지 調査機構와 調査者」(『정신문화연구』 제21권 제3호, 1998, p.8) 에 의하면,
정한론이 한창이던 1872년 명치 정부는 조선에 外相 격인 外務大丞 花房義質 등을 사

외국인의 왕래가 금지되었음에도 삼남지방을 살피고 돌아가 보고하였음

만주에는 이케가미 시로池上四郎 소좌 등 3명이 밀정으로 파견되어 지리, 풍속, 정치, 병비, 재정 등을 파악케 했다.

외무성에서는 이름을 상인으로 분장하여 요동반도를 중심으로 답사한 후 「만주규찰복명서滿洲糾察復命書」를 제출하였다.

* 1875년 9월 강화도 사건 다음해 2월 구로다 교다카黑田淸陸 전권대신이 군함과 운조선을 이끌고 향할 때, 제1회 청국 파견 장교였던 참모국의 마스미츠益滿 중위가 수행하였고 수호조약의 성립과 동시에 귀국했다.

* 1876년 재차 파견되었으나 내용은 불명

* 1877년 9월 가이즈海津 소위가 개항장 문제를 교섭하기 위해 내한한 하나부사 요시모토花房義質를 수행했다.[21]

* 1878년에는 개항장 물색을 위해 조선 각지 해안을 측량했다.

* 1878년 12월 참모본부가 설립되어 종래의 참모국의 기능을 확대, 참본은

---

절로 파견했는데 西鄕隆盛은 일행 속에 자기 부하를 끼워넣는다. 당시 일본 정부의 참의, 육군 원수와 近衛都督을 겸하고 있던 서향융성은 화방의질 일행에 육군 中佐 北村重瀬와 少佐 別府晉介를 수행시킨다. 화방은 대마도 宗氏의 倭館을 접수하고 조선 정부와 접촉을 시도하였으나 실패하고 몇달만에 물러갔다. 기록(黑龍會 1966) 北村重瀬와 別府晉介는 "조선옷을 입고 조선 모자를 쓴 채, 당시로서는 외국인 왈래가 금지된 조선 내지에 들어가 제반의 사정을 조사하였다"고 한다.

21 『高宗實錄』 14권, 1877년 10월 12일자에는 다음과 같은 기사가 있다.
일본 外務大丞 花房義質이 湖南 개항지대의 水深을 측량한 뒤에 이어 서울로 올라오고 있다고 합니다. 개항지역을 지적하는 것은 비록 約條에 들어 있긴 하지만 통상하는 일로 수도에 주재하는 것에 대해서는 아직 허락한 일이 없습니다. 그래서 東萊府에서 여러 번 타일렀지만 그들은 기어코 올라오려고 하는데 友好를 지속시키려면 또한 강하게 거절하기도 어렵습니다.

조선경성지진경(朝鮮京城之眞景: 1880年에 刊行한『朝鮮地誌』)
이것은 당시 일본 육군참모본부(陸軍參謀本部) 요원(要員)들에 의해
작성된 것으로 추정되는 것으로 뒷장에는 "하나부사 요시모토(花房義質)가 제자(題字)하고
1880년에 사가네 다쓰로(坂根達郎)가 편술(編述)"한 것으로 기록하고 있다.

관동, 관서의 2국으로 구분, 관동국은 만주, 관서국은 조선을 담당케 했다.

 * 1879년 하나부사花房는 4월 17일에 내한 8월 말 의정서議定書를 조인하고
  개항 결정지를 원산으로 정했는데, 이때의 밀정 활동으로 「자한성지제물
  포약도自漢城至濟物浦略圖」의 존재가 판명內閣文庫藏되고 있다.

  여기에 "明治十二年(1879) 7월 하나부사 대리공사花房代理公使 체한중滯韓
  中 제물포까지의 도로탐지를 행하여 목격한 바 이를 약도로 만들었다. <
  중략> 명치12년 7월에 한성 육군 공병중위 가이즈 산유海津三雄"이라 되
  어 있으며 5만분의 1의 축도의 도로를 제작했다.[22]

 * 1880년 2월에 어학생 10명을 조선에 파견했다.

 * 1880년 12월에는 호리모토堀本 중위가 파견되어 어학생의 취체를 겸무했
  다(부산 住在로 추정).[23]

---

22 『高宗實錄』16권, 1879년 4월 24일자에는 다음과 같은 기사가 있다.
  伴接官 洪祐昌이 일본 代理公使 花房義質과 수행원 15인, 호위병 15명, 從者 4명이 오
  늘 申時에 館所(淸水館)로 들어왔다고 보고하였다.
  『高宗實錄』16권, 1879년 8월 27일자에는 다음과 같은 기사가 있다.
  德源府使 金綺秀가, '日本 代理公使 花房義質이 개항할 곳에 경계를 정하는 푯말을 세
  우기 위하여 元山 앞바다에 와서 정박하였습니다' 라고 아뢰었다.
23 『高宗實錄』18권, 1881년 6월 20일자에는 다음과 같은 기사가 있다.
  일본인 호리모도 레이조가 우리 군사들의 교사가 된 것을 일본 외무성에 통지할 것을
  윤허하다
  통리기무아문(統理機務衙門)에서 아뢰기를,
  "일본 교사(敎師) 호리모도 레이조[堀本禮造]가 지난번에 일본 공사(公使)의 간청으로
  인하여 교장(敎場)에 남아 있으면서 군사들을 연습(鍊習)시키고 있으니, 이에 대하여
  응당 그 나라 외무성(外務省)에 통지해야 할 것입니다. 청컨대 서계(書契)를 작성하여
  동래 왜관(東萊倭館)에 내려 보내소서."
  하니, 윤허하였다.
  『高宗時代史』2집 1882년 6월 22일자에는,

* 1880년 사코 가게노부酒勾景信 중위, 다마이玉井 소위를 북청에 파견, 이들
  은 후에 만주의 병요지지자료를 수집(이때 파견된 사코酒勾에 의해서 1883
  년 광개토대왕비의 雙鉤加墨本이 일본으로 반출)
* 1882년 4월 참모본부가 관동국원 미즈노 히로시水野弘 중위, 마쓰오카
  토시지松岡利治 중위, 찌하라 히데사후로千原秀三郎를 조선에 파견, 조선정
  부에 고용되어 하나부사花房 공사와 각종 공작을 행함
  파견장교의 중요임무의 하나는 지도 작성으로 미즈노水野, 마쓰오카松
  岡, 찌하라千原 등의 3명은 "조선 경성 재유 중 북한산 및 남산 백악산 원
  교산 등을 살피고 목측目測 및 상상想像으로 한성도漢城圖를 교정校正한다"
  (1882年 8月付) 이에 따라 『조선경성도朝鮮京城圖, 축적 4만분의1』(內閣文
  庫藏)을 작성 인쇄하였다.[24]

---

어제 日本國外務御用掛 久水三郎 語學生 高應謙三이 英國測量艦「플라잉·피시」號에
便乘하여 濟物浦에 到着하다. 花房 公使의 命에 의하여 亂後의 本國 國情을 詳探하며
또 堀本禮造 少尉 等 生死不分明者를 搜索하기 위해서이다.
『高宗時代史』2집 1882년 6월 22일자에는,
伴接官 尹成鎮, 濟物浦에 到着하여
高宗19년 6월 24일(戊寅) 伴接官 尹成鎮, 濟物浦에 到着하여 日本國外務御用掛 久水
三郎 等과 會見하여 議政府 照會 及 花房 公使·近藤 領事에게 書契를 交換하며 日本
人의 變死者는 堀本 少尉 以下 13名임을 알리고 또 大院君이 朝廷庶務를 親執公決하
며 더욱 和好를 敦篤히 할 것을 表示하다.
24 당시를 짐작할 수 있는 다음 기사가 있다.
日本國辦理公使 花房義質 等 仁川에 到着하다. 府使 鄭志鎔·差備譯官 高永喜가 그를
政堂에서 迎接하다. 그 때에 武衛營軍卒 鄭義吉 等 京城으로부터 追到하여 大院君의
密命을 傳하다. 仁川府兵 이에 應하여 府衙를 襲擊하다. 公使 等은 重圍를 뚫고 濟物
浦에 逃走하여 該地出張 中의 陸軍砲兵中尉 松岡利治·外務御用掛 杉村濬等 5名과 會
合하여 該浦別將에게 囑하여 船을 얻어 月尾島로 건너가다. 死傷 各 6名이다(『梅泉野錄』,
1882년 9월 9일).

* 1882년 12월 조선여행 외교특권을 획득한 3명을 이용, 호리에堀江 관동
  국장管東局長은 다케조에竹添 공사를 통하여 조선정부 여행 허가를 요구하
  고, 양주-개성-평양, 부산-동래-대구-상주-조령 등의 여행으로 각 주요
  간선幹線을 정찰했다.
* 1883년 1월『조선국경성지약도朝鮮國京城之略圖』熊本鎭台 작성
* 1883년 5월『한성근방도漢城近傍圖』작성
* 1893년 8월 부산총영사관 무로타 요시후미室田義文는 철도국 기사전문
  측량반으로 하여금 부산철도정설 예정측량으로 위장하여 공작을 행함
* 1893년 9월에는 2명으로 조선 8도를 정찰, 대 청일전쟁을 준비했다.

공사 일행이 仁川에 도착하자 仁川府使 鄭志鎔과 差備譯官 高永喜는 이들을 맞아 환
대하고 政堂을 공사 등의 휴식처로 정하고 따로 문밖의 관시를 내주어 공사수행원의 휴
식처로 삼게 하였다. 그러나 일행이 도착한 지 얼마 안되어 난군 주동자의한 사람인 武
衛營 군졸 鄭義吉 등이 뒤쫓아와 大院君의 밀명을 전달하니 이에 따라 仁川府兵은 대
거 출동하여 府衙를 포위 습격하였다. 이 때문에 공사일행중 즉사자 6명, 부상자 5명을
내게 되었으나 공사일행은 결사적으로 포위망을 뚫고 濟物浦로 탈출하였으며 그곳에서
출장중이었던 陸軍中尉 松岡利治, 外務御用掛 杉林濬, 久水三郎, 語學生 1명, 雇員 1명
등과 합류하여 濟物浦別將의 도움으로 月尾島로 건너갔다(『高宗時代史』第2册, 1882년
6월 10일).

# 1876년 2월 27일

## 조일수호조규(朝日修好條規)를 맺다.

1876년 2월 27일(고종13년 음력 2월 3일) 조선과 일본 사이에 조일수호조규 朝日修好條規가 맺어졌다. 군사력을 동원한 일본의 강압에 따라 체결된 불평등 조약이었으며, 이 조약에 따라 당시 조선은 부산 외에 인천, 원산의 두 항구를 개항하게 되었다.

『고종실록』1876년 2월 2일조에는 "오늘 3일 진시辰時에 일본국 특명전권변리대신特命全權辨理大臣 구로다 기요타카黑田淸隆, 특명 부전권변리대신特命副全權辨理大臣 이노우에 가오루井上馨와 수호조관修好條款 2책冊에 상호간에 서명 날인" 한다고 하고, 수호조규는 12관으로 이루어졌다.

조약을 체결한 강화도 연무당(鍊武堂)(『고종시대사』)

조약 체결 장면(『고종시대사』)

朝日修好條規（국사편찬위원회 유리필름）

# 1877년 1월 30일

부산구 조계 조약(釜山口租界條約)을 체결하다.

『고종실록』1876년 1월 30일조에는 다음과 같다.

〈부산구 조계 조약釜山口租界條約〉

조선국朝鮮國 경상도慶尙道 동래부東萊府 소관 초량항草梁項의 한 구역은 예로부터 일본국 관리와 백성이 거류하는 땅이다. 그 폭원幅員은 도면과 같다.

도면 중 옛날 동관東館이라고 부르던 구역 안에 적색赤色으로 표시한 가옥 3채는 조선국 정부가 지은 것이다.

일본력日本曆 명치明治 9년 12월 12일, 조선력朝鮮曆 병자년(1876) 10월 27일 일본국 관리관管理官 곤도 모토스케近藤眞鋤는 조신국 동래 부백東萊府伯 홍우창洪祐昌과 만나 지난 번에 양국 위원들이 토의하여 체결한 수호 조규修好條規 부록附錄 제3관款의 취지에 따라 2월 17일 다시 협의하여 구칭舊稱 재판가裁判家라고 한 것을 제외하고 조선국 정부에서 지은 두 채의 건물을 일본국 정부에서 지은 구칭 개선소改船所 및 창고 등 여섯 채의 건물과 교환하여 양국 관리와 백성이 사용하도록 한다.

이후 조선국 정부에 소속될 가옥 7채는 황색黃色으로 윤곽을 그어 구별하고 택지 역시 소속된다.

그 밖의 택지, 도로, 개천은 모두 일본국 정부에 귀속시켜 보호하여 수리하고, 선창은 조선국 정부에서 수리하고 보수한다. 따라서 지도를 첨부하고 서로 날인하여 뒷날 분쟁이 일어나는 것을 방지한다. 조약문은 이와 같다.

대조선국大朝鮮國 병자년(1876) 12월 17일

동래 부백東萊府伯 홍우창洪祐昌 인印

대일본국 명치明治 10년 1월 30일

관리관管理官 곤도 모토스케近藤眞鋤 인印

곤도 모토스케近藤眞鋤는 1876년에 일본외무성 관리관으로 부산에 부임한 이후, 1880년 부산주재 일본영사, 1882년부터 1891년까지 일본 임시대리공사로 한국에서 활동하는 동안 상당수의 한국 유물을 수집 반출하여 도쿄박물관에 기증하기도 했다.

# 1879년 6월 13일

청수관(淸水館)에 일본공사관이 들어서다.

『고종실록』 1879년 4월 24일조에 의하면, "일본 대리공사代理公使 하나부사 요시모토花房義質와 수행원 15인, 호위병 15명, 종자從者 4명이 오늘 신시申時에 관소館所 청수관淸水館로 들어왔다"고 하고, 『고종시대사 2집』 1879년 4월 27일조에는 "일본공사 하나부사 요시모토花房義質가 예조禮朝에서 관소館所로 돌아가는 도중에 투석投石하는 사람이 있었다. 하나부사花房 공사는 예조판서 심순택에게 서계로써 이 사실을 알리자 반접관 홍우창으로 하여금 해명케 하는 동시에 금지 조항을 방곡坊曲에 게시揭示토록 하다" 라는 기사가 보인다. 『고종실록』 1880년 11월 16일조에도 "일본 판리공사辦理公使 하나부사 요시모토花房義質와 수원隨員

임오군란으로 불타버린 최초의 일본공사관 청수관(『경성발달사』)

4인人, 함장艦長 1인, 전어관傳語官 2인, 호위병護衛兵 22명, 순사巡査 10명, 종자從者 2명이 오늘 술시戌時 경에 청수관淸水館에 들어왔다"는 기사가 보인다.

『경성부사』에는, "1880년 4월 일본 정부는 경성에 공사관을 설치하였다. 12월에 하나부사 요시모토花房義質가 변리공사로 부임하면서 서대문 밖 청수관을 공사관으로 삼아 주재하였다"[25]라고 하고 있다.

이로보아 정식 공사관으로 사용하기는 1880년부터이나, 1879년 4월(양력 6월)부터 임시공관 성격으로 사용했던 것으로 보인다. 이 점에 대해서 북한 사회과학원 역사연구소에서 발간한 『일제조선침략일지』[26]에도 1879년 6월 13일(음력 4월 24일)에 "일본대리공사 하나부사 놈이 수원 15명, 호위병 15명을 끌고 서울에 침입하여 청수관에 둥지를 틈"이라고 하고 있다.

『국역 경성발달사』에는 다음과 같이 기술하고 있다.

문밖에는 맑은 샘이 있었는데 그것이 연못을 이루어 연꽃이 가득했다. 당시 공사관이었던 이시바타 데이石幡貞는 다음과 같이 적고 있다.

관내 정면의 서상헌西爽軒이 공사관이다. 그 왼쪽에 천연정이 있고, 오른쪽 건물 네 채가 있다. 이곳에는 수행원과 차비관, 통사가 거주한다. 뒤쪽에 누각이 하나 있는데 청원각이라 부른다. 이곳은 휴식공간으로 적합하다. 부지는 시가지에 접했으나 담이 에워싸고 있어 한적한 느낌을 준다. 다만 집이 협소하고 각 방이 서로 떨어져 있어 일하는데 불편하다고 한다. 때때

---

25  서울특별시 시사편찬위원회,『국역 경성부사』제2권, 1913, p.458.
26  사회과학원 역사연구소,『일제조선침략일지』, 사회과학출판사, 1973.

로 청원각에 오르면 시원한 느낌에 사람들이 모이곤 한다. 다듬이 소리가
사방에서 들려오니 처연한 느낌마저 준다.[27]

이곳에는 옛날에 고서지古西池라 하는 연못이 있고 그 연못 변에 한 누관을
건설하여 청수관이라 불렀다.[28] 청수관은 정조가 창건한 것으로 당시에는 사대
부들이 노닐며 잔치를 벌이던 곳이다.[29]

# 같은 해

## 도쿄박물관의 기증 유물

2004년에 발간한 『도쿄국립박물관 도판목록』을 보면 1879년에 마찌다 히사
나리町田久成가 기증한 삼국시대의 배杯, 개蓋가 보이고 있다. 이를 보면 개항과
더불어 일부 도굴꾼들이 한국에 진출한 섯으로 볼 수 있다. 당시 박물관장은
마찌다 히사나리로, 마찌다는 내무성 박물국장, 농상무성 박물국장(박물관 초
대관장)을 역임한 자로 일본 박물관의 아버지라 부르는 자이다.[30]

도쿄 우에노공원에 위치한 도쿄국립박물관은 1871년 7월 18일에 문부성을

27 서울특별시시사편찬위원회 편저, 『국역 경성발달사』, 2010.
28 「天然亭」, 『每日申報』 1921년 4월 29일자.
29 서울특별시 시사편찬위원회, 『국역 경성부사』 제2권, 1913, p.461.
30 「東京國立博物館所藏朝鮮産土器・緑釉陶器の收集經緯」, 『東京國立博物館圖版目錄』朝
鮮陶磁篇(土器,緑釉陶器), 東京國立博物館, 2004, p.169.

설치하고 문부성관제를 정하여 그해 9월 문부성에 박물국을 설치하면서 시작되었다. 이어 1872년 10월 1일 문부성 박물국에 의한 박람회가 개최되어 이를 계기로 박물관이 창립되었다. 박물국博物局은 박물관과 함께 처음 생겨나게 되었다. 즉 이것이 박물관의 시초라 할 수 있다. 당시만 해도 명칭은 박물관 또는 박물국이라 불렀다. 국局은 사무관장상 사용한 것이고, 관館은 진열관의 호칭으로 사용한 것으로 보인다.[31]

1881년에는 농상무성을 설치하고, 내무성의 근업료 및 박물관 기타 사무를 농상무성에서 주관했다. 박물관은 1882년 3월에 신박물관을 우에노공원에 개관하여 일반에게 공개하고 농상무성 관리 하에 두었다. 1886년 3월에 이르러 박물관은 궁내성 소관으로 옮기고 궁내성 도서료에 부속케 했다.[32]

1879년 町田久成의 기증품(『東京國立博物館圖版目錄』, 2004)

---

31 帝室博物館, 『帝室博物館略史』, 1938.
32 大森金五郎, 「文獻の喪失 文化の破壞」, 『中央史壇』 제9권 3호, 1924년 9월; 飯島勇, 「第二次大戰以前の館における美術品の收集について」, 『MUSEUM』 262, 1973년 1월.

# 1882년 7월 23일

## 불타버린 청수관(淸水舘)

서대문 밖 청수관을 일본공사관으로 사용해 오다가 1882년 임오군란으로 종식을 맞게 된다.

1882년 7월 23일(음력 6월 9일). 분노에 찬 옛 훈련도감 소속의 군인들이 일본국 공사관淸水舘을 위협하자 변리공사 하나부사 요시모토花房義質가 영사 겸 외무서기관 곤도 마스키近藤眞鋤, 공사관무관 육군보병대위 미즈노 가쓰다케水野勝毅 등을 독려하여 중요서류를 불 지르게 하고 관원 일동은 방비에 급급했다.

야간에 이르러 방어가 불가능해지자 사가와 아키佐川暁 등에게 공관에 석유를 뿌려 불 지르게 하고 거기에 서류 등을 던지게 했다. 화염이 오르는 것을 보고 공관원 일행이 대궐로 가서 보호를 받고자 숭례문에 도착하였으나 굳게 잠

임오군란을 묘사한 조선전쟁도
(『국역 경성발달사』, 1882년 기요치카(淸親) 작품, 재일동포 역사가 강덕상 소장)

일본 공사관 천연정(국립중앙박물관 유리건판)

겨 들어가지 못하고 부득이 양화진楊花鎭으로 퇴거하여 인천으로 달아났다.[33]

인천에서 인천부사 정지용의 도움을 받고 제물포를 거쳐 월미도로 도망한 다음 일본으로 돌아갔다.

## * 일본화방공사일행조난지비(日本花房公使一行遭難之碑)

1882년 7월 임오군란 당시 일본공사였던 하나부사와 그의 일행은 월미도를 통해 조선을 탈출하기 전, 인천도호부 관아에서 머물렀던 것을 기념하기 위해 1934년 '일본 화방 공사 일행 조난비'를 세웠다. 비문에는 하나부사 공사를 수행했던 일본 공관원 6명의 이름과 이들을 환대해준 죄로 대원군의 소환을 받고 자결한 인천부사 정지용에 대한 내용이 적혀 있다. 이런 이유로 해방 이후 이

---

33 『高宗實錄』1882년 6월 9일자;『高宗時代史』1882년 6월 9일자.

임오군란 때 일본으로 도망간 하나부사 요시모토(花房義質) 일행
(둘째 줄 가운데가 하나부사 공사, 『京城府史』)

석비는 쪼개어서 땅에 묻혔던 것을 2002년 3월 옛 인천도호부 관아였던 문학
초등학교 인근 공사장에서 발견하여 인천시립박물관으로 옮겼다.

『경성발달사』에는 다음 같이 기술하고 있다.

다음날인 24일 저녁에야 비로소 인천부에 들어갔다.

인천부사 정지용은 온화하고 우수한 관리였다. 그는 일행의 행색을 보더니 어리
둥절하여 그 이유를 물었다. 그는 임오군란 소식을 처음 접하고 적잖이 놀랐으
나 우리 일행을 위로했다. 그는 우리를 위해 젖은 옷을 온돌에 말리게 하고 즉시
밥상을 보도록 했다. 그의 융숭한 환대에 겨우 마음을 놓자 졸음이 쏟아졌다.[34]

---

34 서울특별시시사편찬위원회 편저, 『국역 경성발달사』, 2010.

하나부사 공사 일행의 탈출을 도운 정지용에 관련하여 『매천야록』에는 다음과 같이 기술하고 있다.

하나부사 요시모토花房義質는 인천에 도착하여 부사 정지용을 속여, "내가 공무로 급히 동래를 갈 일이 있으니 공이 배를 마련하여 주십시오" 하고 한 시각도 지체하지 못하도록 재촉하였다.

정지용이 증명을 요구하자 하나부사 요시모토花房義質는 증명을 내보였다. 이 증명은 이때 경기관찰사로 있던 금보현이 정지용의 처지를 우려하여 하나부사 요시모토花房義質의 요구에 따라 준 것이다. 그는 해외로 유유히 도주하였다. 그가 도주한 다음날 경군京軍이 도착하였다.

이때 정지용은 김보현의 사망과 시국이 졸변하였다는 말을 듣고 독약을 먹고 자결하였다.

일본화방공사일행조난지비

# 1882년 8월 30일

## 경성에 일본 상인 주둔

임오군란으로 빚어진 양국간의 문제를 처리하기 위해 1882년(고종19년) 8

월 30일(음력으로 7월 17일) 제물포조약[35] 이후 일본 관리와 가족과 고원雇員의

가족과 어용상인들은 예조에서 발급하는 여권을 휴대하고 아무런 제지도 없이

다닐 수 있었다.[36]

　임오군란으로 일본으로 달아났던 하나부사 요시모토花房義質 공사는 1882년

8월 16일에 곤도 모토스케近藤眞鋤 서기관을 거느리고 약 4개 중대 병사들의 호

위를 받으며 인천을 출발해 경성에 들어왔다. 양화진에서 이들을 맞은 경기감

---

35　조약의 내용은 ① 지금으로부터 20일을 기해 조선국은 흉도를 포획하고 수괴를 가려내 중
　　벌로 다스릴 것, ② 일본국 관리로 피해를 입은 자는 조선국이 융숭한 예로 장사지낼 것, ③
　　조선국은 5만원을 지불해 일본국 관리 피해자의 유족 및 부상자에 지급할 것, ④ 흉도의 폭
　　거로 인해 일본국이 받은 손해 및 공사를 호위한 육·해 군비 중에서 50만원을 조선이 부
　　담하며, 매년 10만원씩 지불해 5년에 완납 청산할 것, ⑤ 일본공사관에 병사 약간 명을 두
　　어 경비하게 하며, 병영의 설치·수선은 조선국이 책임을 지고, 만약 조선국의 병·민이 법
　　률을 지킨 지 1년 후에 일본공사가 경비를 필요하지 않다고 인정할 때에는 철병을 해도 무
　　방함, ⑥ 조선국은 대관을 특파하고 국서를 보내어 일본국에 사죄할 것 등이다.
　　『梅泉野錄』 '花房義質의 배상요구' 조에는 다음과 같이 기술하고 있다.
　　일본의 사신 花房義質이 도주한 지 얼마 안되어 다시 井上馨, 高島鞆之助, 仁禮景範 등
　　과 함께 2개 중대를 인솔하고 서울로 들어왔다. 그는 군란이 일어난 과실을 우리 조정으
　　로 되돌리고 다시 和議를 제기하여 매우 까다롭게 질책을 해왔다.
　　우리 조정에서는 겁을 먹고 李裕元을 全權大臣으로 임명하여 그들과 함께 일을 처리하도
　　록 하였다. 그러나 그는 일본인들의 말만 따라 5만원은 사망한 일병들의 배상금으로 주
　　고, 50만원은 군비 배상금으로 주었다. 이때부터 일병들은 서울에 주둔하기 시작하였다.
　　그 후 그들은 또 사신을 보내 사죄하기를 간청하였다. 우리 조정은 金晩植, 朴泳孝, 金
　　玉均 등을 일병들의 陣中으로 보냈다. 이때 김옥균 등은 미치도록 일본을 사모하여 開
　　化에 뜻을 두고 있었으므로 그는 은밀히 約款과 附則을 두자고 제의하였다. 일본인들은
　　이를 매우 기뻐하며 배상금 40만원을 감면해 주었다.
36　『高宗實錄』 1882년 7월 17일(음력) 조
　　〈수호 조규(修好條規) 속약(續約)〉
　　제2관. 일본국 공사(公使)와 영사(領事) 및 그 수원(隨員)과 가족은 마음대로 조선의 내
　　지 각 곳을 유력(遊歷)할 수 있다. 유력할 지방을 지정하면 예조(禮曹)에서는 호조(護
　　照)를 발급하고, 지방관청은 호조를 확인하고 호송한다.

사 홍우창은 임오군란 여파로 많은 가옥들이 몽땅 불타버렸기 때문에 당장 관사를 마련하기 어렵다며, 한동안 이곳 북파정(마포구 당인동 소재 정자)에 머물기를 바란다고 말했다. 하나부사 공사는 이를 거절하고 먼저 1개 소대 병사를 곤도 서기관에게 붙여 경성에 들어가게 하고, 하나부사 공사는 모든 장병들을 도열시켜 위협적인 행진하며 저녁 무렵 경성으로 향했다.『경성발달사』에는 다음과 같이 기술하고 있다.

곤도 서기관 선발대는 경기감사와 상의하여, 왜장대 아래에 있던 근위대장 이종승 집이 꽤 커서 문무제관을 수용할 수 있기 때문에 공사 일행의 관사로 정했다(당시 이종승은 온 가족과 함께 지난으로 피난하였다). 그리고 곤도는 그 부근 민가 10여 채를 징발해 병사들 숙소로 정했다. 공사 일행은 경성에 들어오자마자 곧 각 처소에 자리를 잡았다.

우리 욱일기는 이때 비로소 남산 기슭에서 당당하게 펄럭일 수 있었다. 그 모습은 서대문 밖 청수관 위에서 나부끼던 때와 비교할 수 없다. 역시 무력의 위력이란 참으로 놀랍다.

20일 하나부사 공사는 우리 군내의 호위를 받으며 위풍당당하게 궁궐에 들어가 왕을 알현하고 변란 전후의 사정을 밝혔다. 또한 변상을 요구하고 몇 개 조항으로 정리한 새 조약을 제시한 뒤 3일 이내에 최종답변을 요청한 뒤 물러났다. 3일 후 조정에서는 서한을 보내기를 명성황후가 임오군란으로 7월 23일 시해당한 것으로 간주하고 이를 해결한 후에 해답을 주겠다고 했다(7월 23일 명성황후는 비밀리에 충주로 피신을 했으나 조정에

서는 알지 못하고 있었다). 결국 8월 30일 제물포조약이 체결되었다.[37]

하나부사 공사는 왜성대 아래의 이종승 저택을 공사관으로 정하고 귀국하고, 곤도 서기관이 임시대리공사로서 그곳에 머물렀다. 그리고 육군 소좌 하다노 다카유키秦野毅之 1중대가 공사관 호위병을 이끌고 남산 북쪽 기슭에 일본병사가 주둔하였다. 일본인 중 일반재류민의 입성은 없었다. 다만 어용상인 조직인 교도구미協同組와 오쿠라구미大倉組 관계자 10명 정도가 공사관 부근에 점포를 내었고, 군대 숙사 상인들 집이 10호 정도 되었다. 결국 군인 약 200명, 관민을 합해 40명 정도의 일본인이 경성에 거주하게 된 것이다.[38] 『경성발달사』에는 다음과 같이 기술하고 있다.

변란을 문책한 결과 이전에는 일본인이 경성에 거주할 수 없었지만, 지금은 당당히 우리나라 국기를 내걸고 공공연하게 주거를 마련할 수 있게 되었다. 변란 이진에는 빌어먹는 식객과 같은 처지였던 경성 일본인단이 하루아침에 귀한 손님이 되었다. 임오군란은 단지 일본에게만 경성을 개방해 일본인단의 위상을 비약적으로 발전시키는데 그치지 않았다. 그것은 동시에 자국의 실질적 영향력을 경성, 아니 조선에 부식시키려던 청나라에 대해서도 경성을 개방하는 결과를 초래하였다.[39]

37  서울특별시시사편찬위원회 편저, 『국역 경성발달사』, 2010, pp.48-49.
38  서울특별시 시사편찬위원회, 『국역 경성부사』 제1권, 2012, p.463.
39  서울특별시시사편찬위원회 편저, 『국역 경성발달사』, 2010, p.54.

이후 1883년에 무역장정을 체결함으로써 경성을 개장시장으로 만들고, 이어서 의주, 회령에도 개시를 열게 하였다. 영국과 독일도 같은 해 11월 26일 조약을 맺고 이어 일본과 미국도 무역장정을 개정하였고, 기타 여러 나라도 이에 준하여 공공연히 성안에 거주하며 무역을 시작하였다.

# 1882년 10월

## 수신사 박영효가 고려자기를 예물로 가져가다.

고종19년(1882) 임오군란이 일어난 후 8월에 제물포조약이 체결되고 이 조약에 따라[40] 1882년 10월에 수신사 박영효朴泳孝를 일본에 보내어 유감의 뜻을 표했다.[41] 이때 국서國書 중에 별도로 갖춘 예물을 외무성에 보냈으며 그 중에는 고려자기가 들어있었다.

박영효의 『사화기략使和記略』에 의하면, 그 예물4종禮物四種은 다음과 같다.

『여사제강麗史提綱』 1부 23책

고려자기 1사事

---

40 『高宗實錄』 1882년 7월 17일(음력) 조.
   〈강화 조약(講和條約)〉
   제6관. 조선국 특파 대관이 국서를 가지고 일본국에 사과한다.
41 『高宗實錄』 1882년 7월 17일조, 7월 25일조, 8월 8일 조.

박영효

은반상銀盤床 1구具 19건

강화도 화문석 10입

    이 속에 고려자기가 포함된 것은 일인들의 고려자기에 대한 선호도를 반영한 것이라 할 수 있으며, 물론 도굴품을 구입하여 가져간 것으로 추정된다.

朝日修好條規

大日本國與
大朝鮮國素敦友誼歷有年所今
欲重修舊好以固親睦是以
日本國政府簡特命
全權辦理大臣陸軍中將兼參議開拓長官黑田淸
隆特命副全權辦理大臣議官上議院議官井上馨
華府朝鮮國政府簡列中樞府事申櫶副總管尹滋
承各遵所奉諭旨議立條欵慨列于左

第一欵

朝鮮國自主之邦保有與日本國平等之權嗣後兩

# 우리 문화재 수난일지

**1883~1885년**

# 1883년 1월

작년 9월에 하나부사 공사가 러시아 공사로 전보되어 감에 따라, 다께조에 신이치로竹添進一郎가 조선공사로 새로이 임명되어 1월에 부임했다. 일행으로는 이소바야시磯林 대위, 우미노세海之瀬 군의 등이 있었다. 이 무렵 혼다本田收之助라는 자가 지금의 명동성당 아래쪽 근처에서 사진관을 개업하였다. 사진관 앞은 이를 신기하게 여긴 조선인들로 항상 북적거렸다고 한다.[42]

# 1883년 2월 12일

일본 관리공사 다께조에竹添進一郎 영사관, 수원 이소바야시磯林眞三, 원산 및 부산영사관 속원 우미쯔 및 와다나베 등의 조선 각지 정탐 행각을 위한 여권 발급을 조선 정부 당국에 부당하게 요구했다.[43] 이 해 정탐활동으로 '한성근방도漢城近傍圖', '제물포약도' 등이 작성되었다.

---

42  서울특별시시사편찬위원회 편저, 『국역 경성발달사』, 2010.
43  사회과학원 역사연구소, 『일제조선침략일지』, 사회과학출판사, 1973.

# 1883년 3월 10일

경희궁 흥화문 안에 설치한 저초소(화약제조소)가 실화로 폭발하여 흥화문 문짝이 완전히 파괴되었다.[44]

# 1883년 10월 8일

일본관리공사 다께조에가 인천에 침입한 일본 군함 '이와기'의 부장 사나가와의 경기도 수원, 남양 등지 정탐 행각을 보장하는 여권 발급을 조선 정부에 강요, 조선정부는 이를 승인했다.[45]

## 같은 해

### 광개토대왕비문의 일본 반출

1880년에 만주 일대에 파견되었던 첩보장교 중위 사코 가게노부酒匂景信가 광개토왕릉비문을 비정상적인 방법으로 탁본한 것을 1883년 일본으로 가져갔다. 비문의 일본 유입은 사코 가게노부酒匂景信의 개인적 관심이 아니라 참모본

---

44  서울특별시 시사편찬위원회, 『국역 경성부사』 제1권, 2012.
45  사회과학원 역사연구소, 『일제조선침략일지』, 사회과학출판사, 1973.

부에서 조선, 청국 지리정지의 조사 연구의 자료로 참모본부의 장교 사코酒匂를 보내어 광개토왕릉비문을 탁본하여 간 것이다.

광개토대왕의 비문이 일본으로 들어간 시기는 일제의 대륙진출의 야욕을 한창 불태우고 있던 시기로 당시 이곳으로 파견된 첩보장교에 의해 1부가 입수되어 일본으로 전해지게 되었다.

일본 제국주의는 대륙진출의 준비공작을 위해 1871년 7월에 병부성내에 육군참모국陸軍參謀局을 설치하여 군사기밀 및 지리 측량, 지도작성, 간첩통보 등의 사무를 장악케 했으며, 평시에는 제지방의 지리 측량과 지도작성을 임무로 했다. 이어 1872년에는 3명의 밀정을 파견하여 지리, 풍속, 정치, 병비, 재정 등의 조사를 하였다. 이들은 상인으로 분장하여 요동반도를 중심으로 봉천 등을 밟고 일본으로 돌아가『만주시찰복명서滿洲視察復命書』를 제출하였다. 1873년 3월에는 병부성이 육해군 양성으로 나누어지자 육군성조례를 개정하여 참모조직은 제6국으로 개칭하였다. 이때의 국장局長 도리오 고야타鳥尾小彌太 소장은 '장백산長白山 국방제1선國防第一線'을 주장하여 청국연구를 당면 요무要務라 하여, 1873년 11월에는 미시로 모토美代元 중위를 장長으로 하여 8명의 장교 하사를 청국에 파견을 하였다.

1874년 2월에는 참모국參謀局의 명칭을 부활하고 엄무를 확장했다. 이어 1874년 4월에는 오하라大原 대위를 장長으로 하여 7명의 장교하사를 청국에 파견하였다. 당초의 명목은 유학생으로 가장하였으나 임무수행 상 부적당하여 순방사巡訪使라 명칭을 변경하였고, 군내軍內에서는 주재장교駐在將校라 하였다. 이후 주재장교는 상해와 북경에서 중국어 학습과 청국의 일반정세를 파악하는 일로서 후에 갑(정세政情, 일반세정一般世情, 기타其他), 을(군정軍情), 병(지리地理

및 기타其他) 등의 훈령訓令으로 분류
하여 첩보활동을 하였다.[46]

미시로조美大組의 나가세 카네마사長
瀨兼正 소위는 7년 간 북경에 주재하면
서 군사정보 수집과 감숙 지방의 군사
시찰을 행하였으며, 시마히로 타게시島
弘毅 중위는 11년 간 첩보활동으로 만주
주요지를 간선幹線을 따라 조사하고 지
도와 실지의 차이를 개정하였으며 후
에『만주지지滿洲地誌』의 기초를 다졌다.
1888년에는『만주기행滿洲紀行』2권을 제
출하였는데,『만주기행』의「길림성 임조
라형세吉林城 臨鳥喇形勢」에는 "토인은 고

酒匂景信(『對支回顧錄』, 佐伯有淸,
『廣開土王碑と參謀本部』, 吉川弘文館, 1976)

려성高麗城이라 칭함" 이라는 문구가 있어[47] 이 자도 집안 일대를 살핀 흔적이 있다.

그 후에 파견되었던 오하라大原里賢는 초기 주재장교 중 대표적 인물로 10여
년을 청국에 주재하였다. 오하라大原里賢는 중청, 북청에서 밀정활동을 한 공로
로 1886년에는 참모본부 편찬과장에 임명되었다.

1878년 12월에는 종래의 참모국의 기능을 확대 참모본부로 재편하였다.
1879년부터는 청국 각 요충지에 참모장교를 분재하고 별도로 관리장교를 북경

---

46 村上勝彦,「解說 隣邦軍事密偵と兵要地誌」,『朝鮮地誌略』, 1981.
47 佐伯有淸,『廣開土王碑と參謀本部』, 吉川弘文館, 1976, p.69.

과 상해에 1명씩을 두었다. 매년 수명의 장교가 청국 각지의 주재를 명받았으며, 1879년부터는 매 해 10명 이상이 청국에 주재하였다. 1882년 후반에는 만주 오지 정찰에 구라쓰지 아키토시倉辻明俊 중위가 파견되었으며, 1883년 파견조도 동일하게 만주오지와 요하, 발해 연안 일대를 조사하였다. 특히 구리스 리오시栗栖亮 중위는 1983년 10월에 청국에 들어가 양주, 청강포, 대운하 일대의 지리를 조사하고 1886년 9월에 일본으로 돌아왔는데 그간 광개토대왕비가 있는 통구를 답사 현지를 시찰하고 "원태왕릉안여산고여악願太王陵安如山固如岳"이 새겨진 전을 발견하기도 했다.[48] 1882~1884년 사이에는 매 해 17, 18명 이 주재하였다. 사코 가게노부酒匂景信 중위와 다마이玉井 소위는 1980년에 파견되었다.[49]

그러는 사이 참모본부 편찬과에서는 고대 한일관계사를 연구하여 1882년에는 『임나고任那考』가 작성되었다. 사에키 아리키요佐伯有清에 의하면, 『임나고』의 표지에는 「편찬과비부제227호/임나고고/전編纂課備付第227号/任那考稿/全」이라 되어 있고 권말卷末에는 「메이지십오년팔월십일일/편찬과明治十五年八月十一日/編纂課」라고 기록하고 있으며, 부록으로 『임나국명고任那國名考』를 싣고 있다. 『임나고』 권말卷末의 「편찬과編纂課」 아래에 「뢰국운육군참모본부賴国云陸軍參謀本部」라고 주기注記가 있어 [50] 『임나고』는 참모본부 편찬과에서 1882년 8월에 편찬한 것이다. 사코酒匂가 쌍구가묵본雙鉤假墨本: 雙鉤摹本을 일본으로 반출하기 전으로, 이것은 학자들이 한국사를 본격적으로 연구하기 전의 일이다. 일본육군참모본부가 고대사의 허구를 만들

48 佐伯有清, 『廣開土王碑と參謀本部』, 吉川弘文館, 1976.
49 村上勝彦, 「解說 隣邦軍事密偵と兵要地誌」, 『朝鮮地誌略』, 1981.
50 佐伯有清, 『研究史 廣開土王碑』, 吉川弘文館, 1974. p.30.

어내어 조선침략의 발판으로 삼고자 얼마나 노력을 하였는지를 엿볼 수 있다.

당시 그들의 임무는 「지리정지」의 조사 연구의 일환으로 이 지역을 살펴보았을 것이며 소문을 듣고 필연적으로 광개토왕비문을 목격하였을 것이다. 드디어 1880년에 만주 일대에 파견되었던 첩보장교 중위 사코 가게노부酒勾景信가 광개토왕릉비문을 비정상적인 방법으로 탁본한 것을 1883년 10월 이전에 일본으로 가져갔다.[51]

이는 참모본부에서 임나사任那史 연구를 시작으로 한 문헌 연구와 더불어 광개토대왕비문을 활용하여 조선침략의 명분과 저들의 침략야욕에 동조하도록 부추기고자 하는 데 가장 호재로 보았던 것이다.

## * 광개토대왕비의 재발견

광개토대왕廣開土大王을 보통 호태왕好太王이라 부르고 있으나 이는 시호諡號의 일부로 완전한 시호는 이 비의 소재지가 당대에는 '국강國岡'이라고 칭하였기

---

51  반출시기에 대해 『대지회고록(對支回顧錄)』(東亞同文會, 1936)에는 酒勾의 관련 기록에, "메이지13년(1880) 9월 청국 파견명령을 받고 .... 17년(1884) 5월 포병대위로 진급함과 동시에 귀국명령을 받아 나고야(名古屋) 포병 제3연대 중대장에 임명되었다" 하여 1884년에 일본으로 귀국한 것으로 나타나 있다고 한다. 佐伯有淸과 李進熙 교수는 『參謀本部 歷史草案』 文 '明治16년(1883)項' 중에는 酒勾景信이 이 해 8월 8일에 우장에서 참모본부장에게 보낸 문서와 여기에 첨부한 淸國 公使館部 武官 福島安正大尉의 文書 및 이 해 9월 3일자 關西局長 桂太郎대좌의 '酒勾景信 旅行 要請에 붙이는 意見'(酒勾의 귀국코스 변경 신청에 대한 1883년 9월 3일자의 답신), 궁기종합박물관에 있는 辭令 등을 종합해 보면 1883년 10월 말까지는 일본에 돌아와 있지 않으면 아니 됨을 밝히고 있다(佐伯有淸, 『廣開土王碑と參謀本部』, 吉川弘文館, 1976; 佐伯有淸, 『研究史 廣開土王碑』, 吉川弘文館, 1974; 李進熙, 「廣開土王陵碑文の謎」, 『思想』 575號. 岩波書店, 1972년 5월).

때문에[52] 시호에 국강國岡을 붙여 「국강상광개토경평안호태왕國岡上廣開土境平安好太王」이라 하며, 재위在位 동안에는 영락永樂의 연호年號를 사용하여 영락태왕永樂太王이라 부르기도 한다. 우리나라 역사상 가장 강대했던 대국을 이루었던 왕이 승하하자 왕의 훈적勳績을 후세에 길이 전하기 위하여 광개토대왕이 승하한지 2년째 되는 해인 414년 즉 장수왕3년 9월에 고구려의 고도古都인 국내성 부근(현 중국 길림성 집안현)에 능비를 건립하였다. 그 후 668년 고구려 멸망과 함께 이 일대가 당병들에 의하여 철저하게 유린 파괴당하여 폐허로 남아 있었다.

광개토왕릉비에 관한 기록은 고구려왕조 이후 이 지방을 통치한 발해, 요, 금, 원 등 왕조에 직접 관계된 사서들뿐만 아니라 기타 중국문헌들에도 전혀 보이지 않는다. 또 고려는 그 초기부터 거란왕조와 국교를 가지고 있었지만 그 것은 주로 압록강 하류 쪽을 통해서 왕래한 것이기 때문에 이를 실견實見한 기

광개토대왕비(조선고적도보)

---

52  今西龍.「廣開土好太王陵碑に就て」『朝鮮古史の硏究』. 國書刊行會, 1970, p.462.

록이 보이지 않는다. 다만 능비陵碑의 존재에 관한 기록은 14세기 말 15세기 초 즉 고려말 조선초의 조선문헌朝鮮文獻에 처음으로 나타난다. 1369년 고려 공민 왕 19년에 동북면 원수 이성계가 기병 5천명, 보병 1만 명을 거느리고 북원北元 의 동령부東寧府를 격파하기 위해 출병하여 이곳을 평정하였을 때 능비 자체는 알아보지 못하고 "동은 황성皇城, 북은 동령부東寧府, 서는 바다, 남은 압록강 일 대" 라는 문구가 처음으로 고려사에 나온다.

용비어천가龍飛御天歌에도 이 지역을 황제의 성[大金皇帝城]이라 했고, 1536 년(중종31년) 관서경변사關西警邊使의 임무를 띄고 평안도 강계, 만진포 일대를 시찰하던 공조판서工曹判書 심언광沈彦光이 강 너머로 보이는 능비를 발견하고 읊은 시가 이수광李晬光의 『지봉유설芝峰類說』에 전해지나[53] 물론 그도 이 비를 금金의 황제비皇帝碑로 인식하였다. 그래서 이 비는 막연한 '대금황제비大金皇帝 碑'로 알고 있었던 것이다. 이후 17세기 초 세력을 확장시키던 만주족이 마침내 명을 멸망시키고 중원中原에 청조淸朝를 세우게 되면서 그들은 자신들의 선조先 祖의 발상지인 집안集安과 그 일대를 신성시하여 이 지역에 대해 사람들이 살지 못하게 이른바 '봉금제도封禁制度'를 실시하게 되었다. 따라서 이때부터 이 지역 은 사람들의 출입이 금지된 공지空地로 남게 되었다. 동국여지승람에는 '황성평 皇城坪' 이라 하여 모두 고구려와 무관한 것으로 여겼다.

---

53 李晬光의『芝峰類說』宮室部 條에,
　　滿浦 건너 나룻가에 큰 무덤이 있는데 이것을 서로 전해 말하기를 皇帝의 墓하고 한다.
　　그 밑에 큰못이 있고 연꽃이 매우 무성하게 핀다. 沈彦光이 滿浦로 가는 도중에 이 황제
　　의 묘를 바라보고 시를 지어「完顏의 옛 나라에 거친 城이 있고 황제의 옛 무덤에 큰 비
　　석이 섯네(完顏古國荒城在, 皇帝遺墳巨碣存)」.

이후 청나라가 쇠약해지는 19세기 중반에 들어오면서 감시가 소홀한 틈을 타서 사람들이 불법적으로 왕래하다가 이곳에 이주하는 지경에 이르게 되고 마침내 이것을 인정하는 행정관청이 설치되면서 주민들의 유입이 급증하면서 이 비도 드디어 세상에 다시 그 모습을 드러내게 된다.

이 비가 오랫동안 사람들로부터 잊혀져 있다가 다시 재발견된 시기에 대해서는 큰 차이는 없지만, 대체로 동치同治(1862~1874)말년에서 광서光緒6년(1880)에 이르는 사이에 발견된 것으로 알려지고 있다.

재발견再發見 시기에 있어서 가장 앞서는 것으로는 광개토왕릉비문廣開土王陵碑文이 동치말년同治末年(1874)에 처음으로 북경에 전해졌다는 이야기가 유승간劉承幹의 발跋『해동금석원보유海東金石苑補遺』(1922)에 전해지고 있다. 당시 금석학자로 이름 있던 구양보歐陽輔가 저작한『집고구진集古求眞』에는 중국인들의 발견 이전에 어떤 뜻있는 조선인이 먼저 발견하고 탁본했다[54]는 기록이 있으나 이를 뒷받침 할 정황情況이 부족하다.[55] 그래서 대체적으로 광서초光緒初에 발견

---

54  歐陽輔의『集古求眞』(1921)에 다음과 같은 구절이 있다.
   광개토왕릉비 탁본들 중에서 내가 소장하고 있는 1종은 고려지로 찍은 것이다. 그것은 연한 먹으로 찍은 淡墨拓이요. 글자가 없는 곳은 먹을 대지 않았으며 곧 조선 탁본의 수법이다. 먹은 연하나 글자는 심히 명석하고 필획은 더욱 정결하여 이 빠진 흔적이 없으며 또 붓으로 보충해 넣은 것도 절대로 없다. 이 탁본은 梁守敬의 雙鉤本과 上海有正書局의 축소 석인본에 없는 10여자의 글자를 더 가지고 있다. 또한 이 탁본을 가지고 후자들의 그릇됨을 수정해야 할 것이 10여 자가 된다. 이상의 여러 사실로 보아 이 탁본은 대개 중국인들이 릉비 발견 이전에 어떤 뜻 있는 조선 사람이 먼저 발견하고 탁본해서 비장하여 두었던 것으로 추측된다(文定昌,「考證文件 10」).
55  그렇다면 이 最初의 拓本을 한 사람 즉 廣開土王陵碑를 최초로 발견하였다고 推定되어야 할 이 朝鮮 사람은 과연 어떤 인물이었으며 그는 왜 자기의 發見記錄이나 釋文 또는 考證 같은 것을 남기지 않았는가 하는 문제가 提起된다. 이점에 대해서 朴時亨은, 1860년~1870년대 이후 淸國人들은 엄격한 封禁에도 불구하고 이 지역으로 나오는 수가 늘어갔으며 동

되었다는 설과 광서6년에 발견되었다는 두 가지 설이 주류를 이루고 있다.

1918년에 간행한 고섭광顧燮光의『몽벽적석언夢碧簃石言』에서는 대채보戴蔡甫의 말을 인용하여 광서원년光緖元年(1875)에 황무지를 개간하면서 처음 발견되었다[56]고 한다. 이는 대채보戴蔡甫가 집안현에 왔을 때 잠깐 사이에 전해들은 것으로 추정되며, 광서원년에 "섭葉씨 석어는 6년이라 하였음"이라 주석註釋을 달고 있음으로 보아도 이러한 소문에 의문을 가지고 있는 듯하다. 또 1925년에 간행한『요동문헌징약遼東文獻徵略』에 실려 있는 장연후張延厚의 발문跋文에도 "이 비는 봉천현 집안현 압록강가에 있으며 역대 금석학자들의 기록에도 올라 있지 못했다. 광서초년에 이르러서야 오현 사람 상서尚書 반정암潘鄭盦이 처음으로 방문하여 얻게 되었다"[57]고 한다. 그러나 가장 구체적으로 광서초엽설光緖初葉說을 지지하는 것은 담국환談國桓의『수찰手札』에서 전하는 내용으로서 그 발견 정황을 아래와 같이 적고 있다.

---

시에 非合法的으로 이곳을 향하여 들어가는 조선 사람의 수는 그 보다도 더 급격하게 증가하였다. 만일 조선 사람으로서 최초에 이 陵碑를 발견하고 廣開土王碑로 정확히 이해하고 탁본까지 하였다 할지라도 發見記錄이나 釋文이나 考證을 써서 세상에 公開할 수 없었던 것은 당시 朝, 淸 兩國間의 情勢 이 지방의 정치적 위치 등에 비추어 알만한 일이라 한다. 그러나 한 가지 해결해야 할 것이 '글자가 明晳하고 筆跡이 淨潔'하기 위해서는 먼저 碑面을 덮고 있는 이끼 등을 제거하는 일이 先行되어야 할 것이다. 이끼 등을 제거한 후라야만 완전한 글씨가 나타날 것이며 그 후에 탁본을 해야만 전체를 의 탁본이 가능할 것이다. 이런 점에서 시기적으로 關月山의 부분 탁본을 앞지를 수 없는 것이다.

56  顧燮光,『夢碧簃石言』, 1918(文定昌,「考證文件 8」).
    光緖元年(葉氏 語石作六年)開墾東邊荒蕪地始發見碑面爲蒼苔漫沒剔除極難土人以糞
    塗碑面俟乾縱火焚之蒼苔去.
57  "此碑在奉天省輯安縣鴨綠江濱歷代金石家未有著錄勝淸光緖初吳縣潘鄭盦尚書始訪得
    之."(文定昌「考證文件 12」)

근래에 고구려 호태왕비 탁본을 얻었는데 그런 대로 괜찮았다. 이는 광서초 엽에 탁본된 것이다. 이 비의 최초의 역사에 대하여 내가 아는 바를 감히 여럿에게 제공하니 참고로 참으시기 바란다. 봉천 회인현이 설치될 때부터 먼저 적당한 사람 중에 장월章樾이 뽑혔는데 그의 자는 유초幼樵였다. 그의 휘하에 관월산關月山이란 자가 금석에 관심이 많았다. 그는 공무시간 외에 들을 헤매고 다니다가 이 비를 황폐한 풀 넝쿨 속에서 찾아내었다. 그는 미친 듯 기뻐하며 직접 몇 글자를 탁본하여 동호인들에게 선물했다. 내가 어렸을 때 그것을 보았는데 글자가 자못 정밀했다. 당시엔 전체 탁본이 없었다. 비의 높이는 두 장쯤 되었으며, 너비는 육척이 넘어 층계를 설치하지 않고서는 일을 할 수가 없었다. 바람이나 뙤양볕 아래서는 더욱 손을 쓸 수가 없었다.[58]

위의 담국환의 기록은 비교적 구체적으로 나타내고 있으며 바람 부는 날과 햇볕 아래서의 일하기 어려움 등을 기록한 점으로 보아 수회 또는 여러 날에 걸쳐 탁본했다는 정황을 말하고 있다. 그러나 그는 수찰手札을 쓴 4년 후인 1929년에 다시 『발어跋語』를 남겨 다음과 같이 기록하고 있다.

이에 정장본精裝本 두 매를 소장하게 되었다. 갑오전쟁 때 이를 금주金州 관서에서 잃어버렸다. 전날을 회상해 보니 꿈만 같다. 장章씨가 근무할 때를

---

58 談國桓,「手札」,『遼東文獻徵略』, 1925(文定昌,『廣開土大王勳績碑文論』第2卷,「考證文件 11」). 譯文: 池炳穆,「廣開土王釋文의 體裁와 文章」,『廣開土大王碑文의 新研究』, 서라벌군사 연구소, 1999, p.6.

미루어 보면 광서8, 9년(1882, 1883)에 해당한다. 관월산은 바로 이 비를 발견한 사람이다. 소위 말하는 2년 탁본二年拓本이란 어디로부터 비롯된 것인지 알 수 없다. 그래서 임시로 몇 마디 남겨 두어 뒷날의 고증을 기다린다. 기사년 8월 25일 담국환己巳年 八月 二十五日 談國桓

이라 하여 항간에 떠도는 광서2년 탁출설에 의문을 제기, 후일의 고증을 기다린다고 하며, 관월산關月山의 탁출에 대해서도 다시 광서8, 9년으로 교정하고 있다. 그러나 장월과 관월산이 회인현을 떠난 것은 광서8년(1882) 정월이기 때문에 관월산이 비를 확인 한 것은 광서7년(혹은 그 전년)이며, 따라서 광서8, 9년이라는 것은 그의 착각으로 보아야 할 것이다.[59]

다음은 광서6년 설로 섭창치葉昌熾의 『어석語石』(1909) 「봉천일칙奉天一則」에,

고구려호태왕비는 봉천 회인현의 동쪽 390리의 통구通溝 입구에 있다. 높이는 세 길이 넘는다. 그 비문은 사면에 걸쳐 돌아가며 새겨져 있고 대략 평백제비와 같다. 광서6년에 변방백성이 산을 개간하고 나무를 베다가 처음 이를 발견하였다. 궁벽한 변방이라 지묵이 없어, 그곳 토착민들이 한 자쯤 되는 피지에 담묵을 빻아 즙을 만들어 이를 탁본하였다. 이끼와 침식이 심하여 그 울퉁불퉁한 곳은 탁본하는 이가 임의로 그려 넣어 왕왕 본래와 다른 글자가 되기도 했다. 을유년(광서11년)에 중광中江 이미생李眉生이 두 질을 얻어, 그 중

59 李進熙, 「廣開土大王碑를 둘러싼 近年의 論爭」, 『박영석박사화갑기념한국사학논총』, 1992, 『高句麗史論文選集』 제7권, p.72.

한 질을 스승 반문근潘文勤에게 주었는데 모두 30,40매의 종이로 되어 있었다. 내게 차례를 맞추어 정리하여 해석하여 보라고 하였으나 열흘이 넘도록 맞출 수가 없었다. 그 뒤에 비석 상인인 이운종李雲縱이 양식과 종이를 싸 짊어지고 수 천리를 걸어 다시 다녀와서야 비로소 정탁본精拓本을 얻을 수 있었다.

섭창치의 기록은 광서6년이라 하여 발견 연대를 명확히 하고 있다. 그러나 왕건군은 현지조사를 내세우며 비 발견 시기는 광서6년이 아니라 광서원년 (1875)이라고 주장했다. 왕건군은 "섭창치는 아무런 이유도 올리지 않고 광서 6년에 발견되었다고 주장하고 있다. 이 '6년'은 아마 '원년'의 오기 또는 조판시 의 잘못이 아닌가 생각된다" 라고 서술한 다음 관월산에 의한 발견설은 늦어도 광서초년이며 그 이후라는 것은 있을 수 없다고 단정하고 있다.

그러나 중국학자 유영지劉永智는 회인현 설치와 관련하여 회인현 설치를 진 청陳請한 것은 광서3년 2월이며 그 해 7월에는 회인현의 지현대리로 장월을 파 견할 것을 제의하였다. 따라서 장월의 현지 취임은 광서3년 7월 이후이며 장월 의 부하인 관월산의 비발견도 그 이전이 될 수 없음을 밝혔다. 그리고 장월의 회인현 이임移任은 광서8년 7월부터 9월 사이임을 밝혔다. 따라서 왕건군의 광 서초년 발견설은 성립되기가 힘들다.

또한 유영지는 『회여록』의 「고구려비출토기」를 들어, 기록이 비록 틀린 곳이 많이 있지만 그가 기록한 기본상황은 비석의 최초 발견시기를 연구하는데 참고 로 할 만하다고 하면서, 사코 가게노부酒句景信가 1883년 집안에 도착하였고 전년 이란 1881년(광서7년)에 해당하는 것으로 섭씨의 주장에 접근하고 있으며 "비2 년지공費二年之工"에서 보아도 역시 마찬가지로, 이는 천진에서 탁공을 고용해오는데 걸린 시간을 말하는 것으로 당시의 농민들이 황야에서 비석을 발견하여 현성에 신고하고 관월산 등이 답사하여 "수탁수자手拓數字"한 이후 일련의 준비를 거쳐 사람을 파견해 천진에 가서 탁공을 고용하게 되었다. 탁공이 집안에 도착하는데 소요되는 시간까지도 감안해서 1년 이상이 아니고는 이것을 완성할 수 없는 것이다. 그러므로 「고구려비출토기」에서 말한 시간에서 다시 앞으로 1년 간 앞당기면 바로 광서6년 즉 1880년이 된다.[60]고 광서6년 발견설을 지지하고 있다.

섭창치葉昌熾의 기록에서 능비가 황무지를 개간하던 사람들에 의한 발견과 더불어 그곳 사람들에 의한 탁본이 이루어졌음을 말하고 있다. 그러나 비문의 내용도 알 리 없고 아무런 필요성을 느끼지 않는 현지인이 비문을 탁한다는 것은 믿기 힘드는 일로서 현지인이 탁했다는 것은 금석에 관심이 있는 관리들이나 학자들의 요청에 의한 것으로 보여 진다. 관리들이나 학자들의 귀에 릉비의 소문이 들어간 시기는 회인현의 설치 이후가 될 것이며 능비의 재발견 시기도 이때로 보아야 할 것이다.

이상으로 본나면 능비의 재발견은 광서3년 7월 이후 당시 회인현 지현대리로 파견되었던 장월章越의 부하 관월산關月山에 의해 발견되었을 것이라는 것이 가장 유력하다. 그는 금석학을 좋아했으며 또한 탁본 기술도 뛰어났다. 당연히 그도 장월을 따라 현지에 나아가 경지와 호구 조사에 관여하였을 것이며 "공무가 끝나면 들판을 누빌" 정도로 금석에 관심이 많은 그로서는 현지 탐문도 겸했을 것으로 짐작된다. 따라서 최초의 탁본이 그로부터 시작되었을 것이라는 것이 가장 유력한 것으로 보여 진다. 그 시기는 광서6년이 가장 유력하다.

---

60 유영지, 「호태왕비의 발견과 석문 연구」, 『광개토호태왕비 연구 100년』, 학연문화사, 1996,

그러나 이 당시는 이끼가 비면을 덮고 있어 전체를 탁본한다는 것은 사실 어려운 일로서 부분적인 탁본만 가능했던 것이다.

전체를 탁본한 것은 광서초의 이대룡이 탁한 50本,[61] 광서8년에 탁한 산동의 방단산方丹山의 탁본, 광서13년에 탁한 담광경의 탁본, 광서15년의 이운종의 탁본을 들 수 있다. 그러나『요동문헌징략』에 실린 장연후의 능비 발문에는 반조음이 북경의 이대룡을 시켜 탁본을 해왔다고 했으나 이에 대해 이진희는 섭창치의『어석』에 의하면 반조음은 1885년 이홍예李鴻裔로부터 탁본을 입수하였다고 기록하고 있으며,[62] 왕건군도 이대룡과 이운종을 동일인으로 보고 있어[63] 이는 1889년 이운종이 탁본해온 것을 잘못 전해들은 것이 아닌가 한다. 광서초라는 것은 시기적으로 사실 정확한 기술이 아니며 따라서 완전한 비면 전체의 탁본은 광서8년(1882)에 와서야 이루어졌으며 이는 비문의 내용이 전체적으로 나타나는 시기로 보아야 할 것이다.

## * 사코 가게노부(酒勾景信)가 가져간 비문(碑文)

사코酒勾가 광개토대왕비문을 가져 갈 당시의 비면의 상태는 어떠했을까. 관월산關月山이 비를 실견實見하였을 때는 비가 이끼와 만초에 덮여 있어서 전 비

---

61 張延厚의 跋에 의하면,
　　光緖初에 …… 拓本을 얻었는데 이는 北京의 이대룡을 시켜 식량을 싸들고 가서 탁본을 하도록 한 것이다. 이렇게 해서 온갖 어려움을 무릅쓰고 50장을 얻자 일시에 貴游들이 다투어 사서 구경했다. 이대룡이 다시 가고자 했으나 길이 멀고 워낙 힘든 일이라 그만 두었다.
62 李進熙,『廣開土王碑의 探究』, p.52.
63 王健群,『廣開土王碑 硏究』, p.41.

문을 탁본 할 수 있는 상태가 아니었기 때문에 부분적으로 몇 문자의 탁본을 제작하였으며, 그때 얻은 부분적인 탁본을 1885년에 담국환談國桓에게 선사하였다고 한다. 그렇기 때문에 관월산의 상관인 장월이 회인현 지현직을 그만둔 1882년 1월까지 전 비문이 판독될 수 있는 상태가 아니었을 것이다. 그 후 1882년 9월부터 같은 해 12월까지 회인현 지현을 역임한 진사운陳士芸: 字는 學舟은 1886년 2월에 오대징吳大澂에게 쌍구가묵본雙鉤假墨本을 선사하고 있기 때문에 그의 재임 중에 비면을 덮고 있던 이끼나 만초가 불태워져 전 비문을 판독할 수 있는 상태가 되었던 것은 확실하다.[64] 현재까지 나타난 비문에 있어서 이에 가장 근접한 시기에 제작된 것이 바로 사코가 일본으로 가져간 비문이라 할 수 있다.

유영지劉永智는 최초의 탁본이 나타난 시기는 대략 광서光緒8년(1882) 전후일 것으로 보고 있다. 광서6년에 호태왕비를 발견하여 광서7년에는 천진에서 탁공을 고용해 오게 되는데, 이 탁공들은 한편으로는 비석의 이끼를 제거하면서 한편으로는 탁본을 뜨기 시작하였기 때문에 적어도 그 이듬해는 반드시 탁본이 나왔을 것이며, 최초의 탁본자는 천진에서 고용해온 4명의 탁공으로 보고 있다.[65]

이는 일본 아세아협회가 1889년 6월에 발간한 『회여록會餘錄』 제5집에서 요코이 타다나오橫井忠直의 「고구려비출토기高句麗碑出土記」에 나오는 것으로 그 내용은 다음과 같다.

---

64 李進熙著 李基東譯, 『廣開土王陵碑의 探求』, 1982, 一潮閣 p.57.
65 劉永智(徐日範 옮김), 「好太王碑의 發見과 釋文 硏究」, 『廣開土好太王碑 硏究 100年』, 1996, 학연문화사, p.272.

비는 청국 성경성盛京省 회인현懷仁縣에 있다.

……이 성에서 동쪽으로 4리쯤, 강으로부터 3리쯤의 산 아래에 작은 냇물이 있으니 이곳이 바로 비가 소재한 곳이다. 그곳 지방 사람의 말에 의하면, 이 비가 오래 전부터 토중土中에 파묻혀 있다가 300년 전부터 들어 나기 시작했다. 전년에 어떤 사람이 천진으로부터 탁공 4명을 고용해 와서는 비를 파내어 깨끗이 씻기 시작했다. 2년이 걸려 겨우 읽을 수 있게 되었다. 그러나 오랫동안 시냇물에 침격浸激되어 결손된 곳이 심히 많았다. 처음 넉자쯤 발굴하여 그 문장을 읽어보고는 비로소 고구려비인 줄 알게 되었다. 이에 비의 사면에 시렁을 가설하여 탁拓하기 시작했다. 그런데 비면이 고르지 못하여 대폭大幅 종이로써 한꺼번에 찍어낼 수가 없어 한 자ㅡ尺 남짓한 작은 종이로써 차례차례 찍어 나갔다. 그러므로 노력과 비용이 많이 들고 얻은바 공은 적다. 지금까지 2년 동안에 겨우 두 벌을 탁拓했다. 일본인 모가 마침 이곳을 유람 왔다가 한 벌을 사서 갖고 왔다.


위 요코이 타다나오橫井忠直의 기록은 초기 일본에서의 비문 연구에서 공통적으로 나오는 설로서 중국에서는 영희榮禧만이 이 설을 뒷받침하고 있다.

이케우찌 히로시池內宏는 요코이 타다나오橫井忠直가 기록하고 있는 탁본과 영희의 탁본을 동일한 것으로 보고 있다. 즉 광서光緒29년 장백의 사람 영희榮禧가 작한 『고구려영락대왕묘비란언高句麗永樂大王墓碑讕言』이라 제題한 문文에 의하면 영榮 씨가 그 당사자로 문文中에 "여우광서8년임오 증천산동포의방단산왕탑 득획완벽余于光緒8年壬午 曾倩山東布衣方丹山往搨 得獲完璧"이라 하여 광서8년이면 1882년明治15年에 해당한다. 요코이 타다나오橫井忠直가 "전년前年에 어떤 사람이 천진으로부터 탁공拓工 4명을 고용해 와서는 비를 파내어 깨끗이 씻기 시작했다. <중략> 일본인 모가 마침 이곳을 유람 왔다가 한 벌을 사서 갖고 왔다" 하였고, 또 미야케 요네키치三宅米吉가 "메이지明治15년 성경장군좌씨盛京將軍佐氏가 공인 4명을 천진에서 불러 이를 촬사撮寫케 하고 메이지明治17년 육군대위 사코酒勾 씨가 이곳에 이르러 그 중 1본을 얻어 일본으로 가지고 왔다" 하여 함께 동일한 사실을 술述하고 있다. 따라서 사코酒勾가 탁본을 가지고 오기 2년 전인 메이지明治15년 성경장군 좌 씨가 탁본을 만들었다고 전하는 것은 믿을 수 있는 것이라고 주장하고 있다.[66] 또 영희榮禧 씨가 정탁을 획득하기 위해 산동 사람 방단산方丹山을 보내 완탁한 사실 등을 들어,

후년 영희 씨가 스스로 「난언讕言」에 적은 바는 본래 올바른 사실에 틀림없고, 그 사실을 듣고 곡해曲解해서 우리나라에 전하기를, 성경장군 좌씨가 천진의 공인을 고용하여 탁본을 만들게 하였다는 것은 당시 마침 이 땅에 왔던 사코酒勾 씨일 것이다. 그리고 사코酒勾 씨가 갖고 돌아온 탁본은 방단산이 만든 몇 통의 탁본 가운데 하나였을 것으로 생각된다.[67]

라고 하여 사코가 일본으로 가지고 간 것은 영희가 고용한 방단산에 의해 제작된 탁본이라고 하고 있다.[68]

---

66  池內宏, 「廣開土王碑發見の由來と碑石の現狀」, 『史學雜誌』제49編, 1938, p.15.
67  池內宏, 「廣開土王碑發見の由來と碑石の現狀」, 『史學雜誌』제49編, 1938, p.15.
68  이에 대해 義山泰秀도 「高句麗好太王碑에 關한 明治年間의 2, 3의 刊本」, 『書物同好人會會報』第13號(1941년 9월)에서, "비의 발견 이후 榮禧 등에 의해 초기에 제작된 탁본

그런데 우선 영희榮禧의 「난언讕言」을 살펴보면,

비의 글자는 1799자이며 큰 것은 4촌 정도이고 전서篆書와 예서隷書의 연결
로 글자 획에 있어서 생략된 것이 있다.<중략>

일명 통구라고도 하며 과거에 순검이 배치되었다가 결원이 생기자 부에서
는 왕언장王彦莊을 선발 보충하여 지금은 고쳐서 설립된 집안현 관할에 들
게 되었다. 언장은 옛것을 좋아하고 학문에 깊어 이 비를 직접 보고는 그
비문을 갖추어 적었다.

아깝게도 그가 고증한 것은 책으로 쓴 것은 없고 다만 겨우 그 대강만 말
했을 뿐이다. 나는 광서8년 임오(1882)에 일찍이 산동의 포의인 방단산方
丹山을 시켜 탁본해 오도록 하여 완벽한 것을 얻게 되었다.

고 하고 있다. 그러나 영희가 기록한 왕언장王彦莊은 1882년에 통구구通溝口의
순검이 된 사실이 없으며, 그가 통구구의 순검이 된 것은 1889년이며 이듬해
다른 곳으로 전출되었다.[69] 영희榮禧 역시 그곳에 부임한 것은 1900부티이며 그
후 영희榮禧는 성경성 지방관이 되어 봉화현 지사를 역임하는 등 전전하다가
1903년에는 관전寬甸현지사의 직에 있었다.[70] 탁공의 이름도 여러 문헌에서 방
단산方丹山, 변단산卜丹山, 기단산亓丹山, 형단산邢丹山 등의 갖가지 이름으로 기록

중에서 榮氏의 拓本을 酒匂氏가 입수 한 것"으로 보고 있다.
69 李進熙著 李基東譯, 『廣開土王陵碑의 探求』, 一潮閣, 1982.
70 文定昌, 『廣開土大王勳績碑文論』, 柏文堂, 1977.

되고 있는 등 여러 면에서 그 신빙성을 잃고 있다.

이진희李進熙는 중국인 영희榮禧의 『고구려영락대왕묘비란언高句麗永樂大王墓碑調言』(1903) 가운데 "문일본유사중촌백실, 저유고구려고비징 석미도기문聞日本儒士中村伯實, 著有高句麗古碑徵 惜未覩其文"이라는 구절에 나타난 나카무라中村伯實의 『고구려고비징』의 행방을 추궁하던 중 이 책의 사본寫本을 도쿄도립東京道立 히비야도서관日比谷圖書館에서 발견하였는데, 『회여록』의 출판과 같은 1889년 6월에 집필된 것임이 확인되었다.[71] 이는 후에 세키구치關口隆正란 자에 의해 영희榮禧에게 전해 졌다고 하는 바 이 사실은 세키구치關口隆正의 『만주산물자휘滿洲産物字彙』(1910)에 전해지는 것으로 이 자는 청일, 러일전쟁 때 육군 통역관(중국어)으로 종군했고 뒤에 영희榮禧와 만난 일이 있었다고 한다.[72] 1904, 1905년 러일전쟁 시에 영희榮禧를 만나 나카무라中村의 『고구려고비징高句麗古碑徵』을 영희에게 전해주었다고 하며, 세키구치關口는 또 "봉화현 지현 영희가 형단산邢丹山을 고용하여 이 비를 탑본榻本케 하고 또 호태왕비고好太王碑攷를 지었다. 우리나라에서는 육군참모본부 무관 모 씨가 이곳을 시날 때 돈 얼마를 주어 한 본을 구입하여 귀국 후에 황실에 헌납하였다고 한다"[73]라고 기록하고 있어 형단산(방단산)의 것을 사코酒匂가 사간 것으로 하고 영희는 이것이 완벽한 탁본이라고 하여 서로 맞장구를 치고 있다. 그러나 여기에는 석연치 않는 점이 있다.

첫째, 영희榮禧의 『난언讕言』에 1889년에 집필한 나카무라中村의 『고구려고비

71  李進熙, 「廣開土王陵 碑文의 謎」, 『思想』 第575號, 1972년 5월, 岩波書店, p.78.
72  李進熙, 「日本에서의 廣開土王碑 研究」, 『東方學誌』 43, 1984, p.29.
73  李進熙著 李基東譯, 『廣開土王陵碑의 探求』, 一潮閣, 1982. p.56.

징』이 언급되었다는 것은 영희가 1903년 『난언』을 집필하기 이전에 일부의 일본 측 자료를 입수하고 있음을 추측케 하고 있다.

둘째, 세키구치關□의 기록에, "호태왕비문이 일찍이 일본에 전해지고 있는 것을 알고는 특별히 나를 군정사무소로 찾아 왔다" 라고 하는데, 세키구치關□는 어떤 목적으로 위험한 종군을 하면서도 『고구려고비징』을 휴대하였으며, 영희 또한 이를 어떻게 알고 세키구치關□를 스스로 찾아왔는지, 여기에는 어떤 흑막이 있는 것으로 보인다.

영희가 광서29년(1903)에 집필한 『고구려영락태왕묘비문고』에는 『고구려영락태왕묘비문』과 『고구려영락태왕묘비란언』이 수록되어 있다. 그런데 이것은 중국에서는 단행본으로 되어 있지 않고 담국환談國桓의 『수찰手札』에 「영희고정지문榮禧考訂之文」이라는 것이 보이며 1925년에 간행한 『요동문헌징략』에 영희의 비문이 처음으로 인용되어 있다. 그러나 일본에서는 1905년 6월부의 사본(동양문고장)이 있고, 또한 참모본부 편집과장을 역임한 오하라大原里賢가 수집한 「영희본榮禧本」이 있음을 니시가와 겐西川權의 『일본상고사日本上古史의 이면裏面』(1910)에 지적되어 있다. 곤도 나리사토權藤成鄕의 『남연서』(1922)에도 영희의 비문이 이용되고 있다.[74]

『회여록』 제5집이 나오기까지 광개토대왕비문 해독이 일본 육군참모본부에서 극비리 진행되었고 당시 편찬과의 과장 오하라가 영희본을 입수했다는 사실은 육군참모본부가 영희의 『고구려영락태왕묘비문고』 집필에 모종의 관계를 시사하고 있다.

그래서 이진희는 "영희석문榮禧釋文은 1882년 탁출의 완벽한 탁본에 의한 것이라고 자신이 말하고 있지만 이것은 허위다. 그는 사코본酒匂本과 같은 쌍구본

---

74 李進熙著 李基東譯, 『廣開土王陵碑의 探求』, 一潮閣, 1982, p.55.

(혹은 회여록 석문)과 석회도부石灰塗扶 후의 탁본을 참고로 하여 석문한 것임에 틀림없다. 영희의 석문은 일본학자들이 많이 인용하고 있지만 믿을 수 없는 석문이다"[75]라고 하고 있다.

문정창文定昌은 『광개토대왕훈적비문론廣開土大王勳績碑文論』에서 영희의 『난언讕言』이란 일본군에게 강요당하여 석문釋文을 써주고 그것이 거짓임을 밝혀두기 위하여 남겨놓은 수서手書라고 하면서,[76] 영희가 일본군에게 써준 묘비문을 취급한 자는 다름 아닌 일본군 참모본부편집과장 오하라大原里賢 소좌를 지목하고 있다.[77]

이상으로 본다면 사코酒勾가 가져간 쌍구본은 영희가 제작한 것이 아니다. 영희의 석문이 가짜이거나 일본참모본부에 매수되어 쓴 것으로 밖에 볼 수 없는 가장 뚜렷한 증거는, 영희본榮禧本에는 제3면이 14행으로 되어 있으나 현재 분명하게 나타나 있는 '궤潰' 자나 이마니시 류今西龍에 의해 밝혀진 '사辤' 자가 나오지 않는다. 또한 일제 참모본부가 개작한 사코본酒勾本의 '왜만왜궤倭滿倭潰'와 동일하다는 점을 들 수 있다.

그렇다면 이것은 누가 제작한 것인가 하는 문제가 남는다. 『회여록』 제5집에 나와 있는 '전년 어떤 사람'에 대해 미야케 요네키치三宅米吉는 "메이지15년 성

---

75 李進熙, 「日本에서의 廣開土王碑 研究」, 『東方學志』 43, 1984, p.24.
76 文定昌은 '讕言'을 풀이하여, '讕言'은 거짓말 즉 '옥에 갇힌 사람이 죽음을 두려워함으로 나타내는 말'이라고 풀이하고, 말미에, "또한 讕言을 作成하여 그 머리말로 하고 아울러 『盛京通志』와 『盛京通考』의 각 原文의 末尾에 이것을 붙여 두게 하여 취할 바 證據의 資料로 하는 바이다. ....세상의 博識하고 雅量있는 君子들이여 생각해서 定해주기 바란다. 이것이 특히 맨 처음이라는 것을 긍정해 주기를. 光緖29년 12월 6일 長白人 榮禧 검청劒廳에서 처음 외치고 기록하로라" 하고 있으며, 여기서 검은 康熙字典에도 없는 글자이며 '검청劒廳'은 즉 獄으로 풀이되는 것으로, 자신의 釋文이 거짓이니 "이것을 참고로 말라"고 당부하는 것이라고 풀이하고 있다(文定昌, 『廣開土大王勳績碑文論』, pp.155~159).
77 文定昌, 『廣開土大王勳績碑文論』, 柏文堂, 1977.

경장군 좌씨가 공인 4명을 천진으로부터 불러와 이를 탁하게 했다"라고 하고 있으며, 성경장군 좌씨를 지목하고 있다.

성경장군 좌씨에 대해 문정창은, 성경장군은 동삼성東三省 즉 만주 전역을 총 관하는 왕자王者로 그 스스로가 탁공을 고용하는 따위의 잡무에 종사하는 등 의 직위는 아니다. 또한 이때의 성경장군은 지화志和: 淸史稿였고 좌종당左宗棠은 1877년 천산남로天山南路의 도독都督이 되었다가 1880년 소환되어 1885년에 사 망하였다. 요코이橫井忠直가 말하는 '성경장군 좌씨'는 현지에 잠입하여 비문의 탁취拓取와 비명碑銘의 탁출啄出에 관한 모든 사항을 지휘하는 일본군 좌관급佐 官級의 자였을 것으로 추정하고 있다.[78]

요코이橫井忠直의 기록에 나타난 성경장군이니 좌종당이니 하는 이름은 비문 제작 및 유래를 은폐하기 위해 꾸며낸 이야기로 보인다.

비문제작에 있어서 회여록을 비롯한 요코이橫井忠直의 기록과 이를 뒤이어 스가 마사토모管政友, 나카 미치오那珂通世 나카무라中村 등의 공식적인 기록에는 우연히 광개토대왕비가 있는 곳을 지나다가 구입하여 온 것으로 하고 있다.

그러나 가장 앞서 비문을 해독한 아오에 슈淸江秀의 기록에는, "석면石面을 깨끗 이 닦았을 때 마침 일본인 모가 이곳에 있어 이를 석탑石搨하여 갖고 돌아왔다" 하고, 『여란사화如蘭社話』에서도, "마침 모씨가 그 비를 탑본搨本하여 돌아왔다"하 고 있다. 황성신문皇城新聞 1905년 10월 30일자에는, "일본 보병대위 사코酒匂 씨가 1본—本을 탑취搨取하여 왔다"라고 기술하고 있으며, 1909년 1월 6일자 황성신문 과 1909년 2월 26일자 대한매일신보, 1909년 2월의 『서북학회월보』에서는 한결

---

78  文定昌,『廣開土大王勳績碑文論』, 柏文堂, 1977.

같이 "일본인 사가와佐川씨가 발견하여 탑사搨寫"한 것으로 기술하고 있다.

이상으로 본다면 요코이橫井忠直의 출토기에서 기술하고 있는 내용이 현지인 중국 측에서는 영희榮禧만이 억지 뒷받침하고자 하나 이는 거짓이며, 비문의 제작자는 아오에 슈靑江秀 등의 기술로 보았을 때 최소한 육군참모본부의 사주를 받은 사코 가게노부酒勾景信의 주도하에 행해졌을 것으로 추정된다.[79] 또한 요코이 타다나오橫井忠直의 기술은 교묘하게 일본에 전래한 비문의 제작과 유래를 은폐하고 있다.

요코이 타다나오橫井忠直의 기술에서 네 사람이 2년에 걸쳐 겨우 2부만 탁본을 하였다고 하는데, 이는 정확한 기술이 아니다. 물론 땅에 파묻혀 있는 것을 파냈다는 것도 믿을 수 없는 일이거니와 당시 비석의 표면에 아무리 이끼가 끼어 있었다고 할지라도 이끼제거와 비문을 탁하기 위한 발판 가설 등을 감안하더라도 6개월 내지 1년이면 충분할 것이다. 여기에는 상당한 공개할 수 없는 사정이 있었을 것으로 추정된다.

이케우치 히로시池內宏는 "요코이橫井 씨의 글에 '2년에 걸쳐 겨우 글을 읽을 수 있었다'라 한 것은 방단산의 탁탑拓搨의 공이 2년에 걸쳤던 사실과, 후단에서 따로 서술한바 비석 발견 직후에 있어서 탁출 사실과를 혼동하여 이렇게 전한 것으로 해석하여 당연한 것이다"[80]라고 하고 있다. 하지만 일본에 가져간 비

---

79 李進熙는 酒勾가 우연히 그것을 구입 또는 脅迫하여 入手한 것이라면 그를 구태어 宮內省으로 호출할 까닭이 없었을 것이라는 점을 지적하고, 종래의 解讀과 관련하여 그 스스로 순위 번호를 정정할 리가 없으며 한 매 16자씩 雙鉤하지 않을 수 없었던 이유에 대하여 설명할 수 있을 리도 없었을 것이며 각 면 30매에 雙鉤하고 있는 비문을 그가 현지에서 連綴되지 않은 상태에서 읽었다고는 생각되지 않으므로 이미 만들어져 있는 雙鉤本을 구입한 것으로 볼 수 없음을 지적하고 있다(李進熙著 李基東譯, 『廣開土王陵碑의 探求』, 1982, p.82).

80 池內宏, 「廣開土王碑發見の由來と碑石の現狀」, 『史學雜誌』 제49編 ,1938년, p.15.

문이 이끼 등이 제거되고 비문이 완전히 들어 난 직후에 제작된 것을 감안한다
면 여기서 말하는 2년은 사코酒匂가 이 비문을 제작하기 위해 그 비문의 내용파
악에 걸린 시간[81]과 비문을 제작하기 위한 제반 준비에 걸린 기간을 포함한 쌍
구가묵본 제작의 기간을 말하는 것으로 추정된다.

일본 궁내청서릉부소장宮內廳書陵部所藏『고구려고비고高句麗古碑考』는 요코이 타
다나오橫井忠直의 '메이지사明治寫' 본과 '다이쇼사大正寫' 본이 있다고 한다. 그 중
'메이지사明治寫' 본은 원비문쌍구原碑文雙鉤 6자字 2매, 석문釋文 7매, 본문高句麗古
碑考 52매, 석문지유래기釋文之由來記 3매로 이루어져 있는데, 본문 52매 중 1~6매
와 14~40매는 동일인의 필사筆寫이고, 7~13매와 41~52매는 다른 사람의 필사로
유래기由來記와 본문本文 41~52매의 필자는 동일인의 필筆로 되어 있다고 한다.[82]
여기에 대해서 후루다 다케히코古田武彦은 유래기由來記 최후의 '고로 강박强迫하여
입수入手하였다'는 일문一文은 제1인칭 발문건跋文件으로『회여록』의「출토기」에서
3인칭으로 묘사한 것과는 다른 것으로 비문입수자碑文入手者: 酒匂大尉 자신의 글로
보인다고 주장하고 있다. 사코가酒匂家에 보존한「동화병 명치이십일년 십이월 삼
일 배령 주내경신銅花瓶 明治二十一年 十二月 三日 拝領 酒匂景信」酒匂自筆과 궁내정서
릉부의「비문지유래기」의 필적筆跡이 동일인 즉 사코酒匂의 직필直筆임을 밝히고

---

81  文定昌은『廣開土大王陵碑文論』에서, 日本 陸軍參謀本部가 强行하는 大王碑文의 拓取
作業이 그와 같이 지지부진한 것은 현지의 사정 때문이 아니라 그 탁취한 바 비문이 하
도 어려워 碑銘에 收錄되어 있는 역사 사실의 全貌를 파악하지 못하여 그들이 쪼아 내
어야 할 글자들을 골라잡지 못했기 때문일 것이라고 하고 있다.

82  末松保和,「高句麗好太王碑の硏究」,『高句麗と朝鮮古代史』, 平成八年, 吉川弘文館, pp.173-174.

있다.[83] 따라서 궁내청서릉부 소장 「비문지유래기」[84]에서 "일작一昨 이래 지금까지 겨우 2폭二幅을 만들었다. 그리고 성경장군이 수십 차 재촉을 하였으나 한 폭도 내놓지 않았다. 이는 후일의 이익을 도모하고자 함이다. 고로 강박하여 입수하였다" 하는 것은 사코酒匂 본인의 역할을 말하는 것으로서 이것도 비문제작 독려과정에서 사코酒匂와 그가 고용한 공인들 간에 어떤 언쟁이 있었음을 의미한다.

이상 몇 가지 사실로 추측 해보면 사코酒匂는 집안현에 잠입했을 때 우연히 비가 있는 것을 알고서 비문을 직접 읽어보고는 그 이용가치가 큰 것을 깨닫고는 현지 사람을 조수로 고용하여 비문을 쌍구했거나 본인이 직접 쌍구하여 돌아온 것으로 밖에 볼 수 없다.

『여란사화如蘭社話』8明治21年 11月[85]에는

이 비는 조선국 압록강 북쪽 동구의 땅에 있으며 근년에 땅 위에 솟아난 것이다. 높이가 3장이며 너비가 1장 5척 쯤 되며 4면에 모두 깊이 글자가 새겨져 있다. 방금 모씨가 이 비를 탁본해서 돌아와 한 장을 초사抄寫하여 『사화社話』에 발표해서 사학가의 고증에 제공했다. 비석은 거대하여 한 폭에 탁본할 수 없어서 미농지美濃紙 수 십장을 겹쳐 초사하여 완성한 것이다.

여기에서는 '방금 모씨가 이 비를 탁본해서 돌아와…' 라는 문구가 더욱 사코

83  古田武彦, 「好太王碑文「改削」說 批判」, 『史學雜誌』第82編 8號 ,1973, p.30.
84  佐伯有淸, 「高句麗廣開土王碑をめぐる 諸問題」, 『歷史學硏究』第401號, 1973년 10월, 揭載.
85  王健群, 『廣開土王碑 硏究』, 林東錫 譯 ,1985, 역민사, p.129, 揭載한 邨岡良弼의 「高句麗 古碑」

酒匂의 주도하에 탁한 사실을 뒷받침하고 있다.

이케우치 히로시池內宏는 사코酒匂가 가지고 온 것이 정탁본으로 오인하고 있으나 이는 쌍구가묵본이 틀림없다. 이것의 작업과정은 비면에 종이를 대고 글자 자획의 가장자리를 선으로 그린 다음 비면에서 종이를 떼어내고 글자와 글자 사이의 여백을 먹 등으로 칠하여 글씨는 희게 나오고 여백은 검게 나오게하는 방법이다. 마치 탁본처럼 보이기는 하지만, 이것이 탁본과 다른 것은 희미한 글자나 비면이 박락한 곳에 대해서는 자획을 제대로 옮길 수가 없다. 모사자摹寫者가 자의自意로 비슷한 글자를 만들어 넣는다할지라도 확인하기 힘든 위험성이 있기 때문에 엄밀히 말하면 가짜 탁본이라 할 수 있다. 즉 이러한 쌍구가묵본雙鉤假墨本은 만드는 사람에 따라서 다르게 해석 또는 비슷한 문구를 설정하고 제작할 수 있는 위험성을 항상 가지고 있다.

설사 사코본酒匂本이 원석탁본을 참조하여 책상에서 제작한 종이쪽지 130여 매를 배열하고 수선한 모사模寫 복제본複製本이라[86] 할지라도 이런 것은 시료試料로서 탁출한 원석 탁본문자의 윤곽을 선으로 그리는 단계에서 자획을 해석하고 있다고 보아야 할 것이다.[87] 그렇기 때문에 이것은 사전에 비문에 대한 충분한 판독작업이 신행되지 않고는 힘든 것으로 일본 육군참모본부 요원들에 의한 문자판독과 문맥이 통할 수 있도록 의도하는 바의 문자를 만들기 위하여 일부 문자에 대해서는 미리 설정을 해놓고 제작했다고 볼 수 있다.

---

86 鈴木靖民(이건하 옮김), 「日本에서의 廣開土王碑의 拓本과 碑文硏究」, 『廣開土大王碑硏究 100年』, 1996, 학연문화사.
87 早乙女雅博, 「日本에 있어서 廣開土王碑 拓本과 碑文硏究에 대하여」(서길수 역), 『廣開土大王碑硏究 100年』, 1996, 학연문화사, p.68.

# 1884년 10월

10월 경성영사관을 설치하고, 공사관 서기 시마무라島村久가 영사를 겸하며 남산 아래 일대를 먼저 일본인 거주지로 정함으로써 일본 상인과 민간인에게 도 공식적인 거주가 허락되었다.[88]

## 같은 해

### 미 해군의 존 버나도우도 한국 유물 수집

1882년 조미통상조약이 체결되고, 그 후 2년 뒤인 1884년 미국 스미소니언 협회는 해군소위 버나도우를 파견해 조선의 민속자료를 수집해 오게 했다.

이른바 한미수호조약을 맺은 것이 1882년인데 2년 뒤인 1884년에 미해군의 버 나도우Ensign J. B. Bernadou라는 사람이 오로지 한국 문화재 수집 임무를 띠고 우 리나라에 건너와 많은 문화유산을 가져갔다. 현재 미국 국립박물관이라 할 스미 소니언 자연사박물관에 있는 3천점은 거의 대부분 당시에 수집된 것이다.[89]

『알렌의 일기』를 보면 1884년 9월에 알렌이 조선에 와서 처음 존 버나도우 를 만난 장면을 기록하고 있는데, "미 해군의 존 버나도우도 역시 이곳에 있었 는데 영리한 친구인 그는 스미소니언연구소를 위해 자료를 수집하고 있다. 월

88 서울특별시시사편찬위원회 편저, 『국역 경성발달사』, 2010.
89 김광언, 「해외에서의 문화재 소장 실태」, 『현대불교』 3, 1990년 2월.

터 타운젠트도 그의 일본인 애인과 함께 이곳에 있다. 그는 미국무역회사를 대표하고 있다"라고 하고 있다. 오늘날 스미소니언박물관의 1884년 이전의 한국 관계 자료의 상당수는 버나도우가 수집한 것이라 할 수 있다.

『윤치호일기』를 보면 버나도우와 가까운 사이로 일기에 그 이름이 자주 등장한다. 특히 1884년 9월 10일(수)의 기록에, "(궁에서)아침에 물러나와 버나도우를 방문하고 고려자기 하나를 선사하였다. 이는 오늘 중전께서 내리신 것이다"라고 기록하고 있는데 중전이 내린 것이라 하니 아주 귀한 것임은 틀림없다.


1884년 우리나라에 부임한 영국의 초대 주한영사 W. K 카알 씨는 1년도 안 되는 재임기간동안 개성부근의 한 분묘에서 출토된 고려청자를 사 들렸다. 그 일부를 그의 저서『한국에서의 생활』에서 볼 수 있는데, 고려자기의 연구가인 영국의 G. M 콤퍼어쯔는 그것들이 명종明宗의 지릉智陵에서 나온 출토품일 것이라고 말하고 있다.[90]

---

90  西田,「高麗 鐵繪靑磁에 對한 考察」,『美術資料』, 國立中央博物館, 1981년 12월.

# 1885년 1월 7일

녹천정(綠泉亭)을 일본공사관으로 내어주다.

    1884년 12월의 갑신정변 이후 조선은 일본에 정변 책임을 묻고 김옥균의 소환을 요구했으나, 일본은 오히려 조선에 그 책임을 물어 교섭을 요구했다. 1885년 1월 6일 이노우에 가오루井上馨 전권대사는 국왕을 알현하고 국서를 전달했다. 그리고 그 다음날 7일부터 전권대사 김홍집과 담판을 시작해 9일에 한성조약을 체결하였다. 조약은 5개조로 내용은 대략 다음과 같다.

한일병합조약을 체결한 통감관저 남산의 녹천정(綠泉亭, 『경성발달사』)

1. 조선 국왕은 국서로서 사과의 뜻을 표할 것.

2. 일본인 피해자를 위해 11만원을 배상할 것.

3. 이소바야시磯林 대위를 살해한 범인을 중형에 처할 것.

4. 공사관부지 및 건물을 교부하고 신축비 2만원을 배상할 것.

5. 일본 호위병 영사는 공관부지 내에 지을 것.

이에 대해 공영사관 부지와 2만원을 배상했다.


이 조약의 제4, 5조에 의해 조선의 조정은 곧바로 조선 조정은 맑은 샘이 솟아나고 조용한 남산 기슭에 자리 잡은 녹천정綠泉亭을 일본공사관으로 쓰도록 하고, 원래 왜장대가 있던 곳을 영사관부지로 제공하였다.

『매천야록』에는 다음과 같이 기록하고 있다.


녹천정綠泉亭은 남산 밑에 있는 주동注洞 위에 있었는데, 송림松林과 천석泉石이 그윽한 곳이다. 그곳은 옛날 양절공襄節公 한확韓確의 별장이었으나 최근에는 전 판서 김상현이 살고 있었다.

이때 일본인들이 다시 와서 협박과 공갈을 마구 퍼부어 전보다 더 심한 행동을 하므로 우리 조정은 그들의 뜻을 상할까 염려하여 간곡히 그들의 의견을 따르게 되었다. 그들은 이 정자를 빼앗아 자기들의 공관으로 삼았다. 이때부터 그들은 영역을 침범하기 시작하여 주동, 나동, 호위동, 남산동, 란동, 장흥방 등으로부터, 서쪽으로 종현, 저동에 이르기까지 니현 일대를 포함하여 상남촌까지 40리 내지 50리 정도를 그들이 다 점유하였다.

1880년대 일본공사관은 5번이나 이전하였다. 1880년 11월에는 돈의문 밖 청수장을 이용하였으나 임오군란으로 불타고, 1882년 8월에 공사가 다시 왔을 때는 왜성대倭城臺 아래 금위대장 이종승 가를 사용했다. 1884년 봄부터 교동(지금의 종로구 경운동)에 있던 박영효의 집을 사들여 일봉공사관과 영사관 신축공사를 하여 이곳으로 공사관을 옮겼다. 그 후 교동 공사관 건물은 1884년 11월 3일 갑신정변으로 소실되자 1885년 1월 경기감영 선화당을 잠시 사용하다가 곧 남산 왜성대로 이전하였다.

왜성대倭城臺는 임진란 시에 적장 마시다 나가모리增田長盛의 주둔처인 고로 왜장대倭將臺라 부른 것으로 인하여 왜성대倭城臺가 되었다고 한다. 또 일설로는 왜장대倭將臺가 아니라 왜倭장터[倭市場基]로 임진왜란 때 왜인이 그 곳에 시장을 열어 생긴 것이라고도 한다.[91] 왜장대 부지는 현재 남산케이블카 아래 일대로서 예장동과 회현동1가에 걸쳐 있다.

1885년 1월에 경기감영에 있던 공사관을 녹천정으로 옮기고 증설공사를 하였다. 일본인들은 이 건물을 헐고 서양식 공사관을 짓고 1906년부터는 통감관저로 사용하였는데, 1910년 당시 통감이었던 데라우치와 총리대신 이완용이 강제병합조약에 서명한 자리이기도 하다.[92]

---

91 考古生, 「京城이 가진 名所와 古蹟」, 『별건곤』 제23호, 1929년 9월.
92 참고 : 서울특별시시사편찬위원회 편저, 『국역 경성발달사』, 2010; 서울특별시 시사편찬위원회, 『국역 경성부사』 제1권, 2012; 『梅泉野錄』; 考古生, 「京城이 가진 名所와 古蹟」, 『별건곤』 제23호, 1929년 9월; 「碧海桑田가티 激變한 서울의 녯날집과 只今집」, 『별건곤』 제23호, 1929년 9월.

# 1885년 1월 16일

야스쿠니신사 소재 우리나라 갑옷과 투구(이소바야시 신조(磯林眞三)의 1885년 1월 16일 기증)

　제2차 세계대전 당시 A급 전범이 합사合祀된 일본 야스쿠니 신사에서 2010년 '가미카제' 특별전서 조선시대 장군이 사용한 갑옷과 투구가 봉납된 사실이 확인됐다.

　조선왕실의궤환수위는 야스쿠니 신사 내 유물전시관 유슈칸遊就館에서 열리고 있는 '가미카제神風'특별전에 투구와 갑옷, 실전용 활 등 조선 군사유물이 전시됐다고 2010년 12월 3일 밝혔다. 환수위 사무처장 혜문 스님은 "야스쿠니 신사는 '1274년 원나라 군사와 고려군의 합동 공격을 막아낸 가미카제'라는 의미로 유물을 전시하면서 당시 일왕이 썼다는 '敵國降伏(적국항복)'이란 글씨 바로 옆에 조선시대 군복과 갑옷 등을 전시해 놨다"고 설명했다. 이 투구의 이마 가

'가미카제'특별전서(『중앙일보』 2010년 12월 4일자)

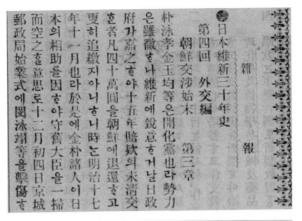

1884년 12월 7일 이소바야시 신조(磯林眞三)가 한인들에 의해 살해당했다는 「일본유신30년사」 내용
(『황성신문』 1906년 8월 20일자)

리개에는 군 최고 통수권자를 지칭하는 '원수'라는 글자가 새겨져 있고, 투구 위쪽에는 금색의 용과 봉황 문양 조각이 붙어있다고 한다. 유슈칸 측은 1884년 갑신정변 당시 조선 민중들에게 맞아 죽은 일본 군인인 이소바야시 신조磯林眞三의 명의로 '메이지18년(1885) 1월 16일'에 신사에 기증됐다고 설명하고 있다.

　이소바야시 신조는 1884년 갑신정변 당시 조선 민중에게 맞아 죽은 일본 군인이다. 투구에는 '元帥(원수)'라는 글자가 새겨져 있고 금색의 용과 봉황 문양 조각이 붙어 있다. 갑옷은 천 안쪽에 가죽 미늘(조각)을 대고 두정頭釘(머리모 양 쇠못)으로 고정한 붉은색의 두정갑이다. 국내 육군박물관에도 비슷한 양식의 이봉상(1676~1728, 이순신 장군의 5대손) 원수 갑옷과 투구가 소장돼 있으나 보존 상태가 좋지 않다.[93]

# 1885년 7월 3일

일본 임시대리공사 다까히라는 일본육군 참모본부의 육군대위 히라이의 원산지방 정탐행각을 보증하는 호조(여권) 발급을 조선정부에 강요하여 7월 4일 히라이 대위에게 여권을 발급했다.[94]

## 같은 해

**와다 쓰네이치(和田常市) 서울(경성)에 정착하다.**

서울에는 인천이나 부산 등지에 비해 일본인 상인의 거주가 늦어 1885년에 와서 일본인 상인의 거주가 공식적으로 허용되었다.

---

93 『매일경제』 2010년 12월 3일자; 『동아일보』 1910년 10월 4일자; 『세계일보』 2010년 12월 4일자.
94 사회과학원 역사연구소, 『일제조선침략일지』, 사회과학출판사, 1973.

「조선국경성제국거류민규칙설립일건朝鮮國京城帝國居留民規則設立一件」에 의하면, 본래 한성(경성)의 개방은 1882년 10월에 체결한 '조청상민수륙무역장정朝淸商民水陸貿易章程' 제4조에 기원한다. 그러나 경성에서 일본인 거주가 공식적으로 허용된 것은 1885년 5월 이노우에 가오루井上馨 외무경에 의한 제4호 고시가 공포되면서부터이다. 고시의 내용은 "이번에 조선국 정부는 한성을 개시장으로 정한바 본월 3월 12일 이후 그 곳으로 도항하여 통상할 수 있다"는 것이었다.[95]

처음 들어온 상인들은 극소수로 『경성발달사』(1912)에는 다음과 같이 기록하고 있다.

1885년 4~5월부터 점차 경성으로 들어오기 시작했다. 한때 인천으로 피난했던 이치가와市田石動은 어용상인이었기 때문에 1월 이노우에 가오루井上馨 대사 일행과 함께 먼저 들어왔다. 지금은 대상인으로 굴지의 부호가 된 와다 쓰네이치和田常市, 야마구치山口太兵衛, 나카무라中村再造, 모리森勝次 등을 비롯해 이미 고인이 된 이데井出淸藏, 기노시타木下淸兵衛, 야마모토山本淸記 등이 이 해에 들어왔다. 하마다상회濱田商會도 같은 해 여름에 지점을 개설하였다. 당시에는 하마다상회가 자본이 가장 넉넉하고 규모가 커서 경성 상업계 패권을 잡았다.[96]

이 같이 1885년 5월부터 서울에는 정식으로 일본인의 거주가 허용되면서 이때

---

95 國史編纂委員會,「日本 所在 外交史料館 所藏 在韓外國人 問題 關聯 主要史料 解題」,『海外史料叢書22 -日本·中國所在 韓國史 資料 調査報告-』, 2010, p.170.
96 서울특별시시사편찬위원회 편저,『국역 경성발달사』, 2010, p.72.

부터 서울에 일본인 상점이 들어서고 일본 상품의 판매가 허용되었다.[97] 1885년 말 일본인 재류민 수는 89명에 달했다. 그 중 여자가 18명인데 반은 부인이지만 나머지는 첩이나 작부였다고 한다. 일본 당국자는 일정한 지역에만 일본인들이 거주하도록 방침을 정했다. 그래서 이현泥峴(일명 진고개, 지금의 충무로2가 일대) 밖으로 나가 따로 떨어져 살지 않도록 주의시켰다. 이전 공사관 즉 현재 총독관저를 기점으로 명동성당 뒷문으로 내려가 지금의 재일은행 부근까지를 일본인 거류단 거주지역으로 정했다. 그러나 총 호수는 겨우 20호 정도에 불과했다.[98]

대표적으로는 1885년 충무로에 와다和田상점이 들어섰는데, 이 상점은 무역상으로서 일본물품을 들여와 판매하고 한국물품을 일본으로 수출하였다. 와다의 상점은 날로 번창하여 나중에는 남대문쪽으로 점포를 확장 이전을 하여 일본인 상점의 거점을 마련하였다.

상점주는 와다 쓰네이치和田常市라는 자로 1881년 3월에 한국에 건너와 인천에서 약제상을 하다가 1883년에 무역상을 겸하였다. 1885년에는 거점을 서울로 옮겨 수입무역상점을 운영하였다. 1894년에는 상업회의소 회장, 화폐교환소 이사장, 경성거류민단민의회 의장을 역임한 한국 재주 일본상인의 거두라 할 수 있다.

일본상인으로서 서울에 재주하면서 한국문화재에 가장 먼저 손을 댄 자는 바로 이 와다 쓰네이치和田常市가 아닌가 생각된다. 그는 무역업을 하였지만 그의 집 정원에 산간벽지에서 석조물들을 불법으로 옮겨놓고 매매를 하였다. 세키노가 1911년에 촬영한 사진목록(『조선고적조사약보고』, 1914)을 보면, 사진목록번호 3-18번

---

97  朝鮮硏究會, 『最近 京城案內』, 1915, p.27.
98  서울특별시시사편찬위원회 편저, 『국역 경성발달사』, 2010.

에 해당하는 '지광국사현묘탑', '불사리
탑', '원공국사승묘탑' 등이 '와다 쓰네
이치和田常市 소관所管'으로 나타나 있다.

'지광국사현묘탑'은 와다가 1912년
에 오사카의 후지타藤田가에 팔아넘겨
일본으로 반출되었다가 후에 겨우 반
환 받았다. 와다를 비롯한 초기 한국
재주 일본인 상인들은 겉으로는 무
역업이나 과자상 등의 간판을 내걸고
있었으나 이익이 되는 일이라면 무엇
이든지 서슴없이 하였으며 골동 매매
역시 그 중의 하나였다. 원공국사승묘

와다가 자신의 저택에 소장했던 7층석탑
(장택상이 미국으로 반출한 7층석탑과 상당히
흡사한 점이 많은데, 현재 그 소재가 불명이다.)

탑은 해방 때까지 와다의 집 정원에 있다가 해방 후 집 주인이 여러 차례 바뀌
는 과정에서 또 다시 다른 곳으로 옮겨지면서 한때 행방불명이 되기도 하였다.

와다는 서화 작품도 상당히 수집하였던 것으로 알려져 있다. 1915년 명동의
한성병원 자리에서 조선신문사 주최로 《동양미술전람회》를 개최하였는데 이
때 청의 옹방강의 글씨 두 폭을 출품하기도 하였다.

와다 이후 서울에는 일본인들의 각종 상점이 급격히 늘어났으며 고물상의 수
도 함께 증가하여 '내지인 직업별 조사'를 보면 1910년 9월말 현재 고물상을 운

영하는 일본인 가옥은 92호로 나타나 있다.[99] 1910년의 직업별 조사는 정착한 가구의 수가 92호라면 고물 행상의 수는 그 몇 배에 달할 것으로 추정된다. 그간에 골동업에 대한 급속적인 증가가 있었음을 알 수 있다. 고물, 특히 골동분야에 거의 거래가 없던 한국에서 일본인들의 눈에는 미개척지였다고 할 수 있다.

## ＊ 와다의 저택

『경성부사』에는 마쓰다 고우松田甲 저『조선만록朝鮮漫錄』(1928)에 실린 이유원 (제24대 헌종 때 영의정과 홍문관제학)의『춘명일사春明逸史』의 '쌍회당고사雙檜堂古事'을 인용하여,

선조 때 영의정을 지낸 이항복은 이 정자 자리에 저택을 세웠다. 비록 그 집의 규모는 아담했지만 이항복은 친히 두 그루의 노송나무를 마당에 심었다. 나중에 여러 대가 자나서 부득이 이 집을 팔게 되었는데 이 땅을 사들인 새 주인은 작은 집을 노송 아래에 짓고 '쌍회정雙檜亭'이라고 불렀다. 그 후 시넘돈이라는 자기 다시 내사臺榭를 증축하고 단풍나무를 심어 홍엽정紅葉亭이라 이름 지었다. 이유원은 이 정자의 터가 조상의 터였으므로 다시 구매했는데 그때 이미 노송 가운데 한 그루는 이미 잘렸으므로 다시 다른 나무를 심었다.

하고, 계속해서『경성부사』에는,

99  川端源太郎,『京城と內地人』, 日韓書房, 1910.

그 후 명치 중엽 이래로 경성거류민 가운데 선각자로서 거류민 공공의 이익을 위해 많은 노력을 한 와다 쓰네이치和田常市가 이 정자와 그 부근 땅을 구입해 저택으로 삼았다. 이 때문에 정자는 그의 저택으로 편입되어 지금은 홍엽정이라는 이름을 들을 수 없게 되었지만, 이 정자는 예부터 경성의 명승지로서 회자되었던 만큼 지금도 여전히 기암과 청천淸泉을 지니고 있는 취지유수趣致幽邃한 승지로서 빼놓을 수 없다.[100]

라고 하고 있다.

홍엽정은 원 광화문상량문 찬자 영상 이유원李裕元의 별서別墅로 그는 오성鰲城 이항복의 후손으로 이항복의 구기舊基인 창동倉洞에 기념으로 이 별서를 지었던 것이다.[101]

그 후 1899년 박기양, 서상면, 신해영 등의 전현직 관료들이 서부 창동倉洞의 홍엽정에 광성학교를 설립하였다. 학생들이 증가하자, 남문 내의 상동尙洞으로 옮겨 주간과 야간으로 운영하였다.

『황성신문』 1899년 5월 3일자에는 "사립광성학교는 원래 서서창동지西署倉洞地 구홍엽정舊紅葉亭에 설립한 이래로 학원學員이 매월 증가하고 학업이 일취日就함으로 인해 일전에 해교확장該校擴張함을 회의"란 기사가 보이고 있어 곧 옮길 예정인 것으로 보인다.

『황성신문』 1900년 2월 20일자를 보면 "남촌 창동 홍엽정에 설립한 향연합자

---

100  서울특별시 시사편찬위원회, 『국역 경성부사』 제2권, 1913, pp.483-484.
101  「碧海桑田가티 激變한 서울의 녯날집과 只今집」, 『별건곤』 제23호, 1929년 9월.

홍엽정 현재 남미창정 202번지 와다의 저택 내(경성부사)

회사 사무소를 물으시고 일고 금은 십원식이니 음력 이월 회내로 본사에 출부하여 이익을 공동함을 무망. 대한제국인공양잠합자회사 고백. 사장 김가진" 등의 광고문이 보이고 있어, 홍엽정에 있던 광성학교가 양동으로 옮긴 후 1900년에는 그 자리에는 대한제국인양잠합자회사가 들어선 것으로 보인다. 그런데『제국신문』1900년 4월 6일자에는 대한제국 인공양잠 합자회사 사무소를 북촌으로 옮겼다는 광고가 보이고 있어, 이 회사도 금방 다른 곳으로 이전한 것으로 보인다.

이후 언제인가부터 와다가 매입하여 저택으로 사용했던 것이다.

## 같은 해

### 도쿄국립박물관 한국 유물 구입품

도쿄국립박물관의 미술품 구입은 대부분 미술상들이나 개인 수집가들로부터 구입을 하게 되는데 박물관원들이 개인 수집가들로부터 구입을 하거나, 골동상들이 희망해 오면 이를 심사하여 구매하게 된다.

박물관(당시 공식 명칭은 제국박물관)에서 한국 유물을 최초로 구입한 것은 1885년으로 경주, 김해 등지에서 출토된 여러 건의 유물들이 보이고 있다. "최초로 일괄 구입"했다고 하는데, 경주 월성 출토품 15건의 신라토기와 동시에 경남 김해 발굴의 석족 3건, 옥류 6건, 금환 1건, 마탁 1건, 령 1건을 구입한 것으로 나타나 있다.[102] 당시 농상무성 박물국에서 구입한 것이라 한다. 이때는 미술 고고학 분야의 학자들이 한국에 진출하기 훨씬 전으로 한국에 진출한 도굴꾼들에 의해 출토된 유물들로 추정된다. 이 중 옥류와 금속제품은 1966년 외무성 관리로 전환하여 한국에 반환되었다.

『황성신문』 1905년 10월 3일자 「유제실박물관기游帝室博物館記 二」 라는 기사가 있는데, 이는 당시 황성신문 기자가 도쿄제실박물관(도쿄국립박물관)의 진열관을 관람하고 쓴 관람기이다. 제10실과 제12실에 진열한 유물 중에서 조선유물에 대해, 다음과 같이 기술하고 있다.

> 조선품이라는 것은 개역皆亦 고분묘 중의 굴취물掘取物로, 와감瓦坩, 와완瓦盌, 와
> 배瓦盃 등 89종 즉 선산지역에서 파낸 것, 기타 도검刀劍, 많은 옥속玉屬의 김해
> 에서 굴掘한 것, 기타 도기陶器 15종은 경주 반월성에서 소취所取한 것이라 한다.

이 내용을 보면,『동경국립박물관도판목록』(2004)에서 해설한 김해, 경주지역에서 구입했다는 유물과 거의 일치하고 있다. 따라서 1905년 당시에는 진열품에 대해 출토지를 밝히는 해설문이 있었던 것으로 보이며,「유제실박물관(2)」의 내용은 이 해설문을 따른 것으로 보인다. 『황성신문』 에서 언급하고 있는 선산지역에서 파낸 것은

---

102 「東京國立博物館所藏朝鮮産土器 · 綠釉陶器の收集經緯」, 東京國立博物館,『東京國立
　　博物館圖版目錄』朝鮮陶磁篇(土器,綠釉陶器), 2004, p.169.

1885년 이후 추가 구입한 것으로 추정된다. 이 모든 것은 도굴품임이 틀림없다.

* **1885년 구입품**

| 유물 명 | 출토지 | 출처 | 비고 |
|---|---|---|---|
| 高杯 | 경주 반월성 발굴 | 『東博圖版目錄』[103] 2004, 圖77 | <br>구입. 1885년<br> |
| 高杯 | 경주 반월성 발굴 | 『東博圖版目錄』2004, 圖141 | <br>구입. 1885년 |
| 高杯 1合 | 경주 반월성 발굴 | 『東博圖版目錄』2004, 圖155 | <br>구입. 1885년 |

---

103  東京國立博物館,『東京國立博物館圖版目錄』朝鮮陶磁篇(土器, 綠釉陶器), 2004.

| 유물명 | 출토지 | 출처 | 비고 |
|---|---|---|---|
| 高杯 | 경주 반월성 발굴 | 『東博圖版目錄』2004, 圖182 | 구입. 1885년 |
| 高杯 | 경주 반월성 발굴 | 『東博圖版目錄』2004, 圖183 | 구입. 1885년 |
| 碗 | 경주 반월성 발굴 | 『東博圖版目錄』2004, 圖187 | 구입. 1885년 |
| 台付壺 | 경주 반월성 발굴 | 『東博圖版目錄』2004, 圖238 | 구입. 1885년 |

| 유물 명 | 출토지 | 출처 | 비고 |
|---|---|---|---|
| 高杯 | 경주 반월성 발굴 | 『東博圖版目錄』2004, 圖182 | <br>구입. 1885년 |
| 台付長頸壺 | 반월성 발굴 | 『東博圖版目錄』2004, 圖256 | <br>구입. 1885년 |
| 台付長頸壺 | 반월성 발굴 | 『東博圖版目錄』2004, 圖240 | <br>구입. 1885년 |

| 유물 명 | 출토지 | 출처 | 비고 |
|---|---|---|---|
| 長頸壺 | 반월성 발굴 | 『東博圖版目錄』 2004, 圖259 | 구입. 1885년 |
| 長頸壺 | 반월성 발굴 | 『東博圖版目錄』 2004, 圖260 | 구입. 1885년 |

| 유물 명 | 출토지 | 출처 | 비고 |
|---|---|---|---|
| 小壺 2개 | 반월성 발굴 | 『東博圖版目錄』 2004, 圖293, 294 | <br>구입. 1885년 |
| 石鏃 3건 | 경남 김해 발굴 | 『東博圖版目錄』 2004 | 구입. 1885년 |
| 玉類 6건 | 경남 김해 발굴 | 『東博圖版目錄』 2004 | 구입. 1885년. 1966년 외무성 관리로 전환하여 한국에 반환 |
| 金環 1건 | 경남 김해 발굴 | 『東博圖版目錄』 2004 | 구입. 1885년 町田久成. 1966년 외무성 관리로 전환하여 한국에 반환 |
| 馬鐸 1건 | 경남 김해 발굴 | 『東博圖版目錄』 2004 | 구입. 1885년. 1966년 외무성 관리로 전환하여 한국에 반환 |
| 鈴 1건 | 경남 김해 발굴 | 『東博圖版目錄』 2004 | 구입. 1885년. 1966년 외무성 관리로 전환하여 한국에 반환 |

朝日修好條規

大日本國與

大朝鮮國素敦友誼歷有年曠今
欲重修舊好以固親睦此是
全權辦理大臣陸軍中將兼參議開拓長官黑田清
隆特命副全權辦理大臣議官井上馨
華府朝鮮國政府簡列中樞府事申櫶副總管尹滋
承各遵所奉論旨議立條欵開列于左

　第一欵

朝鮮國自主之邦保有與日本國平等之權嗣後兩

# 우리 문화재
# 수난일지

**1886~1890년**

# 1886년 4월

이 달 중 부산의 일본인 수가 5,058명이었다.[104]

# 1886년 7월

이 달 중 원산에 거류하는 일본인이 1,298명이었다.[105]

# 1886년 10월

### 도쿄국립박물관의 기증품

제국박물관(현 도쿄국립바물관)에는 하나부사 요시모토花房義質와 오오이 게이타로人卅敬太郞(대리공사 花房의 수행원)로부터 청자를 기증받은 건이 보이며, 특히 하나부사로부터 대량적으로 한국 유물을 기증 받은 건이 보인다.

같은 해 1886년에는 곤도 마스키近藤眞鋤로부터 도자기를 기증받은 건이 보인다. 곤도 마스키는 1876년 10월 25일(음) 일본 외무성 관리관으로 부산에 부

---

104 『독립신문』 1886년 4월 18일자.
105 『독립신문』 1886년 7월 11일자.

화방의질 기증 청자명(『東京國立博物館圖版目錄』, 2004)

임하여(고종시대사, 개항100년연표), 1880년 2월에는 부산주재 영사에 임명되고, 1887년 8월에는 일본대리공사로 임명되어 1891년까지 재임하였다.

| 유물 명 | 출토지 | 유물 번호 | 출처 | 비고 |
|---|---|---|---|---|
| 靑磁皿 | | | 『東博圖版目錄』 2007, 圖9 | 기증. 1886년 10월 30일, 花房義質 |
| 白磁壺 | | | 『東博圖版目錄』 2007, 圖291 | 기증. 1886년 10월 30일, 花房義質 |
| 白釉壺 | | | 『東博圖版目錄』 2007, 圖445 | 기증. 1886년 10월 30일, 花房義質 |
| 靑花雲龍文甁 | | | 『東博圖版目錄』 2007, 圖291 | 기증. 1886년 10월 30일, 花房義質 |
| 申命衍 筆 山水圖, 朴種丸 筆 山水圖, 石模 筆花鳥圖 | | 354, 906, 347 | 『收藏品目錄』, 1956. | 기증. 花房義質 |
| 白磁壺, 白磁靑 畵龍紋甁, 褐釉器 | | 380, 374, 376 | 『收藏品目錄』, 1956. | 기증. 花房義質 |

| 유물 명 | 출토지 | 유물 번호 | 출처 | 비고 |
|---|---|---|---|---|
| 木製手單筒, 木製飾單筒 | | 737, 3605 | 『收藏品目錄』, 1956. | 기증. 花房義質 |
| 官服, 平服, 平服 | | 2314, 26826, 27011 | 『收藏品目錄』, 1956. | 기증. 花房義質 |
| 春吐手, 香彈子, 扇 5점 | | 26862, 26822, 26813, 28554 | 『收藏品目錄』, 1956. | 기증. 花房義質 |
| 鉢 4개 | 광주 분원요 | 26930 | 『收藏品目錄』, 1956. | 기증. 花房義質 |
| 匙, 飯櫃, 筒形用器 2개 盒, 냄비 7개, 箱子 2개, 白茵蓆 | | 27054, 27056, 27173, 28555, 27236, 26940, 26942, 26943 | 『收藏品目錄』, 1956. | 기증. 花房義質 |
| 印材, 黃毛筆, 筆 41 개 | 부산 | 26907, 26902, 2 6 8 9 8 , 26901~27391 | 『收藏品目錄』, 1956. | 기증. 花房義質 |
| 墨 42개 | 갑산 | 26897~27045 | 『收藏品目錄』, 1956. | 기증. 花房義質 |
| 硯, 硯滴 2개, 筆筒 4개, 粉紙 10매, 壯紙 6매 | 경남 양산 | 26896, 26905, 26913, 26906, 27223, 27226, 26883, 26884 | 『收藏品目錄』, 1956. | 기증. 花房義質 |
| 粉紙 10매, 壯紙 6매, 白綿紙 20매, 煙草函, 團扇, 書簡袋 12개 | | 26883, 26884, 26885, 268/6, 27160, 26895 | 『收藏品目錄』, 1956. | 기증. 花房義質 |
| 明紬, 粉紬, 班紬, 木棉 | 강진 | 26852, 26853, 26854, 26855, 26856 | 『收藏品目錄』, 1956. | 기증. 花房義質 |
| 靑花菊花文壺 | | | 『東博圖版目錄』 2007, 圖339 | 기증, 1886년 10월, 大井敬太郎 |
| 琉璃地網目文壺 | | | 『東博圖版目錄』 2007, 圖341 | 기증, 1886년 10월, 大井敬太郎 |

| 유물 명 | 출토지 | 유물 번호 | 출처 | 비고 |
|---|---|---|---|---|
| 藍釉彫紋壺 | | 381 | 『收藏品目錄』, 1956. | 기증. 大井敬太郎 |
| 白磁靑畵菊花紋壺 | | 382 | 『收藏品目錄』, 1956. | 기증. 大井敬太郎 |
| 煙管 | | 26874 | 『收藏品目錄』, 1956. | 기증. 大井敬太郎 |
| 灰釉壺 | | | 『東博圖版目錄』 2007, 圖170 | 기증, 1886년 10월 30일, 近藤眞鋤 |
| 白磁長生文 面取筆筒 | | | 『東博圖版目錄』 2007, 圖394 | 기증, 1886년 10월 30일, 近藤眞鋤 |
| 白磁雲鶴紋筆筒 | | 373 | 『收藏品目錄』, 1956. | 기증. 近藤眞鋤 |
| 淺鍾子, 風呂敷, 生絲, 麻布, 生紬 | | 26987, 26860, 26851, 36858, 26857, 26859 | 『收藏品目錄』, 1956. | 기증. 近藤眞鋤 |

# 1887년 7월 31일

일본공사관 주재 애다 중위 일행의 경상도, 충청도 정탐을 보증하는 여권을 발급[106]

# 1887년 9월 9일

일본임시대리공사가 조선정부를 강압하여 미우라 대위 일행의 서북지방 정탐행각을 보증하는 여권을 발급[107]

# 1887년 9월 18일

조선정부는 미우라 일행의 서북지방 정탐을 허락하는 여권을 발급[108]

---

106  사회과학원 역사연구소, 『일제조선침략일지』, 사회과학출판사, 1973.
107  사회과학원 역사연구소, 『일제조선침략일지』, 사회과학출판사, 1973.
108  사회과학원 역사연구소, 『일제조선침략일지』, 사회과학출판사, 1973.

## 경성 일본인 상업 활동

1887년경의 경성에 재주하는 일본인들의 상업 활동에 대해 『경성발달사』에는 다음과 같이 기록하고 있다.

1887년경에는 우리 상점이 70~80호가 되었다. 이것은 주로 조선인을 상대로 한 양품점이 10호 내외, 약종상 5호, 잡화점이 10여 호, 과자점 10호, 전당포 10호 내외 등이었다. 그해 3월 일본인경성상업의회가 설립되었으나 회원은 겨우 20명 내외에 지나지 않았다. 그 규모를 보건데 견실하다고 말하기엔 부족한 감이 있지만 아무튼 경성에서 일한무역의 중추기관으로 우렁찬 목소리를 내기 시작했다.

당시 조선에서 구매하는 물건은 옥양목, 방적사, 성냥, 램프, 석유등, 냄비, 담배, 과자류 정도에 불과했다. 우리 상인이 조선에서 구입해 일본으로 수출하는 것은 사금, 소가죽, 골동품, 홍삼 등이었다. 당시 대부분의 상인들은 모험적이어서 모두 다 맨손으로 와 경성의 보물창고를 열려고만 했다.[109]

여기에서 이미 골동상이 등장하는데, 1897년에 간행한 『도한자필휴渡韓者必携』란 책자를 보면 한국에 거주하는 일본인들이 한국에서의 사업에 필요한 규칙과 거류지에서 지켜야할 생활상의 규칙, 그 외 참고사항을 기술하고 있다. 그 내용 중에는 1891년 9월 26일자로 작성한 '고물상 취체 조례세칙'과 '고물상 취

---

109 서울특별시시사편찬위원회 편저, 『국역 경성발달사』, 2010, p.351.

급 수속'까지 들어 있다.[110] 이는 1880년대부터 이미 골동을 포함한 고물을 취급하는 상인들이 상당수 한국에 재주하였다는 것을 추정케 하고 있다.

110  高木末熊, 『渡韓者必携』, 朝鮮時報社, 1897.

# 1888년 12월 7일

## 광개토대왕비문 헌상

사코酒勾의 쌍구가묵본雙鉤
假墨本은 1888년 12월 7일에
그 원본을 사코酒勾의 이름으
로 메이지왕明治王에게 헌상獻
上되었으며, 이후 1890년 7월
부터는 사코우의 쌍구가묵본

헌상문서

雙鉤假墨本을 정식탁본으로 꾸며[111] 제국박물관에 전시하여 비의 존재를 널리 선
전하기 시작하였다.

## 같은 해

프랑스인 봐라Varat는 1888년에 조선도서를 많이 수집하였는데, 이것은 기메
박물관에 소장되어 모리스 쿠랑Maurice Courant(1865~1935)이 조선도서를 연구
할 때 이곳에 소장된 귀중한 조선도서를 열람을 했다고 한다.[112]

---

111 池內宏까지도 이를 정식탁본으로 誤認하고 있다.
112 모리스 쿠랑, 「朝鮮의 書籍과 文化」, 金壽卿 譯, 『人文評論』 3권 3호, 1941년 3월.

# 1889년 6월

## 광개토대왕비문 공개

만 5년간에 걸쳐 극비리 진행된 광개토대왕릉비의 석문 등은 일본 아세아협회에서 1889년 6월에 『회여록會餘錄』 제5집을 광개토대왕비 특집으로 출간하였다.

간행과 함께 『시사신보時事新報』, 『도쿄신문東京新聞』 등의 신문지상에 대서특필하여 출판광고를 실었다. 그 광고문에 "비문 중에는 우리가 일찍이 백제, 신라, 임나가라를 정복했던 사실이 기록되어 있다", "우리 황국인의 위무威武의 찬란함", "실로 역사가歷史家의 고증考證과 서가書家 서각사書刻師의 규범規範이 되는 것" 등의 말과 아울러 "왜인은 그 국경을 가득 채우리" 라는 것을 전체란의 표제로 삼았으니[113] 그 목적이 어디에 있는지를 보여 주고 있다.

『회여록』 제5집의 출간은 하나의 중대한 사건으로 일제의 한국침략과 대륙진출의 야욕을 공포한 것이나 다름없다. 그 말미末尾에 다음과 같이 오도하면서 대대적인 선전을 하였다.

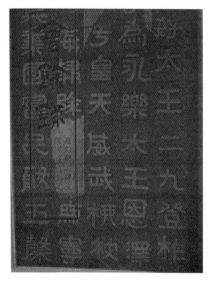

『회여록』 제5집

---

113 佐伯有淸, 『廣開土王碑と參謀本部』, 吉川弘文館, 1976, pp.121-122.

비문 중에 우리나라와 큰 관계를 가진 사항이 있다. 즉 신묘년辛卯年에 왜가 바다를 건너가 백제와 신라를 파破하여 신민으로 만들었다한 구절이다. 자고로 중국과 한국의 사서들은 다만 우리나라가 변방을 침노하고 사신을 보낸바 사실들을 기록하고 있으나 아직 「백제와 신라가 우리나라에 신속臣屬했다」는 것을 쓴 바 없다. 그것은 사가史家들이 우리나라의 기휘忌諱를 두려워함에서다. 그러나 이 비는 삼국이 정립한 고구려인이 건립한 것으로 백제와 신라의 국휘國諱에 괘의掛意할 필요가 없다. 능히 그 날의 일을 1600년 후의 오늘에 이르러 폭로暴露하게 된 것이다.[114]

이 비에는 당시 고구려 및 주변 여러 나라와의 관계를 파악할 수 있는 내용들을 담고 있는데 그 가운데는 왜倭와의 관계가 많이 기술되어 있다. 이것이 때마침 동양제패東洋制覇의 꿈에 취해 있던 일본 군국주의자들에 의해 그들의 고대사에 유리하도록 해석하려

는데 신경을 경주하였다.

이 불완전한 쌍구가묵본雙鉤假墨本[雙鉤摹本]이 첩보요원 사코酒句에 의해 일본에 들어갔고, 일본 육군참모본부에서는 5년에 걸쳐 그 해석 작업이 진행되었다. 이것이 한학자나

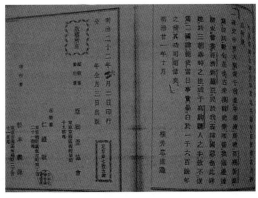

『회여록』 제5집 말미

---

114 橫井忠直,「高句麗古碑考」,『會餘錄』第五集, 亞細亞協會, 明治22년(1889) 6월.

사학자에 넘어가지 않고 군부軍部에서 비밀리에 해독을 착수했음은 소위 만한滿韓진출의 야망을 채우기 위한 호자료好資料로 생각했기 때문이다.

메이지明治16년(1883) 10월 말에 참모본부파견의 사코 가게노부酒匂景信가 현지에서 고구려광개토왕비문의 쌍구가묵본을 일본으로 반출한 후 일본 육군참모본부의 편찬과가 중심이 되어 석문을 작성했다. 그 중심인물은 동편찬과同編纂課의 과원課員 요코이 타다나오橫井忠直로 그는 육군대학교 교수를 역임한 자로, 광개토왕릉비문이 공식적으로 세상에 알려지기까지 요코이橫井의 주도하에서 그 해독작업이 이루어졌다.

그러나 이에 앞서 일본 최초의 광개토왕비문의 주해註解는 아오에 슈淸江秀 에 의해서 시작되었다.[115] 아오에 슈淸江秀 가 1884년 7월에 작성한 『동부여영락태왕비명지해東夫余永樂太王碑銘之解』의 사본은 현재 일본 국립국회도서관에 소장되어 있는데, 1885년(명치18년) 2월 18일부로 고수기 온손小杉榲邨의 "우고비주해右古碑註解는 향우 아오에 씨鄕友淸江氏가 명을 받들어 만든 필록筆錄…" 이라는 첨언添言이 붙어 있다고 한다.[116] 아오에 슈淸江秀 는 당시 해군성군사부 제5과에 어용괘御用掛로 근무하고 있었는데 참모본부의 명령으로 광개토왕비문의 주해를 한 것이다.[117]

---

115  1959년까지는 일본에서 처음 나온 문헌은 『會餘錄』 제5집이라고 전해졌는데, 1959년 水谷悌二郎의 「好太王碑文考」 『書品』 제100호에 의하여 회여록보다 5년 앞서 1884년에 靑江秀가 해석문을 작성하였음이 밝혀졌다.

116  佐伯有淸, 『研究史 廣開土王碑』, 吉川弘文館, 1974, p.5.

117  靑江秀는 당시 해군성군사부 제5과에 御用掛로 근무하고 있었는데 어떻게 육군참모본부의 명령으로 『東夫余永樂太王碑銘之解』를 작성했는지에 대해 佐伯은 다음과 같이 설명하고 있다.
     靑江이 『東夫余永樂太王碑銘之解』를 집필할 당시의 소속은 해군성 군사부 제5과로, 명치17년 2월 8일 군무국을 폐하고 部內에 5과가 軍事部에 설치되어 靑江은 2월 5일 군사부 제5과에 근무하였다. 제5과는 內外國의 兵書戰史와 외국의 兵制에 관한 事項 기

아오에 슈淸江秀 다음으로 요코이 타다나오橫井忠直는 1884년 12월까지 비문의 석문釋文과 고증문考證文을 만들어 「고구려고비고高麗古碑考」 사본寫本 2부를 작성했다. 한 부는 1884년7월~12월에 만들어 진 것으로 궁내청서릉부宮內廳書陵部에 소장되어 있는데 아오에 슈淸江秀 의 고설考說을 비판한 곳이 몇 군데 나온다고 한다. 다른 한 부는 1884년 12월말에 작성된 것으로 도쿄도립히비야도서관장東京都立日比谷圖書館藏이라고 한다.[118] 그 후 메이지明治21년(1888) 10월에 3부를 다시 작성했다. 그 중 마지막으로 수정한 것이『회여록』제5집에 수록한 것이다.

『회여록』제5집에는 석문釋文과 사진석판寫眞石版의 「고구려고비문高句麗古碑文」, 「고구려비출토기高句麗碑出土記」, 「고구려고비고高句麗古碑考」가 수재收載되어 있는데,『회여록』에 수록된 「고구려고비고」에는 "메이지明治21년 10월 요코이 타다나오橫井忠直 식識"이라 기記해 있고, 무규가이도서관無窮會圖書館과 교토대학부속도서관京都大學附屬圖書館에 소장되어 있는 「고려고비고高麗古碑考」에도 "메이지明治21년 10월 요코이 타다나오橫井忠直 식識"이라고[119] 기록된 점으로 보아 이 두 본

---

타 해군에 유익한 도서의 編述彙集 飜譯 등을 담당하였다. 그런데 明治17년 7월~12월에 2회에 걸쳐『高麗古碑考』를 쓴 橫井忠直이 소속한 참모본부 편찬과의 「參謀本部條例」를 보면, '內外地誌 外國政誌 및 戰史의 纂輯', '외국서의 번역'을 했던 고로 해군성 군사부 제5과와 참모본부 편찬과가 공통적인 직무를 가지고 있다. 그리고 해군성 군사부는 명치19년(1886) 3월 이후 제5과가 참모본부 편찬과에 吸收合倂한 것을 보면 이전부터 참모본부의 명령을 해군성 군사부에 전달되었던 것이며, 광개토왕비문의 연구에 관해 참모본부가 명령하여 해군성군사부 제5과 소속 靑江秀가 碑文 연구를 담당한 것은 당연한 것이며, 광개토왕비문의 辛卯年條 '渡海破', 6년丙申의 '王躬率水軍', 14년甲振 부분 '運船'은 제5과의 직무규정상 해군과 관계되는 史料가 記載되어 해군성 군사부 제5과의 靑江秀가 최초로 비문연구를 담당한 이유임을 지적하고 있다.
佐伯有淸,『廣開土王碑と參謀本部』, 吉川弘文館, 1976, pp.221~223, 參照.
118 佐伯有淸,『廣開土王碑と參謀本部』, 吉川弘文館, 1976, p.105.
119 佐伯有淸,『廣開土王碑と參謀本部』, 吉川弘文館, 1976, pp.111-112.

을 바탕으로 마지막으로 수정한 것을『회여록』에 수록한 것으로 보인다.

일본육군참모본부에서 만5년 동안 해독작업을 하였으나 사코酒匂가 가져간 쌍구가묵본은 이어 붙이지 아니한 것으로 혼란이 심하여 만족한 해독문을 만들 수가 없었다. 그래서 1888년 10월에 비문을 일본으로 가져온 사코 가게노부酒匂景信를 출석시켜 해독작업을 마무리 짓게 되었던 것이다.[120]

이노우에(井上賴国)의『옥록玉籠』에는 회여록과 같은 석문을 싣고 그 뒤에 해독작업의 정리가 1888년 10월에 사코酒匂의 입회하에 행하여 진 것을 보여주는 다음과 같은 첨어添語가 붙어 있다.

이 비는 아오에 슈淸江秀, 요코이 타다나오橫井忠直 두 사람의 주注 및 도서료, 박물관 등에 사본이 있긴 하나 착란이 있어 잘 통하지 않아 메이지明治21년(1888)10월 11일 궁내성에서 참모본부의 원본 및 이를 통구에서 얻어온 사가와佐川 대좌(처음에는 佐川 대좌라 썼다가 뒤에 이를 酒匂로 정정하였다)에게 번호를 정정訂正케 하였다. 가와다 쓰요시河田剛, 마루야마 사쿠야구丸山作藥, 요코이 타다나오橫井忠直, 그리고 나는 서로 협의하여 그곳에서 이와 같은 훈점訓點을 붙였다. 사코 가게노부酒匂景信는 북경에서 지나어를 배우고 만주지방을 여행할 때 이 비를 얻었는데 이곳 인가는 20호쯤 있었다 하며 이에 이르기를 묘비상墓碑上의 와瓦도 갖고 돌아와서 마루야마 사쿠야구丸山作藥에게 선사했는데 와瓦는 거의 돌과 비길 만한 견고한 것으로 가장자리에 문자가 있다"[121]

---

120 李進熙,「廣開土王陵碑文の謎」,『思想』575號, 岩波書店, 1972년 5월, p.84.

121 佐伯有淸,「高句麗廣開土王碑をめぐる 諸問題」,『歷史學硏究』第401號, 1973년 10월.

비문의 해석은 1884년부터 1889년 사이 참모본부 편찬과가 중심이 되어 진행되었고 각자의 해석에 대해 당시의 고명한 국학자 및 역사가들이 동원되어 교열校閱하였다.[122] 그런데 5년간이나 그와 같은 작업이 있었다는 것은 세상에 알려지지 않았다.

이러한 작업이 완성될 때까지에는 일본의 저명한 한학자, 근대사학자들이 극비리 동원되어 교열校閱 했으나 이들의 작업을 은폐하기 위함인지 공식적으로 그 공적에 대한 기록을 남기지 않았다.

당시의 참모본부 편찬과의 과장은 오하라大原里賢로 이 자는 1874년부터 참모본부요원으로 청국에 파견되어 십수 년 간 첩보활동을 해온 자로 '영희본'을 수집하였을 뿐 아니라 후에 광개토왕비의 반출을 꾀했던 자이다.

사코酒匂의 쌍구가묵본雙鉤假墨本은 1888년 말에 그 원본을 사코酒匂의 이름으로 메이지왕明治王에게 헌상獻上되었다. 이후 1890년 7월부터는 사코酒匂의 쌍구가묵본雙鉤假墨本을 정식탁본으로 꾸며[123] 제국박물관에 전시하여 비의 존재를 널리 선전하기 시작하였다. 이어 공개적인 비문연구가 시작되어,『회여록』제5집 공간 이후 최초의 광개토왕비문의 연구는 이에 의거한 첫 논문이 1891년에

---

122 李進熙에 의하면, 靑江秀의 「碑文考證文」에는 栗田寬, 重村不能在가 校閱을 했다고 나타나 있으며,
佐伯有淸에 의하면, 橫井忠直의 「高句麗古碑考」(宮內廳書陵府藏)의 제2면 8행의 '新羅城'의 註解, 제2면 9행의 '任那伽羅', '安羅'의 註解에 '修史館考按'이 있어 수사관 編纂官이 검토했다는 것을 말해주고 있다. 수사관은 현재의 동경대학 사료편찬소의 前身으로 修史官이라 칭하던 시기는 明治10년(1877) 1월부터 동 19년(1886) 1월까지 9年間으로 당시 編修官으로는 일본의 근대사학을 개척한 重野安繹, 川田剛, 久米邦武, 星野恒이었다고 한다(硏究史廣開土王碑, p.39).
123 池內宏까지도 이를 정식탁본으로 誤認하고 있다.

스가 마사토모管政友에 의해「고구려호태왕비명고高句麗好太王碑銘考」[124]가 발표되고, 이어 1893년에는 나카 미치요那珂通世의「고구려고비고高句麗古碑考」[125]가 발표되었다. 그 후 5년 뒤에 1898년 미야케 요네키치三宅米吉는 제국박물관帝國博物館에 있는 축소사진석판縮小寫眞石版, 회여록비문, 제국박물관 소장의 요코이 타다나오橫田忠直의「고구려고비고高句麗古碑考」, 스가 마사토모管政友의「고구려호태왕비명고高句麗好太王碑銘考」, 나카 미치요那珂通世의「고구려고비고高句麗古碑考」등을 참고로 하여「고려고비고高麗古碑考」[126]를 발표하였다.

이들의 논문 사이에는 비문자구碑文字句에 일부 차이가 있고 결자 및 해석에서도 약간의 차이가 있으나 고대 일본이 신라와 백제를 신민으로 삼고 고구려의 대군과 싸웠다는 점을 강조하고 있는 점은 일치하고 있다.

얼마 후 미야케 요네키치三宅米吉는 고마쓰노미야小松宮의 탁본을 보게 되자「고구려고비고추가高句麗古碑考追加」[127]를 써서 고마쓰노미야小松宮탁본을 소개하면서 요코이 타다나오橫田忠直 등의 석문釋文에 나타난 오류를 정정하게 된다. 그는 이를 집필하게 된 이유를 다음과 같이 밝히고 있다.

앞서 게재한「고려고비고」는 사코酒匂가 갖고 온 원탑본原搨本 즉 지금 제국박물관에 진열되어 있는 것에 의해 고증한 것인데 그 탑본에는 반드시 자획 및 문자의 위치에 약간의 잘못이 있는 것으로 생각되면서도 당시 우리

---

124 管政友,「高句麗 好太王碑 銘考」,『史學會雜誌』第22號~25號, 1891.
125 那珂通世,「高句麗 古碑考」,『史學雜誌』第47號, 49號, 1893.
126 三宅米吉,「高句麗 古碑考」,『考古學會雜誌』第2-1, 3號, 1898.
127 三宅米吉,「高句麗 古碑考追加」,『考古學會雜誌』第2~5號, 1898.

나라에는 이것 외에 비교할 탑본이 없었던 고로 어떻게 할 수 없었던 사정을 그 논문의 서두에 적어 두었던 것이다. 그런데 이번에 다행히 고마쓰노미야小松宮전하 소장이라 하는 별본別本을 배견할 기회를 얻게 되어 과연 구탑본에 잘못이 있음을 알게 되었다.[128]

고마쓰노미야탁본小松宮拓本의 입수경위入手經緯는 사에키 아리키요佐伯有淸의 고찰에 의하면 아마도 1893년 통구에 잠입했던 쿠라쓰지 아키토시倉辻明俊가 일본으로 가져간 것으로 보인다. 쿠라쓰지 아키토시倉辻明俊는 당시 육군공병대위로서 참모본부편찬과 직원이었다. 1893년에 그는 2명의 수행원을 데리고 간첩으로 두 번이나 중국에 잠입하여 안동 만포를 거처 통구로 들어갔다. 이 탁본은 그가 통구에 가서 만들어 일본 참모본부로 가져간 것이다. 1895년 1월 26일 육군대장 고마쓰노미야 아키히토 친왕小松宮彰仁親王이 참모총장에 취임하면서 이 탁본은 그의 수중으로 들어갔다.

쿠라쓰지 아키토시倉辻明俊는 이미 앞에서 언급한 바와 같이 1882년에 참모본부요원으로 만주 등지에 파견되었던 자로 광개토대왕비에 대해 많은 정보를 알고 있었던 것으로 보인다. 고마쓰노미야小松宮탁본에 대해 미야케三宅는 "4면을 각기 1매로 베낀 것"이라고 하고 있는데 높이 6.3미터나 되는 거대한 비를 1매의 종이로 찍기 위해서는 사전에 충분한 계획이 있지 않고는 힘드는 일이다.

미야케 요네키치三宅米吉의 「고구려고비고추가」 발표 이후에는 비문해독의 정리가 완전히 이루어진 것으로 간주되었으며, 비문 중 「왜인신묘년래도해倭人

---

128  三宅米吉, 『考古學研究』, 岡書院版, 1929, p.98.

辛卯年來渡海」운운云云의 구句 등을 지적하여 저들의 종래에 주창하던「임나일본
부任那日本府」의 허무맹랑한 설說을 사실화事實化시키기에 힘을 기울였다.

그리하여 난해難解한 자字와 구句를 모두 아전인수식我田引水式의 석자석문釋字
釋文을「임나일본부任那日本府」설의 확증確證자료로 삼아서 그들의 고대사에 유
리한 국면으로 전환시키기에 여념이 없었다. 이른바 신묘년과 경자년의 기사
를 변조하고 있어 정한론征韓論의 빌미가 되면서 일제는 한국정벌에 대한 명분
으로 삼고자 했던 것이다.

일제가 석문釋文한 문제의 석문은 신묘년辛卯年(391)기사와 경자년庚子年(400)
기사로 그 내용은,


辛卯年 記事

百殘新羅舊是屬民, 由來朝貢, 而倭以辛卯年來渡海, 破百殘□□新羅以爲
臣民.

백잔百濟과 신라는 예부터 속민으로서 조공을 바쳐 왔었다. 그런데 왜가
신묘년에 바다를 건너와 백잔과 신라를 파하여 신민으로 삼았다.


庚子年 記事

十年庚子, 敎遣步騎五萬, 往救新羅, 從男居城, 至新羅城, 倭滿其中,
官軍方至, 倭賊退, … □背息追, 至任那加羅, 從拔城, 城卽歸服,
安羅人戌兵, 拔新羅城, □城倭滿, 倭潰城大□ …

10년 경자에 보병과 기병 5만을 보내어 신라를 구원하였다. 남거성을 경유
하여 신라성에 들어가니 그 안에 왜병이 가득하였는데 관군이 도착하자 왜

적이 퇴각하였다. ...(이하원문8자결자)... 뒤를 돌아서 추격하여 임나가라에 이르러 계속하여 성을 함락하니 성이 곧 항복했다. 안라인 주둔군이 ... , 신라성, □성에 왜가 가득했다. 왜는 성을 무너뜨렸다.

일본인 학자들은 위와 같은 해석을 통하여 광개토대왕시에 고구려군과 일본군이 대규묘로 장기전을 벌인 것으로 과장 서술함으로써[129] 일본이 남부 조선을 통치한 적이 있다고 인정시키려 하였다. 일본의『일본서기』에도 이와 유사한 기록이 있으나『일본서기』는 8세기경에나 나온 책일 뿐 아니라 신화 전설적 색채를 띠고 있기 때문에 그다지 믿을 수가 없다는 것이다. 그런데 이 비문의 내용은 일본의 고대사와 연계시킬 수 있다고 여기게 된 것이다. 그리하여『일본서기』에서 말한 일본의 야마토조정大和朝廷이 낙동강 하류의 임나지역에 '임나일본부'를 설치하여 남부조선을 200여 년 간 통치했다는 증빙자료로 삼고자 했다.

이러한 예例는 1920년 조선교육연구회朝鮮教育研究會에서 편찬한『심상소학일본역사보충교재교수참고서尋常小學日本歷史補充教材教授參考書』에 다음과 같이 잘 나타나 있다. '삼한三韓' 조條에, "친히 바다를 건너 신라를 정복征服하여 따르게 하고, 또 장군將軍을 보내어 임나任那의 제국諸國을 평정平定하여 이를 보호保護하고, … 백제, 고구려의 2국二國은 사신使臣을 보내어 조공朝貢을 하고 함께 속국屬國의 예禮를 취取하였다" 하고 있다. 또 '일본부기일日本府其一'의 '교수요지教授要旨' 조에서는 "본과本科에서는 일본부日本府를 중심으로 하는 신라, 고구려, 백제 삼국정립시三國鼎立時의 유양有樣을 가르치고 북방에서 일어난 고구려에 대해, 한종족韓種族의

---

129  椎川龜五郎 編,『日韓上古史裏面』下卷 제13장, 東京偕行社, 1910, pp.175~216.

제국諸國이 일본의 힘을 빌려 그 국가를 보존할 수 있었다는 것을 알게 한다" 하고 있다. '설화요령說話要領' 조에서는 "신공황후神功皇后가 신라를 친히 정복征服하고, 후에 고구려, 백제 2국二國을 복속服屬케 한 것은 이미 앞에서 술述하였다. 여기에서는 조정에서 일본부를 임나任那에 치置하고 장군將軍을 보내어 오랫동안 한韓을 다스렸다는 것과, 신라, 고구려, 백제 삼국은 일본에 조공朝貢하고 특히 신라와 백제 두 나라는 왕족王族을 인질로 일본조정에 보내오게 됨으로써 속국屬國의 예禮를 다하는 성의誠意를 표表했다"는 것을 설명하고, '비고備考'에서는 "현재 만주盛京城 輯安縣에 존재한 광개토왕릉비문에 밝히고 있다" 라고 하고 있다.[130]

이것으로서 일제가 한국침략을 역사적으로 정당화하기 위해 광개토대왕릉비문을 아전인수격我田引水格으로 얼마나 교묘하게 활용하고 있는지 극명하게 보여주고 있다.

## * 비문(碑文)의 변조설(變造說)

광개토대왕릉비의 비면碑面에는 제1면 11행, 제2면 10행, 제3면 14행, 제4면 9행으로 모두 44행인데 각 행마다 41자씩 새겨 넣었다. 그러나 실제 비면에 새겨진 글자 수는 보는 학자들에 따라 각기 다르게 나타나고 있다.[131] 이는 비면

---

130 朝鮮教育研究會 編纂,『尋常小學日本歷史補充敎材敎授參考書』, 朝鮮總督府, 1920, pp.20~38.

131 碑文에 새겨진 文字에 대해, 橫井忠直은 43行 各 行 41字 總 1759字로 記錄하고 있으며, 管政友는 43行 各 行 41字 總1763字, 三宅美吉은 43行 總1759字로 나타내고 있는데 그가 말한 바 新拓本(小松宮本)은 4面을 各 1枚로 찍었다고 하면 제3面 1行도 나타났을 텐데 무슨 이유인지 제3面을 13行으로 記錄하고 있다.

에 많은 글자가 파괴되어 판독이 어려워지면서 혼란을 일으키게 된 것으로 일부 명확하지 않는 문자에 대해 학자들마다 다르게 해석되기도 하고 식별할 수 있는 문자에 대해서도 해석을 달리 하는 경우가 적지 않다. 100여 년 동안 여러 학자들이 발표한 호태왕비문에 대한 해석문에 기초하여 조사한 박진석朴眞奭에 따르면 이런 글자가 370여 자에 달한다고 한다.[132]

---

제3面이 14行으로 이루어졌음을 밝힌 것은 今西龍으로, 今西龍은 總 글자 수 1802字, 池內宏은 1800字라고 하였다.

朴時亨은 1963년 가을 북한 사회과학원 역사연구소와 고고학 및 민속학 연구소의 연구집단은 現地에서 陵碑재조사 사업을 진행하여 現碑面과 碑文을 다시 한번 신중하게 검토하고 정밀한 탁본과 實尺度를 作成하였다. 그 결과 明確히 보이는 字는 1534字, 애매하거나 전혀 보이지 않는 字의 數는 268字로 총 1802字로 확인하였다(朴時亨, 『廣開土王陵碑』, 1966, (북한)사회과학원출판사, p.7).

王健群은 4面의 글자 總數는 1775字이고 이미 脫落되어 判讀할 수 없는 글자가 141字라고 調査하고 있다.

朴眞奭은 44行인데 41字씩 글자를 넣었으며 글자의 總數는 1804字이나 실제 숫자는 보다 좀 적으며, 그것은 碑面에 일부 缺字가 생겼기 때문이다. 그것을 구체적으로 적으면 다음과 같다.

第1面 6行 40-41번째 字 위치에 2字가 缺字인데 여기에는 비면은 있으나 원래 글자를 써넣지 않았다.

제2면 9행 1-7번째자 위치에는 7字가 缺字인데 그 중 1-6번째자의 위치에는 비면이 없으며 7번째 자 위치에는 비면은 있으나 글자가 쓰여져 있지 않다.

제2면 제10행 1-16번째 자 위치에 16자가 缺字인데, 그 중 1-12번째 자 위치에는 비면이 없으며 13-16번째자 위치에는 약간의 비면은 있으나 글자를 써넣지 않았다.

제4면 1-4번째자 위치에 4자가 缺字인데, 그 중 1-3번째 위치에는 비면이 없으며 4번째 자 위치에는 비면은 있으나 글자를 써넣지 않았다.

이리하여 제1, 2, 4面에 모두 합하여 29字의 缺字가 생긴다. 이제 1804에서 29字를 덜면 남아 있는 글자는 1775로 된다. 이것이 곧 好太王碑의 4面에 실제로 새겨진 글자의 總數다. 제1면 11행 40-41번째자의 위치에는 4-5센치 가량의 두께로 비면이 탈락됨으로써 그곳에 새겼던 글자가 완전히 없어졌다(朴眞奭, 『好太王碑와 古代 朝日關係』, 1993, 서광학술자료사, pp.7-8).

132  朴眞奭 ,『高句麗 好太王碑의 研究』, 아세아문화사, 1996.

이처럼 많은 글자가 파괴된 원인은 물론 장구한 세월을 견디면서 풍화작용에 의한 자연적인 파괴도 있겠으나, 무엇보다도 릉비의 재발견 이후 인위적인 가해로 인한 릉비의 손상은 각국 간의 첨예한 해석의 차를 낳게 하였다.

능비 발견 초기에 현지사람들이 작은 피지와 그을음즙으로 찍은 작은 탁본들은 최초라는 의미에서 진귀한 것이기는 하지만 우선 재료가 나쁘고 기술이 모자랐으며 이끼가 낀 표면을 적당히 단편적으로 찍었을 뿐 아니라 탁공들이 자의로 적당히 그려 넣어 큰 가치를 지니지 못한다. 당시 사람들은 비신에 깔려있는 이끼를 없애고 문자를 찾기 위하여 우분牛糞을 바르고 불을 질러놓아 그것을 태워 버렸다. 이런 과정을 통하여 비의 표면은 파괴되고 심지어는 비신에 여러 개의 금이 실림으로써 문자가 일부 파괴되었다. 청말엽, 민국초엽의 섭장치, 담국환, 장연후 등이 광개토대왕비가 발견된 초기에 푸른 이끼에 묻혀있는 정황을 기록하고 있다.[133] 이 시기를 일반적으로 1882년 12월 이전으로 보고 있다.

---

133 楊守敬의『高句麗廣開土好太王談德碑跋』
　　光緖 壬寅(1902)에 옛친구 조정걸이 두 매를 내게 부쳐 보내면서 初拓本이라 했다. 조군은 동삼성에 20여년간 벼슬하며 다닌 자이니 믿을 만하나. 펴서 읽어보니 비록 빠진 글자는 있지만 나타나 있는 글자는 아주 명확하여 옛날 내가 본 것과는 아주 달라서 日本人 釋文의 잘못을 바로 잡기에 족했다. 또 10餘字가 많은데 편지를 보내 물었더니 조군은 "비가 처음 발견되었을 때에 사람들이 다투어 탁본하려 하자 그곳 사람이 벼싹을 밟아 쇠똥을 섞어 발라 비에 칠한 다음 이를 태워서 깎이고 침식되어 그런 것이다" 라고 했다.
　　談國桓의『手札』.
　　들은 바로는 이 비가 수년 전에 어떤 僧父(무식쟁이)가 이끼가 너무 두터워 탁본이 어렵다고 말똥으로 태웠다고 합니다. 비석이 본래 조악한 데다가 이런 불까지 만나자 늘 상 조각이 떨어져 나가 비는 이로부터 훼손의 지경에 이른 것입니다.
　　顧光燮의『夢碧簃石言』(1918)
　　碑面에 푸른 이끼가 가득 덮였으며 긁어내기 심히 어려웠다. 그곳 사람들이 똥을 비면에 발라 마르기를 기다린 후 불로 태웠다. 이끼가 타 없어지면서 비가 깨어 졌다.

두터운 선태가 비석의 문자를 거의 다 파묻었기에 탁본을 뜨기란 무척 어렵다는 것을 짐작할 수 있다. 때문에 우분이나 마분을 비석에 발라 놓고 마른 다음 불로 태워 버림으로서 선태는 제거되었지만 비석은 일부가 불에 튀어 이그러지게 되었다. 이는 광개토대왕비가 발견된 후에 첫 번째로 겪는 엄중한 파괴다. 이는 세키노 타다시關野貞와 이마니시 류今西龍의 기록에도 나타나 있다.

그러나 일본 아세아협회가 메이지明治22년 6월에 발간한 『회여록』 제5집에서 요코이 타다나오橫井忠直의 「고구려비출토기高句麗碑出土記」에는 "그곳 지방사람의 말에 의하면, 이 비가 오래 전부터 토중土中에 파묻혀 있다가 300년 전부터 들어나기 시작했다"라고 하고 있다. 아오에 슈淸江秀의 「동부여영락태왕비명지해東夫餘永樂太王碑銘之解」의 「부언附言」 에는 "차경모신문왈此頃某新聞曰 '옛부터 수저水底에 매몰되어 있던 일대석비―大石碑'"이라고 하고 있다. 이후 땅속과연결하여 스가 마사토모管政友도 "흙 속에 묻혀 있던 것을 메이지明治 15, 16년(1882~1883)경에 파낸 것"이라 하고, 나카 미치오那珂通世도 "이 비문이 세상에나온 것은 메이지明治15, 16년경으로" 라고 하고 있고, 미야케 요네키치三宅米吉는 『고려고비고』 에서, "1500년의 성상을 거쳐 특히 흙 속에 매몰되고 또한 수

---

張延厚의 『跋語』중엔 "又聞寅卯間, 碑下截毁于火"(또 들으니 인묘년간 비석 아래가 불에 터졌다) 王健群은 인묘년간을 光緖4~5년간으로 보고 있다.
『輯安縣誌』(1930)
光緖初에 拓本하는 자가 비석에 이끼가 많다고 하여 쇠똥을 발라 이를 태워서 비석의 훼손이 너무 심해졌다.
그 모호해서 判讀할 수 없는 글자에 대해 호사자가 임의로 보수해 넣어서 글자가 增減되기도 했다. 뒤에 이끼가 다 제거되자 광서 중엽에 깎여서 빠진 글자 외에는 글자가많이들 명확했다. 이에 옛것을 숭상하는 자들이 오히려 眞品이라고 여겼다. 지금은 해가 갈수록 깎여서 판독할 수 없는 글자가 또한 많아졌다.

류에 부딪혀 씻겼으므로 비면이 결손된 바 있을 뿐 아니라 그 남아 있는 부분
도 요철(모양)이 심하게 되었으므로…" 하여 비문의 결손에 대해 요코이 타다
나오橫井忠直의 기록과 아오에 슈淸江秀가 인용한 모신문의 기록을 종합하여 그
원인을 분석하고 있으며, 아사미 린타로淺見倫太郎도 이에 동의하고 있다.[134]

메이지明治년간에는 모두 흙 속에 묻혀 있다가 출토되었으며 비문의 현상에
있어서는 수류에 파괴된 것으로 은폐하고 있다.

『회여록』 제5집에 실려 있는 이 출토기는 말 그 자체만 보아도 완전히 땅속에 있
던 것을 세상 밖으로 발굴한 것처럼 표현하고 있다. 6.3미터나 되는 거대한 비가 어
떻게 땅 속에 묻혀 있었다는 것인지 도대체 이해가 가지 않는다. 만약 이러한 거대
한 비가 묻히려면 일대의 모든 지형이 바뀌어야만 가능한 일일 것이다. 또한 『고구
려비출토기高句麗碑出土記』에는 칠성의 방형을 가지고 있는 거대한 장군총이 상부
양층만 지상에 나타나고 5층 이하가 지하에 매몰되었다고 하는데,[135] 금일에 이르
기까지 많은 학자들이 장군총을 조사하였으나 매몰되었다는 흔적은 찾을 수 없었
으며 모두 현재와 같이 기저부基底部가 완전히 노출되어 있었다. 이것은 어디까지나
일부 삭제시키거나 개작한 건을 은폐시키려고 꾸며낸 것으로 밖에 볼 수 없다.

---

134  淺見倫太郎, 「日韓交涉史蹟に關する 二千年來の金石遺文」, 『朝鮮及滿洲之硏究』第1
輯, 1914년 12월, 朝鮮雜誌社發行, pp.300-301에,
"此碑는 지금의 盛京省 懷仁縣 洞構에 있다. 이 지방을 韓人은 西間島라 稱하고 있다.
…… 지금으로부터 300년 前 한 碑가 山谷 中에서 발견되어 光緖19년(明治15)에 이르러
당시 盛京將軍 左宗棠이 처음 사람을 고용하여 掘出洗刷하고 2년의 공을 소비하여 비
의 全文을 읽을 수 있게 되었다. 그리고 오랫동안 溪流에 부딪혀 缺損된 곳이 많았다.
비의 高는 一丈八尺 그 중 土中에 埋沒된 것은 몇 尺인지 알 수 없다" 라고 하고 있다.
135  碑之東又有一大墳. 俗呼爲將軍塚極廣大. 其墳突出地上者. 一丈七尺. 上有兩層. 地下
更不知有幾層.

이 같은 지하출현설地下出現說은 1905년 도리이 류조鳥居龍藏가 학자로서는 처음으로 현지를 답사함으로써 부정될 수밖에 없었으며, 그 후 1913년에 세키노 타다시關野貞 등이 또 다시 광개토대왕릉비를 조사하면서 토중 매몰이나 수류에 부딪혀 비면이 결손缺損되었다는 설은 터무니없이 꾸며낸 것임이 밝혀졌다.

이후 1918년 수일에 걸쳐 능비의 기초석基礎石까지 조사한 구로이타 가쓰미黑板勝美는 1918년 11월『역사지리歷史地理』'본회109회례회'에서 다음과 같은 희한한 발상을 하였다.

대석의 비면의 양단 가까운 곳에 균열이 있다.

비는 높이가 2장2척, 4면의 폭6척 내지 4척, 서남의 일각(2면우단)을 보면

그 상부가 결손되어 문자를 실하였다. 이것은 비가 한번 넘어져 일각이 훼

손된 것으로 대석의 균열도 그때 일어난 것이며 운운.[136]

라고 하면서 비의 제2면과 제3면의 파괴된 글자[137]의 원인을 이처럼 터무니없는 구실로 무마하려 했다. 일제의 일부 학자들은 '구로이타 가쓰미黑板勝美가 수일에 걸쳐 광개토대왕릉비를 정밀조사하고 능비의 근저根底를 발굴하여 기초석의 존재를 확인한 결과 비가 일찍이 도괴되었던 것을 증명'한 것으로[138] 능비

---

136 『歷史地理』第32卷 5號, 1918년 11월, 彙報 '本會109會例會', p.78.

137 1963년 북한 역사연구소, 고고학연구소의 공동조사단의 보고에 의하면, 제2면과 제3면 모서리 부분에 집중된 缺字를 제2면 9행 11자, 10행 36자, 제3면1행 40자, 2행 22자가 缺字된 것으로 나와 있다.

138 藤田亮策,「朝鮮古蹟調査」,『朝鮮學論考』, 藤田先生記念事業會刊, 1963, p.86.

의 도괴를 정설화定說化하려 했다.

이에 대해 처음 반기를 든 사람은 이케우치 히로시池内宏로, 그는 구로이타 가쓰미黑板勝美의 조사에서 제창한 비신이 한번 도괴되었다가 재건되었다고 하나 어느 때인지 직접 전하는 문헌이 없으며 금일에 보이는 비면의 일부 특히 그 우각隅角의 박손한 것은 광서초에 비석을 발견한 후 두텁게 비면을 덮고 있는 소태를 제거하여 탁출이 가능했고 이때 불용의不用意한 작업에 의해 생긴 것이다. 따라서 이는 비석의 발견 이전에 비신의 도부倒仆를 입증할 근거가 없음을 지적하고 있다.[139] 설사 도괴되었다고 한들 고구려와 연고가 없는 시기에 이런 거대한 비를 다시 세울 리 없으며 다시 재건했다고 한다면 고구려일 수 밖에 없는 것이며, 그렇다면 파손된 문자를 그대로 둘 리는 없는 것이다.

처음 그들의 주장은 토중土中, 또는 수중水中에 묻혀 격류에 부딪혀 일부의 문자를 잃은 것으로 은폐 가장하다가 이끼를 제거하기 위해 불을 질러 파괴된 것으로 변하고 그 후에는 도괴되어 파손된 것으로 꾸며냈다.

비면에 이끼가 덮여 있었다는 것은 여러 정황으로 보아 틀림없다. 그러나 비면의 이끼나 만초를 제거하기 위해 불을 질러 그처럼 많은 결자가 나온다는 것은 의문을 가지지 않을 수 없다.[140]

신채호 선생은 『조선상고사』 하권에서 비 근처에 있는 여관에서 중국소년들로부터 중·일 두 나라 사람들이 자기나라에 불리한 기사를 비문에서 쪼아 내

---

139 池内宏, 「廣開土王碑發見の由來と碑石の現狀」, 『史學雜誌』 제49編, 1938, p.27.
140 문정창은 화강암은 3000도 이상의 열이 아니면 파열 또는 용해되지 않고 소똥불은 아무리 많이 쌓인 모닥불이라도 800도~1200도 이상은 오르지 않는다는 점을 지적하고 있다.

었다는 소문을 들었다고 한다.

일제어용사자日帝御用史者들은『일본서기日本書紀』의 허황된 기사들을 광개토대왕릉비문과 억지로 결부시키려고 책동하던 나머지 비문의 일부 글자들을 자의적으로 읽거나 일부러 간과하였다. 나중에는 저들에게 불리하다고 보는 글자는 아주 보이지 않고 지워버리기까지 하였다.[141] 그러나 사코의 개작과 삭탈을 증명할 수 있는 가장 확실한 것은 사코 이전에 탁출한 것이 나타난다면 일시에 해소되겠으나 현재로는 사코본酒匂本 이전의 것은 나타난 것이 없다는 데에 그 어려움이 있다. 하지만 그간의 비문판독과정에서 이러한 비문개작의 흔적을 여러 곳에서 찾아볼 수 있다.

이진희李進熙의 조사에서는 비면에 붙은 이끼를 제거한 직후의 사코본酒匂本과 고마쓰노미야본小松宮本(1894경), 그리고 석회도부 직후의 나이토본內藤本에서 같은 문자였던 것이 시간이 경과함에 따라 석회가 박락剝落하자 전혀 다른 자획이 나타나는데, 예컨대 제1년 3행 41자는 사코본酒匂本은 물론 고마쓰노미야본小松宮本, 나이토본內藤本 등에서 명확히 '황黃' 자로 되어 있는데 석회가 현저하게 박락한 시기의 미즈타니본水谷本과 1935년에 촬영한 사진(통구상권)에서는 '황黃' 자가 아니라 '리履' 자와 비슷한 자획으로 되어 있다.[142] 또 북경대학도서관 3호본[143]에는 그와 완전히 다른 '리履' 자로 추정할 수 있는 글자가 나타

141  손영종,「광개토왕비 왜 관계의 올바른 해석을 위하여」,『廣開土好太王碑 研究 100年』, 학연문화사, 1996.
142  李進熙著 李基東譯,『廣開土王陵碑의 探求』, 一潮閣, 1982.
143  朴眞奭은 이 탁본을 반조음이 단독으로 이운종을 현지에 파견하여 채탁한 정탁본 가운데의 하나로 추정하고 있다.

나 있다.[144] 그런데 미야케三宅은 '黃' 자에 대해서 아무런 의문도 품지 않았다. 이것은 전면에 석회를 바르기 전의 고마쓰노미야小松宮 탁본이 명확히 '황黃' 자로 되어 있었던 것을 말해 준다. 따라서 이진희가 주장한 바와 같이 이 탁본이 만들어진 청일전쟁 경에는 이 부분에 석회가 발라지고 원비문과 다른 '黃' 자가 새겨져 있었다고 판단하지 않을 수 없는 것이다.

미야케三宅는 고마쓰노미야본小松宮本의 특징을 말하여 "자형字形이 선명하지 않은 것이 많아서 판독하기 어려운 곳이 있어 유감이 적지 않다. 단 신탁본新拓本은 비의 4면을 각각 한 매로 탁본했기 때문에 문자의 위치에는 잘못이 없다"[145]라고 하고 있는 것처럼 그의 판독에서는 문자의 배열은 판독할 수 있으나 석회 등으로 문자를 개작한 것까지는 판단할 수 없는 것이다.

만약 쌍구하는 과정에서 '黃'으로 변했다할지라도 고마쓰노미야본小松宮本에는 '履'로 나와야 할 것이다. 일부 문자가 흐리다 할지라도 오늘날 나타나는 원비문이 완전히 다른 문자로 해독될 수 는 없는 것이다. 따라서 이는 사코가 쌍구본을 만들면서 문자를 '黃' 자로 개작하였다고 밖에 볼 수 없는 것이다.

광개토대왕의 영락6년의 공업에 관한 기록은 비문 제1면 제8행의 '백잔신라百殘新羅'에서 제2면 5행의 '환도還都'까지다. 여기는 과거지사를 말한 부분과 영락6년에 행한 군사행동이 기록되어 있다. 과거지사를 말한 것은 '백잔신라百殘新羅-이위신민而爲臣民'으로 이 부분은 6년 병신丙申의 출사에 관한 사적史的인

144 朴眞奭,「辛卯年記事 再論」『廣開土好太王碑 研究 100年』, 학연문화사, 1996, p.372.
145 三宅米吉,「高句麗 古碑考追加」『考古學會雜誌』第2-5號, 1898년;『考古學 研究』, 岡書院, 1939. p.89.

이유를 설명한 것이다.[146] 일제는 이 부분에 가장 역점을 두고 개작과 마음대로 해석을 함으로써 고대 일본이 한반도 남부를 지배했다는 허구를 만들어 하나의 통설로 굳혀 갔다. 즉 일본육군참모본부가 중심이 되어 만들어낸 '도해파渡海破'의 주어를 왜로 해석함으로써 한반도 남부에 '임나일본부'가 확실히 존재하였다고 증거자료로 삼고자 했던 것이다.

더구나 『회여록』 제5집(1889) 요코이 타다나오橫井忠直의 석문釋文 '백잔신라구시속민百殘新羅舊是屬民(제1면 8행) 유래조공이왜이뢰묘연래도해파백잔□□斤라이위신민由來朝貢而倭以未卯年來渡海破百殘□□斤羅以爲臣民(제1면 9행)'의 신묘년기사 '百殘□□新羅'의 해석에 있어서도, 1891년 스가 마사토모管政友는 결자缺字 □□에 대해 '百殘[?]擊]新羅'로 해석했으며, 1893년 나카 미치요那珂通世는 결자 □□에 대해 '임나任那 또는 가라加羅'로 해석하였으며, 미야케 요네키치三宅米吉는 결자 □□에 대해 '갱토更討'로 헤야 한다고 주장하였으며, 영희榮禧는 '百殘□□新羅'에 대해 '수파隨破' 신라로, 『봉천통지』(1934)에서는 百殘□□羅以爲臣民에서 □안에는 '수파신隨破新'으로 주장하는 등 모두가 '來渡海破'의 주어를 왜倭로 해석하는 것도 부족하여 이 부분의 결자에 대해 고대 한반도의 남부를 마치 일본이 지배한 것을 강화하는 문자를 넣음으로써 그들의 해석을 견고히 하려고 했다.

이 부분에서 왜를 주어로 보는 일제의 해석에 대해서, 위당 정인보는 주어를 마땅히 왜가 아닌 고구려임을 밝히고 있다.[147] 중국학자 박진석은 일본육군참모본부가 중심이 되어 형성된 '渡海破'의 주어를 왜倭로 봄으로써 고대 일본이

---

146 文定昌, 『廣開土大王勳績碑文論』, 柏文堂, 1977. p.36.
147 정인보, 「廣開土境平安好太王陵碑文釋略」, 『薝園國學散藁』, 文敎社, 1955.

한반도 남부를 지배했다고 인정하는 이른바 '통설通說' 관점觀點에 따르면 신묘년辛卯年기사 가운데 '來'와 '渡海' 사이에 엄중한 모순이 생긴다고[148] 정인보의 해석을 뒷받침하고 있으며, 김영배는 신묘년기사의 '來渡海'에서 '來' 자는 문자의 자형상字形上으로 맞지 않음을 지적하고 있다.[149]

미즈타니水谷는 자신의 석문釋文에서 제1면 9행의 '來渡海' 3자 중 '海' 자에 해당하는 것에 대해 공백자인 □로 하여 처음으로 의문을 표시하였으며[150] 1963년 김석형의 현지조사시에도 '海' 자는 원비문상에 불명확하게 보인다.[151]

이진희는 사코酒匈, 고마쓰노미야小松宮, 나이토內藤의 그것은 명백히 '왜이신묘년래도해파백잔倭以辛卯年來渡海破百殘'으로 되어 있는데, 1918년의 사진(黑板勝美 조사)이나 미즈타니水谷탁본에서는 '海'가 명백히 다른 자획(삼수변이 들어갈 여지가 없는 자획)으로 되어 있음을 지적하고 이는 석회의 박락剝落에 의해 '海'가 다른 자획처럼 된 것이 아니라 본래가 '海'와는 다른 문자였으며, 또한 '來渡', '破'도 원비문原碑文으로 볼 확증이 없다고 주장하고 있다.[152] 천관우千

---

148  朴眞奭,「辛卯年記事 再論」,『廣開土好太王碑 研究 100年』, 학연문화사, 1996, p.372.
　　　그것은 倭, 다시 바꾸어 말하면 오늘의 日本列島로부터 韓半島에 오자면 반드시 바다를 건너와야 함으로 '來'가운데 이미 '渡海'의 뜻이 포함되어 있는 것이다. 따라서 '通說' 觀點을 따르면 渡海가 重複되는 바 '渡來海'한 후에 또 渡海하는 것임으로 文法上에서나 內容上에서 모두 엄중한 矛盾에 빠지는 것이라고 지적하고 있다.

149  즉 '來'는 두 가로획 사이에 두 점이 들어가기 때문에 사이가 넓어야 하고 '未'는 점이 없기 때문에 사이가 좁아야 함에도 불구하고 '來'는 '未'와 같이 가로획의 사이가 좁아 원래 '未'인데 그 사이에 있는 점을 흠집이나 뒤에 가공하여 넣은 것이기 때문에 현재 여러 탁본에 나와 있는 바와 같이 어색하고 답답한 모양이 된 것이다(김영배,「廣開土王碑新研究1」, p.26).

150  水谷,「廣開土境永樂好太王陵碑 釋文」,『書通』, 1973, 秋.

151  김석형,『초기조일관계사 研究』, 조선인민공화국 사회과학원 출판사, 1966.

152  李進熙,「廣開土王陵碑研究에 있어서 諸問題」,『史學雜誌』第83編 第7號, 1974, p.3.

寬宇도 역시 "來渡海破'에서 특히 '破'가 그대로 정확한 것이라고 전제하는 한, 합리적인 해석은 불가능하다"고 지적하고, '破' 대신 자형字形이 유사한 '故'인 것이 무리가 없는 연결이라고 지적하고 있다.[153]

박진석朴眞奭은 '來渡海'에서 '來渡'는 대체로 같은 글자로 나타나 있는 것 같으나 사코본酒匂本에 비하여 북경대학도서관 3호본에서는 글자 획이 적지 않게 헝크러진 느낌을 갖게 하며, 또 그 다음의 '海'는 왼쪽 변氵은 알아볼 수 있으나 오른쪽 방旁은 上部가 없고 下部도 비교적 많이 헝크러짐으로써 원래의 모양이 잘 나타나지 않음을 지적하고 있다.[154]

손영종은 '海'가 『삼국사기』 기록에 반영된 역사적 사실과 『광개토왕비원석탁본집』(1988)에 실린 야간촬영사진에는 '浿' 자 모양을 하고 있어 원래는 '浿' 였을 것으로 추정하고 '浿' 자의 일부 획을 잘라버리거나 덧그어 놓으면 그것은 쉽게 '海'로 오인 할 수 있기 때문에 이는 누군가가 고의로 글자의 획의 일부를

---

153  千寬宇는 '破'에 해당하는 原文字가 '破'와 같은 구체적인 내용을 담은 문자가 아니라, 예컨대 '因', '時', '而'와 같이 접속정도의 뜻을 가진 문자라면 어떻게 될까를 생각해 보았다고 하며, <註釋>에서 旗田魏의 말한 바, "'破'라는 문자가 만일 다른 문자로 나온다면 전혀 다른 해석이 성립될 수 있고, 더 스므스하게 논리적으로 저 辛卯年條를 읽을 수 있지 않을까 생각하고 있습니다. 그렇지만 그 '破'는 이제는 복원할 수 없게 되어 있어요"하는 것을 들고, 總督府拓本(1918년)에서도 '破'가 흐려져서 '故'처럼 보이는 점을 들어 만일 이것이 '故'등일 경우라면, '倭以辛卯~臣民'의 해석은 '百濟가 끌어들인 倭가 辛卯年 以來로 바다를 건너 百濟로 온 故로, 이 倭와 連繫한 百濟가 新羅를 攻擊하여 新羅를 臣民으로 삼으려 하였다'는 것이 되고, 그러므로 '六年丙申에 廣開土王이 百濟를 정벌하였다'고 연결되어, 문맥상으로나 당시 정세로나, 비교적 원활한 설명이 될 수 있음을 지적하였다.
   千寬宇, 「廣開土王陵碑文 再論」, 『伽倻史硏究』, 一潮閣, 1991, p.119-120.
154  朴眞奭, 「辛卯年記事 再論」, 『廣開土好太王碑 硏究 100年』, 학연문화사, 1996, p.379.

깎거나 보탠 것과 관련이 있다고 하고 있다.[155]

그 외에도 1889년 이운종이 탁본한 임창순소장본(주석)에도 '渡海'가 확실치 않게 나왔다.[156] 이처럼 '海' 자가 탁본마다 자형, 크기, 위치가 다르게 나타났다는 것은 이 글자가 본래 다른 글자였음을 알 수 있다.

그런데 미야케 요네키치三宅米吉은 이들 비문에 아무런 체크도 하지 않았다. 이는 고마쓰노미야小松宮탁본이 명확한 '來渡海破'였다는 것을 말하는 것으로, 즉 이 개소個所에는 원비문과 다른 '來渡海破'가 새겨 넣어져 있었다고 판단하지 않을 수 없는 것이다. 이 점에 대해 이진희는 '來渡海'가 아닌데도 불구하고 1883년에 현지로 간 사코는 '來渡海'가 뚜렷한 쌍구본을 작성해 갔고 육군참모본부는 이를 해독·해석하여 『회여록』 제5집을 발간하였던 것이며, 1920년대 후반이 되면 석회가 박락하기 시작, '海'가 다른 글자로 되며 1930년대에 들어가면 '來渡'도 판독하기 어렵게 되었으며, 그 협의를 사코酒勾 중위에게 돌리고 있다.[157]

따라서 '倭'가 '百殘□□新羅'를 파하여 이를 '臣民'화 하였다는 것은 일본제국주의자들의 한국지배 및 대륙진출을 위한 구실을 만들기 위해 날조한 것으로 밖에 볼 수 없다.

현재까지 나타나 있는 비문의 석문에는 신묘년辛卯年조의 제1면 9행 제15-제18

---

155 손영종, 『廣開土王碑 研究』, 도서출판 중심, 2001, pp.24~27.
　　『三國史記』에 의하면 391년을 전후하여 고구려-백제 간의 경계는 浿水(패하→예성강)계선이었고 양국 간의 전투도 흔히 浿水 좌우안에서 진행되었다. 그리고 보면 이 글자는 원래 '浿'였을 수 있는 것이다. '浿' 자는 조금만 손상이 가거나 손질하면 '海' 자로 오인 또는 變造할 수도 있다.

156 任昌淳, 「廣開土大王碑釋文」, 『書通』創刊號, 1973년 秋.

157 이진희, 「광개토대왕비를 둘러싼 근년의 논쟁」, 『박영석박사화갑기념한국사학논총』, 1992, 『고구려사논문선집』 제7권, p.82.

자는 '百殘□□'으로 하여 제17, 18자가 결자로 나타나 있다. 그런데 왕건군이 제시한 초씨 부자가 남긴 비문초록을 보면 제1면 9행 제15, 16자 '百殘' 다음에 이어지는 제17자에 대해서는 '東' 자로 명기되어 있는 것에 대해 주목하지 않을 수 없다. 수 십 년 동안 비문 탁출작업을 해온 초씨 부자의 저본底本에 '東'으로 나타나 있다는 것은 이 부분에 처음부터 '東' 자가 있었다는 것을 의미하는 것이다. 현재 존재하는 제3면 1행도 넣지 않았던 초씨 부자가 처음부터 없는 것을 넣을 리 만무한 것이다. 또한 그들이 이 부분에 '東' 자가 흐리게나마 있었다는 사실을 알고 저본에도 그렇게 했다면 왕건군의 지적대로 비문의 문자를 명확하게 하기 위하여 '東' 자 주변에 석회를 바르고 문자를 찍어냈어야만 하는 것이다. 그런데 현재까지 세상에 나타나 있는 모든 비문에는 결자로 나타나 있다. 이는 명백히 원래 있었던 '東' 자를 누군가가 깎아버렸다고 밖에 생각할 수 없는 것이다.

1963년에 북한 사회과학원 역사연구소에서 능비에 대한 현지조사에서도 이 부분은 다른 곳보다 반반하여 글자의 흔적을 찾아 볼 수 없었다[158]고 한다. 이는 역으로 자연적인 풍화작용 등에 의한 것이 아니라 오히려 인의적인 어떤 가해가 있었을 것이라는 의혹을 가지게 하는 부분이라 할 수 있다.

우선 이 문자가 있고 없음에 따라서 상당한 변화를 가져오게 되는데, 일제는 이 신묘년 기사에서 '倭'를 주어로 해석함으로써 이를 기반으로 '임나일부설'을 납득시키려 하였다. 그런데 신묘년 기사 제1면 9행 제17자에 '東' 자가 들어가게 되면, 신라가 왜의 동쪽에 있는 것으로 되어 말이 되지 않기 때문에 왜를 주

---

158 朴時亨, 『廣開土王陵碑』, 사회과학원출판사, 1966; 손영종, 『광개토왕릉비문의 연구』, 도서출판 중심, 2001, p.145.

어로 둘 수가 없는 것이다. 북한학자 손영종은 이러한 모순을 지적하고, "이 글자가 '東'이면, 왜를 주어로 삼아 신묘년조의 그 아래 부분을 읽으려는 시도가 파탄을 면치 못하기 때문에 이 글자는 아마도 일본인들에 의해 거의 알아 볼 수 없게 삭평削平된 것 같다"[159]라 하여 일본인들을 지목하고 있다. 현재까지 나타난 탁본에서 이 문자가 들어 있는 것이 없는 것으로 보아 '東' 자의 삭평 시기는 사코본酒匂本이 나온 그 시기 또는 바로 그 직후[160]로 생각된다.

이형구李亨求는 왜적이나 왜구 정도의 해도집단이 감히 이민족異民族의 국가들을 '이위신민以爲臣民'운운云云하는 것은 광개토대왕릉비문의 서법敍法에도 어긋나는 처사일 뿐만 아니라 상식적으로도 용납될 수 없는 문구임을 지적하고, 서법상의 고증을 통하여 문제의 소위 신묘년기사 중의 '來' 자를 '不' 자로, 그리고 '渡' 자를 '공貢' 자로 복원해야 한다고 주장한다.[161] 또한 '百殘□□新羅'의 공란은 일본참모본부에 의하여 박삭剝削시킨 다음 이를 은폐하기 위하여 제1면과 제2면 비각碑角에 사선斜線으로 커다란 '크랙'까지도 조탁雕琢해 놓은 것으로, 고구려가 '불공不貢' 하는 백제와 신라를 파한 것은 물론 '왜구倭寇'끼지노 파破하여 '이위신민以爲臣民' 해야 그 뜻이 통하는 것이라고 하여 '百殘□□新羅'의 공란은 '왜구倭寇'로 복원 성문成文해야 한다고 한다.[162] 제1면 9행 5째 6째자 인

---

159 손영종,『廣開土王陵碑文의 硏究』, 도서출판 중심, 2001, p.38.
160 酒匂本에 이 文字가 나타나 있지 않은 것은, 酒匂가 이 문자를 발견하였다 할지라도 雙鉤하지 않을 수도 있거니와, 雙鉤하였다 할지라도 酒匂本은 再雙鉤할 수도 있을 것이다. 酒匂本 製作以後에 倭와 결부하여 해석함에 '東' 자가 일본에 불리하다고 생각하여 참모본부요원을 현지에 파견하여 문자를 깎아 버릴 수도 있을 것이다.
161 李亨求, 朴魯姬,「광개토대왕릉비문의 소위신묘년기사에 대하여」,『東方學志』29, 1981.
162 李亨求, 朴魯姬,「廣開土大王陵碑文의 所謂辛卯年記事에 대하여」,『東方學志』29, 1981, p.41.

'이왜而倭'도 개작된 것으로 '이후而後'로 복원해야 한다고 주장하고 있다.[163]

1889년 발표한『회여록』제5집에 실린 요코이 타다나오横井忠直의 석문에는 비문 중 제2면 경자년 기사의 문자를 배열할 때 제9행의 아래 부분(35-41번째)에, '倭滿□□□□'을 배열하였고, 제10행 끝에 □□'倭潰城大'로 편성해 놓았었다.

그러나 미야케 요네키치三宅米吉은『고려고비고추가高麗古碑考追加』에서 고마쓰

---

163 李亨求,「廣開土王碑의 硏究」,『國史館論叢』45輯에 의하면,

酒匂의 雙鉤假墨本의 제4면에는 비문의 맨 끝에 이외의 '後' 자가 첨가되어 있음을 발견할 수 있다. 後字가 만일 酒匂本 中에서 나오는 여섯 개의 '後' 자 中에서 어느 한자를 여분으로 쌍구가묵했다고 한다면, 쌍구가묵본의 어느 한자가 이와 똑 같은 형태로 쌍구가묵되어야 하는 것이 당연한 이치인데, 그러나 어느 한 자도 문제의 제4면 제9행 맨 끝에 첨가된 '後' 자와 同一한 형태를 갖춘 자가 없음을 발견하게 된다.

만약 이 '後' 자를 비문 중에서 대체시킬 만한 자를 찾는다면 우선 이 '後' 자와 비슷한 형태의 글자를 찾아야만 할 것이다. 비문 중에서 '인변亻'이나 '두인변'을 사용하고 있는 글자 중에 전후 문맥과 연결하여 고려해 볼 때 오직 제1면 제9행 제6자, 즉 문제의 이른바 신묘년기사 중의 '倭' 자만이 가능하게 된다는 사실을 발견하게 된다.

만일 이와 대체시키면 '而倭'대신에 '而後'가 되는데, 이는 전후 문맥을 연결시키는 접속사가 된다.

이와 같이 酒匂本의 맨 마지막 글자인 '後' 자의 삭제가 도대체 어디에서 연유되었을까 하는 의문을 갖게 되었는데, 이를 文章上으로 비교해 본 결과 이른바 신묘년기사의 '而倭'에만 전후 문맥을 상통시킬 수 있음을 알았다. 또한 신묘년기사에 나오는 '倭' 자의 글씨 짜임새가 비문에 나오는 다른 6개의 '倭' 자와 짜임새가 크게 다르기 때문이다. 특히 비문에는 고대 일본을 '倭'라고 단칭으로 사용하지 않고 '倭賊'또는 '倭寇'로 사용하고 있음에 주의해야 한다.

1879년부터 1883년 사이의 어느 시기에 대청 첩보활동을 하던 육군참모본부의 酒匂一黨은 비문의 원문을 쌍구가묵한 후에 '後' 자를 '倭' 자로 바꿔치고, 또 하나의 쌍구가묵한 '倭' 자를 전문과 함께 재조립하면서 처음 쌍구가묵한 '後' 자를 잘못 잔류시킨 것이 아닌가 생각한다.

그러한 추정의 가능성은 酒匂의 쌍구가묵본의 제4면 제9행의 최말미에 있던 '後' 자는 일본참모본부의 해독작업 이후에 돌연히 자취를 감춘 사실이 이를 추정케 하고 있다.

(이상 본문 요약)

노미야小松宮탁본에 의거 사코본酒句本의 잘못된 것을 다음과 같이 바로 잡았다.

신라성□성왜만왜궤성대□新羅城□城倭滿倭潰城大□(9행 32-41번째)

그리고 미야케三宅는 고마쓰노미야小松宮탁본과 비교하여 사코본酒句本의 잘못된 비문 중 명백히 다른 글자로 정정訂正할 수 있는 글자에는 '。' 표시를 하고, 오구誤鉤인 것이 확실하나 고마쓰노미야小松宮탁본이 선명치 않아 뚜렷하게 확인할 수 없는 것에 '·' 표시를 하였는데, '왜궤성대倭潰城大'에는 '。'의 표시를 해두었고, □에는 '·' 표시를 하였다.[164] 이는 고마쓰노미야본小松宮本과 사코본酒句本과의 비교에서 비문의 순서뿐만 아니라 자획字劃에 있어서도 상당한 차이가 나타내고 있다. 그러나 '倭滿'에는 아무런 표시를 않고 있다. 이는 고마쓰노미야본小松宮本에서도 그렇게 나왔기 때문이며 이는 미야케三宅가 아무런 의심을 가지지 않았다면 이는 원 비문과는 다르게 이미 '倭滿'로 개작되어 있었다고 밖에 볼 수 없다.

이후 나온 탁본이나 석문은 대부분이 경자년기사庚子年記事에서 9행 마지막 부분이 '□성왜만왜궤성□城倭滿倭潰城…'으로 순서는 바로 잡았으나 원 비문에 대해서는 아무도 의의를 제기하지 않았다.

이와 같은 해석은 '新羅城, □城에 왜倭가 가득 차고, 이들 왜가 성新羅城, □城을 무너뜨렸다'고 하는 내용이다. 마치 왜가 신라를 점령하고 신라성을 파괴한 것처럼 보인다.

그러나 1913년 비를 조사한 이마니시 류今西龍는 다시 '만왜滿倭' 두 글자에 의

---

164 三宅米吉,「高句麗 古碑考追加」,『考古學會雜誌』第2-5號, 1898;『考古學 研究』, 岡書院, 1939, p.100.

심을 가졌고, 역시 동양문고 판본부터는 판독할 수 없게 되었다고 한다.[165]

사코본酒匈本에서 나타난 '왜만왜궤倭滿倭潰'가 1984년 중국에서 발표된 왕건군의 『호태왕비 연구』에서 제시한 1981년에 탁출된 주운대의 탁본에는 명백하게 '왜구대궤倭寇大潰'로 전혀 다르게 탁본되어 나와 있다. 이는 '倭寇大潰'가 '倭滿倭潰' 변조된 것을 증명하는 것으로 비문해석의 핵심적인 부분이기도 하다. 왕건군은 이 부분에 대해 "지금 과거 명가들이 비교적 공인했던 석문釋文은 아무리 백방으로 설명을 해도 알아볼 수 없으며 논쟁을 면하기 어렵다"[166]고 하면서도,

'왜구대궤倭寇大潰'를 '왜만왜궤倭滿倭潰'로 하여 위에 붙여도 아래로 연결해도 통하지 않았다. 뒤의 탁비자拓碑者들이 고고학자들의 석문에 영합하기 위해 석회로 글자를 보수하여 이 구절을 많은 탁본에서조차도 '왜만왜궤倭滿倭潰'로 만들었다. 초기의 석회칠을 거치지 않은 탁본에는 자적字跡이 그대로 희미하게 판별할 수 있으나 뒷사람들은 앞사람의 구설에 얽매여 감히 고치지 못했다. 그래서 드디어 장기간 동안 틀린 재로 틀린 것을 전해주었다.[167]

라고 하며, 사코본酒匈本과 주운대 탁본의 이 엄청난 차이에도 불구하고 "자획이 약간 깨끗지 못해 오구되어 '왜만왜궤성대倭滿倭潰城大'로 된 것이다. 의도적으로 그런 것이라고 말할 수는 없다"[168]라고 하며 절대로 의도적인 변화가 아니라 '잘못'묘사

---

165  李進熙著 李基東譯, 『廣開土王陵碑의 探求』, 1982, 一潮閣.
166  王健群, 『廣開土王碑 研究』, 林東錫 譯 , 역민사, 1985, p.208.
167  王健群, 『廣開土王碑 研究』, 林東錫 譯, 역민사, 1985, p.260.
168  王健群, 『廣開土王碑 研究』, 林東錫 譯, 역민사, 1985, p.165.

된 것뿐이라고 하였다. 그러나 왕건군의 말처럼 역사에 관한 지식이 전혀 없는 탁공拓工이 어떻게 전체적 흐름에 비추어 마치 왜구의 활동을 강화하는 것으로 바꾸어 놓을 수 있으며 자형에 있어서도 흐려서 잘 보이지 않는다고 해서 전혀 다른 글자로 혼동할 수 있다는 것인가. 이는 사코酒匂가 쌍구가묵본을 만들면서 원 비면을 깎고 이 부분에 석회를 바르고 '倭滿倭'로 새겨 넣은 것으로 밖에 판단할 수 없다.

사코酒匂가 비문을 개작하였다고 주장하는 이진희의 주장에 대해 왕건군 외에도 반론을 제기하는 학자들이 있는데, 후루다 다케히코古田武彦는 궁내청서릉부에 소장되어 있는 「비문지유래기」明治寫와 사코가酒匂家에 보존한 사코酒匂의 자필自筆을 검토한 결과 동일同一한 것으로, 「비문지유래기」明治寫에서 "고로 강박하여 입수했다"는 것을 들어 비문의 작성은 사고酒匂가 한 것이 아니고 중국 탁공들이 한 것으로 사코酒匂가 비문을 개작하였다는 이진희의 설을 부정하고 있다.[169] 그러나 앞에서 술述한 바와 같이 사코酒匂나 요코이橫井의 기술은 처음부터 은폐하기 위한 가설 또는 가명을 사용한 점으로 보아 설득력이 약하며, 무엇보다도 이진희가 입론立論한 근본적인 비문의 편년에 대한 반론이 성립되지 않고 있다.

박시형은 문자가 잘 보이지 않게 된 것은, 첫째로 비신에 균열이 가서 비의 표면이 파괴되거나 혹은 비문을 조각한 부분이 떨어져 나간 것이며, 둘째는 석재가 장기간의 풍화를 받아 비석의 표면이 떨어져 나간 것이며, 셋째로는 자연 풍화로 인하여 문자의 획이 마멸된 것들로서[170] 비가 발견되고 나서 이운종이 탁출拓出할 때까지 사이에 "비면 자체에는 어떠한 추가적인 세공細工도 가해지

---

169 古田武彦, 「好太王碑文「改削」說 批判」, 『史學雜誌』 第82編 8號, 1973, p.30.
170 朴時亨, 『廣開土王陵碑』, (북한)사회 과학원출판사, 1966, p.8.

지 않았다. 이 사실은 본 능비를 연구하는 자들이 기본적으로 료해하여 두어야 할 점의 하나이다"라고 주장하고 있다.[171] 이에 반해 이진희는 1899년경에는 그것을 은폐하기 위한 '석회도부작전'이 행해진 것이다. 박이 이러한 사실을 간파하지 못한 것은 나이토内藤사진이나 구로이타사진 기타 옛 군부관계의 일본측 자료를 볼 기회를 얻지 못하고 특히 사코酒匂의 쌍구본雙鉤本과 고마쓰노미야본小松宮本에 의한 미야케三宅의 석문, 석회를 바른 직후의 탁본의 대비연구를 하지 않았기 때문임을 지적하고 있다.[172]

사코酒匂가 비문을 개작했다는 이진희의 주장에 대해, 왕건군은 1888년 10월 11일 쌍구본의 지편번호紙片番號 정정訂正에 대해 "새로이 붙인 비문은 제2, 제4면은 비록 전의 것을 개진하기는 했으나 여전히 착오가 있어서, 이를 보면 사코 본인조차도 해결할 수 없었음을 알 수 있고 그가 가져간 쌍구가묵본은 그 스스로 제작한 것이 아님이 증명된다. 그러니 위조란 얘깃거리도 안된다. 그에게 그만한 능력이 없다"[173]라고 주장하고 있다. 최문성도 사코酒匂가 참모본부의 스파이였음은 틀림없고 또 그가 쌍구본을 일본으로 전한 것은 의문의 여지가 없다. 그러나 사코酒匂의 교양수준으로 보아 예서를 모사하여 그들에 유리하도록 변조했다함에는 여러 가지 점에서 논리전개에 무리가 있으며,[174] 나아가 뛰어난 금석학자도 아닌 일개 군인이 비면을 가공하여 그것도 예서로서의 글자를 문맥에 맞게 바꿔치기를 했다 함은 논리의 전개상 무리라는 견해를 보이

171  朴時亨,『廣開土王陵碑』, (북한)사회 과학원출판사, 1966, p.54.
172  李進熙著 李基東譯,『廣開土王陵碑의 探求』, 一潮閣, 1982, p.119.
173  王健群,『廣開土王碑 研究』, 林東錫 譯, 역민사, 1985, p.127.
174  최문성,「최근 광개토왕릉비 연구의 동향과 그 논쟁점 (1)」,『경주사학』4집, 1985, p.31.

고 있다.[175] 왕건군과 최문성은 함께 사코酒勾의 교양수준이 비문을 개작할 정
도의 수준에 미치지 못한다는 것을 들고 있다.

그러나 일본 육군참모본부요원은 '병요지지 자료수집'의 그 임무가 말해 주
듯이 충분한 학식을 갖추지 않고는 불가능한 것이며 변장을 하여 중국인 행세
를 할 정도로 중국어를 자유자재로 구사할 수 있어야 한다. 또 1939년 4월 발행
의『대지회고록』에 나타난 그의 경력 중에서 "군君은 유시幼時에는 번교藩校에서
공부하고 한문에 조예造詣가 깊다"라는 대목을 주목할 필요가 있다. 뿐만 아니
라 사코酒勾의 주도하에 또 다른 참모본부요원이나 그 하수인이 함께 했을 가
능성도 배제할 수 없는 것이다.

그러면 언제 이러한 개작을 행하였는가? 첫째는 사코酒勾가 쌍구가묵본을 제
작할 당시일 것이며, 그 이후에도 비문의 개작은 계속되었을 것으로 보인다.

사코 가게노부酒勾景信는『개정관원록改正官員錄』에 메이지明治10년 11월에 "포
병과 육군소위 주내경신砲兵課 陸軍少尉 酒勾景信"의 이름이 올라 있고, 메이지明
治13년(1880) 5월 현재 "참모본부 포병소위 주내경신酒勾景信"의 이름이 올라
있으며, 메이지明治15년(1882) 2월에 중위, 메이지明治16년에 사관학교 교관으
로 이름이 올라 있나가 메이지明治17년 2월에 다시 참모본부 의정관議定官으로
올라 있다. 그런데 메이지明治18년 2월과 메이지明治19년 2월에는 이름과 소속
이 나타나 있지 않고 삭제되어 있다. 그러다가 다시 메이지明治19년 12월에『직
원록職員錄』에 "근위포병연대 제1대 중대장 포병대위 사코 가게노부酒勾景信"[176]

---

175  최문성,「최근 광개토왕릉비 연구의 동향과 그 논쟁점 (1)」,『경주사학』4집, 1985, p.35.
176  佐伯有淸,『廣開土王碑と參謀本部』, 吉川弘文館, 1976, p.8.

148  우리 문화재 수난일지

로 기록되어 있다. 사에키 아리키요佐伯有淸는 나카 미치요那珂通世가 『외교역사 外交繹史』에서 "메이지明治17년 육군포병대위 사코酒勾 모 유역遊歷의 명을 받들어 조선지나여행"하는 것은 출발이 메이지明治17년이라는 것이고 메이지明治 18~19년 2월에 '조선지나여행'으로 부재 중이였기 때문에 『개정관원록改正官員錄』에 사코 가게노부酒勾景信의 이름이 삭제된 것으로 보고 있다.[177] 따라서 이 기간에 대한 사코酒勾의 활동상황이 아직까지 전혀 밝혀진 것은 없지만 바로 비문의 개작과 관련이 있었을 것이라는 추론이 전혀 무리한 것은 아닐 것이다.

1883년 10월에 파견된 참모본부 요원 쿠리수栗栖亮 중위도 만주 일대에서 밀정활동을 하다가 1886년에 귀국하였는데 그간에 광개토왕비가 있는 통구지방을 답사하고 「원태왕릉안여산고여악願太王陵安如山固如岳」이란 명문銘文이 새겨진 전磚을 가져오기도 하였다. 참모본부요원 구라쓰지 아키토시倉辻靖次郎明俊 중위는 1882년 후반에 파견되어 만주 오지를 정찰하고 도로 등의 견취도작성取圖作成을 하다가 청국 관헌에게 체포되어 외교문제로까지 발전되기도 한 적이 있었으며, 그는 청일전쟁이 일어나기 전인 1893년에도 파견되어 광개토대왕릉비를 조사한 기록이 있어,[178] 이들 역시 광개토대왕릉비의 개작과 직접적인 관련이

---

177 佐伯有淸, 『廣開土王碑と參謀本部』, 吉川弘文館, 1976, p.10-11.
　　"明治19년 이후에는 陸軍砲兵大尉로 있었다는 점은 그 가능성을 크게 한다. 게다가 注目해야 할 점은 酒勾景信이 참모본부협정관이 된 때가 明治17년이고, 다음해 18년에서 19년 2월에는 『改正官員錄』에서 이름을 찾아 볼 수 없는데, 그것은 那珂通世가 '明治17년 육군포병대위 酒勾가 본부의 명으로 조선 중국 여행에 나서 압록강을 거슬러 비가 있는 곳에 도착했다'고 서술한 것을 뒷받침하고 있다. 즉 '본부의 명을 받들어서 조선 중국 여행'에 나선 것이 明治17년이고 明治18~19년 2월에는 명목상 참모본부원이 아니라 조선 중국을 여행하는 관계로 不在였기 때문에 『개정관원록』에서 酒勾景信의 이름이 빠져 있다고 생각한다."
178 陸軍參謀本部編, 村上勝彦 解題, 『朝鮮地誌略』 1, 1981, 龍溪書舍, pp.13~15; 佐伯有

있었을 것이라는 추론이 가능하다.

진정 그들이 순수한 학문적으로 릉비를 조사를 하고자 했다면 비문의 전래 이후 곧바로 학자들을 투입하여 조사를 하였을 것이다. 그러나 1905년 학자로서는 처음으로 도리이 류조鳥居龍藏가 현지를 조사하기 전에 사코 이하 일본 육군참모본부요원들만 계속하여 현지에 파견되어 은밀히 능비를 조사한 것은 비문개작에 대한 육군참모본부의 밀모가 숨겨져 있었기 때문이다.


# 1889년 9월


경희궁 궁전전과 부근 회랑이 소실되었다.[179]

---

淸, 『廣開土王碑と參謀本部』, 吉川弘文館, 1976, pp.217-218.
179 서울특별시 시사편찬위원회, 『국역 경성부사』 제1권, 2012.

# 1890년 7월

1890년 7월부터는 광개토대왕릉비문 즉 사코 가게노부酒匂景信[180]의 쌍구가
묵본雙鉤假墨本을 정식탁본인 것처럼 꾸며 제국박물관(도쿄국립박물관)에 전시
하여 비의 존재를 널리 선전하기 시작하였다. 날조한 해석문은 만한滿韓진출의
야망을 채우기 위한 호자료好資料로 생각했기 때문이다. 이것은 1905년에 와서
야 겨우 한국에 소개된다.

---

180 酒匂景信은『改正官員錄』에 1877년 11월에 "砲兵課 陸軍少尉 酒匂景信"의 이름이 올
라 있고, 1880년 5월 현재 "참모본부 포병소위 酒匂景信"의 이름이 올라 있다. 그리고
1882년 2월에 중위, 1883년에 사관학교 교관으로 이름이 올라 있다가 1884년 2월에 다
시 참모본부 議定官으로 올라 있다. 그런데 1885년 2월과 1886년 2월에는 이름과 소속
이 나타나 있지 않고 삭제되어 있다. 그러다가 다시 1886년 12월에『職員錄』에는 "근위
포병연대 제1대 중대장 포병대위 酒匂景信"으로 기록되어 있다(佐伯有淸,『廣開土王
碑と參謀本部』, 吉川弘文館, 1976, p.8).
　『對支回顧錄』하권에 따르면, 酒匂景信는 幼時에는 藩校에서 공부하고 漢學에 造詣가
깊었다. 1871년(명치4년) 8월 御親兵徵兵으로 상경하여 근위보병제2대대에 편입하였
으며, 1874년에 육군사관학교가 개설되자 바로 응시하여 1875년 2월에 사관생도가 되
었다. 1877년 7월에 육군소위로 임관하였다가, 1878년 사관학교로 복귀하여 특과생으
로 다시 1년을 硏學하고, 1879년 8월 참모본부 추임으로 옮겼다. 1880년 9월 청국에 파
견되어 玉井와 함께 상해를 건너 북경 및 우장에 있기를 전후 4년 동안 北支 및 만주
의 병요지지 자료수집 및 조사를 했다. 1884년 5월 포병대위로 진급과 함께 歸朝를 명
받아 名古屋포병 제3연대 중대장으로 임명되었으며, 1886년 6월 근위포병 연대장으
로 옮겼다. 宮崎縣종합박물관에 酒匂의 경력을 확인할 수 있는 36통의 辭令類 자료
가 있다고 한다(『對支回顧錄』, 佐伯有淸,『廣開土王碑と參謀本部』, 吉川弘文館, 1976,
pp.210~215).

# 같은 해

## 모리스 쿠랑이 본 서울의 서점과 골동가 모습

초기 한국에 건너온 일본인이 중심이 되어 골동 상거래를 하는 동안 한국인의 골동 취급은 그들에 비해 미미했던 것으로 보인다. 1890년 주한 프랑스공사관 통역관으로 부임해 한국 도서를 연구하였던 모리스 쿠랑Maurice Courant(1865~1935)은 당시 서울의 서점, 골동가의 모습을 다음과 같이 그렸다.

서점은 전부 도심지대에 집중되어, 종로로부터 남대문에 이르기까지 기다란 곡선을 그리고 나아간 큰길가에 자리 잡고 있으며, 그 도중에 정월 보름날 한밤중에 조선 사람들이 그해 1년 동안 류마티즘에 걸리지 않도록 답교踏橋하는 돌다리가 있어, 그 다리 가까이 서점들이 있고 근처에는 상인의 가장 중요한 동업조합의 본거인 이층집 육의전六矣廛이 있는 이외에 골동품, 사치품을 파는 협작狹窄한 전방이 사방으로 둘러싼 사각형의 시장도 있다. 또한 검정빛과 붉은 빛 벙거지에 퍼런 군복을 입은 병정, 쌀섬을 실었다 내렸다 하는 마부, 검정 갓에 큼직한 흰 주의周衣를 입은 상인과 손님, 맨머리에 댕기를 드린 노비, 빨간 순 흰빛 단을 댄 초록 장옷으로 머리와 얼굴을 가리운 여염집 부인네, 이러한 사람들이 모여 서로 밀고 다투고 떠드는 중앙광장 옆에도 역시 서점들이 있다. 이러한 소연騷然한 잡음은 들리지 않으나 능히 오고 가는 군중의 눈을 끌 수 있는 곳에 주인이 점방 속 깊숙이 올라앉아 있으며, 그의 앞에는 비스듬하게 책을 벌려놓은 판자가 약간 안으로 들어가 있어 물건 사는 손님이 가리우게 되어 있다. 헌칠한 풍채에 비단옷을 입고 감투를 쓴 이 서점 주인은 장죽長竹을 물은 채 옆에 앉은 사람과 이야기를 할 뿐, 귀한 손이 아니면 좀체로 자리를 움직이지 않는다. 그는 한글로 되고 값이 싼 잡서라면 밖에 내어놓는 것을 큰 수치로 알고 혹시 그러한 책이 있을 경우 이를 구석에 깊이깊이 감춰둔다. 진열한 것은 한문으로 된 고전의 신판이나, 내용과 시대에 따라 이판異版이 많은 판본 또는 사본寫本의 고서뿐이지만, 그 중에는 민간판과 칙명판勅命版이 있어 후자는 지형이 크고 인쇄가 정밀하며 부드럽고 질긴 종이는 약간 옥색을 띄고 상질의 일본지에도 흡사하다.

서점은 결코 상인만이 가지고 있는 것은 아니다. '세책가貰冊家'도 상당히 있어 그곳에는 특히 대중의 서적, 즉 판본 혹은 사본의 대개는 한글로 쓰인 이야기책, 소리책이 구비되어 있는 바 이 집 책은 서점의 매품 보다도 정성스럽게 종이도 좋은 것으로 되어 있는 것이 많다.[181]

여기서 말하는 서점거리는 대개 한문책, 경서, 각종 인본, 사본의 고서를 취급하는 고서점 거리를 뜻하는 것이다. 모리스 쿠랑이 1890년경에 본 서점가는 종로에서 남대문에 이르는 곳에 서점이 집중되어 있었고 그 사이에 한 두 곳 골동을 취급하는 상점이 있었던 것으로 보인다.

오래전부터 주로 중국의 물품을 취급했던 '안동상전安東商廛'[182]과 '동창상회

---

181 모리스 쿠랑, 「朝鮮의 書籍과 文化」 金壽卿 譯, 『人文評論』 3권 3호, 1941년 3월.
182 황규동은, 고려시대나 근세 조선에서 내려오면서 골동상이라는 표현은 없고 다만 상품을 취급한 상점은 많았으나, 이것도 상점을 취급할 수 없고 중국에서 나오는 상품을 주로 한 골동을 취급하던 상점은 '安東商廛'이 약 2백년이 내려 왔다고 한다(黃圭董「골동

1934년에 조선총독부에서 간행한 『조사자료 제40집, 생활상태조사, 7 경주군』에 실린 노점책방

東昌商會'[183]라는 점포가 있어 서화 골동을 취급하기도 하였다. 그 외 동방상회는 예부터 중국 수입품을 많이 취급해온 상점으로 가보로 내려오는 전세품을 함께 취급함으로서 수집가들의 발길이 잦았다. 하지만 그렇게 전문화 한 것이 아니어서 이것저것 진귀한 물건이면 무엇이든 갖다놓고 파는 일종의 박물장수와 같은 것으로 골동을 전문으로 취급하는 일본 골동상에는 미치지 못하였다.

일본인들이 서적, 서화 골동을 무역하기 위해 골동상점을 차려 놓고 이를 수집하고 또 일본인 부역상들과 활발한 거래가 이루어지는 동안 한국인들은 서화를 중심으로 하여 서포에서 일부 취급하였던 것으로 보인다. 그 대표적인 주자가 한남서림이다.

상의 今昔」, 『月刊文化財』, 창간호, 1971년 11월).
183 박병래는 이 상점을 우리나라 골동상의 원조로 보고 있다(朴秉來, 『陶磁餘滴』, 중앙일보사, 1974).

한남서림은 조선말기의 고서점이 일제 강점을 거치면서 살아남은 예로서, 모리스 쿠랑이 보았던 종로-남대문 거리의 고서점은 아니다. 한남서림은 조선 말에 청계천의 수표교와 효경교 사이에 속칭 '하리꼬다리河浪橋' 건너 남쪽 노변에 노점 비슷하게 시작한 책방이다.

모리스 쿠랑이 본 노점 헌책방의 모습은, "그냥 한데에 물건들이 놓여 있고 그 옆에는 굵은 베옷에 긴 머리를 등 뒤로 드리운 총각아이가 웅크리고 앉아 있는 것을 우리는 보게 된다. 동곳, 망건, 손거울, 쌈지, 담배, 담뱃대, 상자, 당성냥, 붓, 먹, 종이, 책- 이것이 그의 팔고 있는 물건들이다" 라고 한다.[184] 좀 더

---

184 모리스 쿠랑은 「朝鮮의 書籍과 文化」(金壽卿 譯, 『人文評論』 3권 3호, 1941년 3월)에서, 노점에서 파는 책들에 대해서 다음과 같이 설명하고 있다.
　서울 시골을 가릴 것 없이 지저분하고 구부러진 골목길이나 몬지투성이의 장마당을 가보면, 그냥 한데에 물건들이 놓여 있고 그 옆에는 굵은 베옷에 긴머리를 등너머로 따리운 총각 아이가 웅크리고 앉아 있는 것을 우리는 보게 된다.
　이 미천한 상인들이 파는 서적은 체제가 매우 빈약하여, 책의 크기는 대개 팔절판(八折判)부터 십이절판까지 그리 두껍지는 않다. 표지는 다소 질긴 조제(粗製)의 지류(紙類)로 노란 살구빛 물을 드렸으며, 번쩍이고 빽빽한 무늬가 무늬 그리는 나무판으로 눌리켜서 조금 두드러져 나와 있다. 이러한 표지는 배면이 없이 단지 종이 두 장으로 되어 있을 뿐으로 사방은 헌겁을 꺽듯이 안으로 접혀 있으나, 좀 더 상등(上等)의 서적은 표지의 안을 인쇄한 종이로 탄탄하게 부하여, 그 책들은 한 권마다 붉은 실로 대여섯 곳씩 궤매어 있다. 종이는 잿빛, 아주 엷고 부드러우며, 가끔 구멍이 뚫여 있는 위에 짚부스러기, 흙덩이까지 조금 끼워있는 일이 있어 그런 고에는 인쇄가 잘 될 리가 없을 뿐 아니라 전체로 보아도 역시 인쇄는 곱다할 수 없다. 중국책 모양으로 반을 접은 까닭에 중앙선이 갓으로 나오게 되며 인쇄되는 곳은 한 면 밖에는 없고 책장이 사변은 대개 먹선으로 테를 둘러 난외(欄外)의 여백이 여간 좁지 않으나 중앙부는 가는 줄 두 개로 금을 그어놓아 절반으로 접기 좋게 되어 있다.
　<중략> 외국인이 조선에 도착하자 서울이나 시골의 골목골목에서 눈에 띄이게 되는 서적이란 대저 이러한 종류의 것들이다. 외양이 벌써 너덜너덜하게 보이니 조선의 서적에 대하여 편견을 갖게 되는 것도 무리가 아닐 상 싶다.

『해동역대명가필보』에 실린 한남서림

고급의 상점에서도 이 같은 것을 볼 수 있다고 하니 이건 책방이라기보다 잡화점에 가까웠다.

한남서림 역시 서적 한 종류만 다룬 것이 아니라 서적을 위주로 하되 문구류나 서화를 함께 취급하지 않았나 생각된다. 이곳에서 다시 인사동으로 옮긴 것이 대략 1900년경인 것으로 알려져 있다. 한창 성할 때가 관훈동 18번지 현 '통문관' 자리로 옮긴 뒤라고 하는데 역시 1900년경이다. 이는 고서적상이면서도 출판을 겸하였다.[185] 한남서림이 한창 성장을 할 때는 인사동 관훈동의 땅을 여러 곳 매입하였으며, 직원을 두 명이나 두었는데 월급이 각기 10원, 6원이었다. 그 중 한남서림의 매장 책임자였던 김동규라는 사람은 후일 간송 전형필이 한남서림을 인수하였을 때 한동안 도움을 주기도 하였다.[186]

1900년에 간행한 『동경인류학회잡지』(제15권 166호, 167호) 「잡보」 '고바야시

185 『東亞日報』 1965년 5월 7일자.
186 이중연, 『古書店의 文化史』, 도서출판 혜안, 2007, p.147.

小林씨의 한국행'에는, 고바야시小林與二郎란 자가 부산의 한 우체국에 근무하면서 부산지역에서 출토된 고물을 소개하고 있다[187]고 한다.

187  차순철, 「日帝 强占期의 新羅古墳 調査研究에 對한 檢討」, 『文化財』 39호, 2006.

우리 문화재
수난일지

1892~1896년

# 1892년 12월 24일

도쿄국립박물관에는 1892년 12월 24일자로 청자호 등 청자 6점을 구입했다.[188]

1892년 보스턴미술관에서 에드워드 실베스터 모스로(1838~1925)부터 112점의 한국 토기를 구입했다.

자세한 내용은 정수형의 「보스턴미술관 한국미술품 소장사」(『미술자료』, 국립중앙박물관, 2013년 12월)에 조사되어 있다.

## 같은 해

### 도쿄박물관에 기증한 광개토대왕비 부근 발견 전(塼)

사코 가게노부酒匂景信가 광개토대왕비 근처에서 발굴한 전塼에 대해, 아오에 슈淸江秀 는 「동부어영락태왕비명지해東夫余永樂大王碑銘之解」[189]의 '부언附言'에서, "또 비석을 굴출할 때 별도로 길이 8촌 폭 4,5촌 정도의 기형의 와瓦(塼을 이름) 1개를 얻

---

188 『東博圖版目錄』, 2007, 圖11, 41, 49, 52, 57, 63.
189 佐伯有淸의 『硏究史 廣開土王碑』(吉川弘文館, 1974. p.5)에 의하면, 靑江秀가 1884년 7월에 작성한 『東夫余永樂太王碑銘之解』의 사본은 현재 일본 국립국회도서관에 소장되어 있는데, 1885년 2월 18일부로 小杉榲邨의 "右古碑註解는 鄕友 淸江 씨가 명을 받들어 만든 筆錄....."이라는 添言이 붙어 있다고 한다.

었다. 와의 횡면 좌우에 '원태왕지묘안여산고여구顧太王之墓安如山固如丘'의 11자가 각해있다고 한다" 라고 하고 있다. 아오에 슈가 그의 해독에서 '부언'한 내용은 참모본부로부터 들은 것이 아니라 "모신문"에 실린 내용을 인용한 것으로 이는 비문에 대한 최초의 발설로서 비문 연구에 있어서 큰 관심의 대상이 아닐 수 없다.[190]

사에키 아리키요佐伯有淸는 『고대 동아시아 금석문논고金石文論考』에서 밝히길, 최근에 도쿄대학 문학부학생 코타니 히사카즈小谷壽量씨가 알아내었는데, 이 모 신문은 1884년(명치17)년 6월 29일부 '도쿄요코하마마이니치신문東京橫浜每日新聞'이라는 것이 밝혀졌다고 한다. 이 기사의 전문全文은 타케다 유키오武田幸男의 『비문지유래기碑文之由來記』 고략考略 -광개토왕비발견의 실상-』(『에노키박사송수기념동양사논총榎博士頌壽記念東洋史論叢』)에 게재되어 있다.

만주 성경성과 조선국의 경계인 압록강 상류에 예부터 물밑에 묻혀있던 한 대석비大石碑가 있는데, 치경此頃 성경장군이 들은 바, 다수의 인력을 들여 조금씩 파들어 갔다. 석면을 깨끗이 씻었을 때 일본인 모가 이곳에 있어

---

190 佐伯有淸는 『고대 동아시아 金石文論考』에서 밝히길, 최근에 동경대학 문학부 학생 小谷壽量 씨가 알아내었는데, 이 모 신문은 1884년 6월 29일부 '東京橫浜每日新聞'이라는 것이 밝혀졌다고 한다. 이 기사의 全文은 武田幸男의 『碑文之由來記』考略 -광개토왕비 발견의 실상-』(『榎博士頌壽記念東洋史論叢』)에 게재되어 있다.
만주 성경성과 조선국의 경계인 압록강 상류에 예부터 물밑에 묻혀있던 한 大石碑가 있는데, 此頃 성경장군이 들은 바, 다수의 인력을 들여 조금씩 파들어 갔다. 석면을 깨끗이 씻었을 때 일본인 모가 이곳에 있어 이를 石搨하여 가지고 돌아와 목하 참모본부에 藏하였다. <중략> 또 비석을 파낼 때 별도로 길이 8촌 폭 4, 5촌 정도의 奇形의 瓦 1개를 얻었다. 와의 橫面左右에 '願大王之墓安如山固如丘'의 11자가 각해 있다고 한다(武田幸男, 『碑文之由來記』考略 -廣開土王碑發見의 實相-』, 『榎博士頌壽記念東洋史論叢』에 揭載, 佐伯有淸, 『古代東アジア金石文論考』平成7년 '第7 廣開土王碑文研究余論').

이를 석탑石搨하여 가지고 돌아와 목하 참모본부에 장藏 하였다. <중략>

또 비석을 파낼 때 별도로 길이 8촌 폭 4, 5촌 정도의 기형奇形의 와瓦 1개

를 얻었다. 와의 횡면좌우橫面左右에 '원대왕지묘안여산고여구願大王之墓安如

山固如瓦'의 11자가 각해 있다고 한다.[191]


이 기사의 내용을 아오에 슈淸江秀는 『동부여영락태왕비명지해東夫餘永樂太王碑

銘之解』에서 '부언'하여 인용한 것이 1884년 7월인데, 도쿄요코하마마이니치신

문東京橫浜每日新聞에 이 기사가 게재된 것은 1884년 6월 29일로, 아오에 슈淸江秀

의 『동부여영락태왕비명지해』가 거의 완성단계에 이르렀을 쯤으로 추정된다.

이는 아오에 슈가 신문기사를 보기 전까지는 비문을 가져온 자에 대해서 아무

런 정보를 가지고 있지 않았다는 것을 말하는 것으로, 참모본부에서 아오에 슈

淸江秀에게까지 철저하게 비밀로 하였음을 알 수 있다.

이노우에井上의 『옥록玉籙』에는 회여록과 같은 석문을 싣고 그 뒤에 해독작

업의 정리[192]가 1888년 10월에 사코우의 입회하에 행하여진 것을 보여주는 첨

---

191 武田幸男, 「『碑文之由來記』考略 -廣開土王碑發見의實相-」, 『榎博士頌壽記念東洋史論叢』
   에 揭載, 佐伯有淸, 『古代東アジア金石文論考』平成7年 '第7 廣開土王碑文研究余論.'
192 비문의 해석은 1884년부터 1889년 사이 참모본부 편찬과가 중심이 되어 진행되었고 각
   자의 해석에 대해 당시의 고명한 국학자 및 역사가들이 동원되어 교열하였다. 이진희에
   의하면, 靑江秀의 「비문고증문」에는 栗田寬, 重村不能在가 교열을 했다고 나타나 있으며,
   佐伯有淸에 의하면, 橫井忠直의 「고구려고비고」(궁내청서릉부장)의 제2면 8행의 '신라
   성'의 주해, 제2면 9행의 '任那加羅', '安羅'의 주해에 '修史館考按'이 있어 수사관 編纂官
   이 검토했다는 것을 말해주고 있다. 수사관은 현재의 동경대학 사료편찬소의 前身으로
   수사관이라 칭하던 시기는 명치10년(1877) 1월부터 동19년(1886) 1월까지 9년간으로
   당시 編修官으로는 일본의 근대사학을 개척한 重野安繹, 川田剛, 久米邦武, 星野恒이
   었다고 한다(『硏究史廣開土王碑』, p.39). 그런데 5년간이나 그와 같은 작업이 있었다는

어添語가 붙어 있으며, 거기에는 와가 누구에게 전해졌는지를 기술하고 있다.

사코 가게노부酒句景信은 북경에서 지나어를 배우고 만주지방을 여행할 때
묘비상의 瓦도 갖고 돌아와서 마루야마丸山作藥에게 선사했는데 瓦는 거의
돌과 비길 만한 견고한 것으로 가장자리에 문자가 있다"[193]

사코 가게노부酒句景信가 가져간 유명전有銘塼은 9년 후 1892년에 마루야마丸
山作藥을 거쳐 도쿄제실박물관에 기증되었다.

미야케 요네키치三宅米吉는 「고려고비고」에서,

비석 가까이에 일대 고분이 붕괴되어 하나의 구릉을 이루고 있고 그 아래
에서 왕왕 고와가 출토되어 주내 대위가 약간의 돈을 지방인에게 주고 이
를 파내어 10여 개를 얻었다고 한다. 그 하나의 명銘은 '원대왕지묘안여산
고여구願大王之墓安如山固如丘'이다. 이 명이 있는 고와는 역시 현재 제국박물
관에 장하고 있다. 길이 9촌5분, 폭 5촌3분, 두께 7분. 이상 제국박물관소
장 「고려고비본래유」 및 아세아협회인행 『회여록』 제5집에 근거했다. 단
고와古瓦의 기사는 내가 실험한 바에 거據했다[194]

것은 세상에 알려지지 않았다.
193 佐伯有淸, 「高句麗廣開土王碑를 둘러싼 諸問題」, 『歷史學硏究』 第401號 , 1973년 10월.
194 三宅米吉, 「高麗古碑考」, 『考古學會雜誌』 第2編 1, 2, 3號. 明治31; 三宅米吉, 『考古學硏
究』, 岡書院版, 1929, p.67.

라고 하고 있다. 즉 미야케가 직접 관찰한 것은 제국박물관에 소장된 것으로서, 사코우가 처음 가져간 것은 10여 개였음을 말하고 있다.

사코 이후 참모본부 요원 구리스 료栗栖亮 중위도 1883년 10월에 청국에 들어가 양주, 청강포, 대운하 일대의 지리를 조사하고 1886년 9월에 일본으로 돌아왔는데 그간 광개토대왕비가 있는 통구를 답사 현지를 시찰하고 "원태왕릉안여산고여악顧太王陵安如山固如岳"이 새겨진 전을 발견하기도 했다[195]고 하는데 역시 일본으로 가져간 것으로 추정된다. 광개토대왕비문과 관련하여 이러한 와전의 일본 반입은 일본에서 조차 극비에 붙여졌기 때문에[196] 1890년대까지는 일반 학자들은 연구 대상으로 삼지 못하였다.

---

195 佐伯有淸, 『廣開土王碑と參謀本部』, 吉川弘文館, 1976.
196 酒匂의 雙鉤假墨本은 1888년 말에 그 원본을 酒匂의 이름으로 明治王에게 獻上되었으며, 이후 1890년 7월부터는 酒匂의 탁본을 정식탁본으로 꾸며 제국박물관에 전시하여 비의 존재를 널리 선전하기 시작하였다. 이어 공개적인 비문연구가 시작되어, 『회여록』 제5집 공간 이후 최초의 광개토왕비문의 연구는 이에 의거한 첫 논문이 1891년에 管政友에 의해 「高句麗好太王碑銘考」(管政友, 「高句麗 好太王碑 銘考」, 『史學會雜誌』 第22號-25號, 1891)가 발표되고, 이어 1893년에는 那珂通世의 「高句麗古碑考」(那珂通世, 「高句麗 古碑考」, 『史學雜誌』 第47號, 49號, 1893)가 발표되었다. 그 후 5년 뒤에 1989년 三宅米吉는 帝國博物館에 있는 縮小寫眞石版, 회여록비문, 帝國博物館藏의 橫田忠直의 「高句麗古碑考」, 管政友의 「高句麗好太王碑銘考」, 那珂通世의 「高句麗古碑考」 등을 참고로 하여 「高麗古碑考」(三宅米吉, 「高句麗 古碑考」, 『考古學會雜誌』 第2-1,3號, 1898)를 발표하였다.

# 1893년

## 경성 일본인 직업별 호수[197]

은행회사 2, 무역상 5, 양복 소매상 6, 잡화산 37, 과자점 10, 중개상 1, 약재상 1, 전당포 5, 여관업 3, 요리점 4, 사진관 2, 제약업 3, 대모갑 장인 1, 석유판매상 1, 시계표 2, 목욕탕 2, 우유, 정육점 1, 고물상 2, 철세공업 2, 재봉사 2, 노점상 9, 음식점 3, 조각 1, 두부판매상 2, 대장장이 2, 나무통 판매상 1, 목수 25, 톱쟁이 1, 미장이 5, 칠장이 2, 이발소 5, 다다미직인 1, 어름판매상 7

## 야기 쇼자부로(八木奘三郎)의 한국에 대한 정찰적 조사

고고미술과 관련하여 가장 먼저 한국에 건너온 학자는 야기 쇼자부로八木奘三郎로 북한 사회과학원 역사연구소에서 발간한 『일제조선침략일지』에 의하면, 1893년에 "일본 어용고고학자 야기가 경기도를 비롯한 여러 지방의 유적, 유물을 조사했다"[198]고 하나 구체적인 내용은 밝히지 않고 있다.

『고고계』 제1편 제5호(1901년 10월)에 의하면, 야기 쇼자부로八木奘三郎의 조선여행에 관한 내용이 『동경인류학잡지東京人類學會雜誌』에 실려 있다고 하며, 이

---

197 서울특별시시사편찬위원회 편저, 『국역 경성발달사』, 2010.
198 사회과학원 역사연구소, 『일제조선침략일지』, 사회과학출판사, 1973.

만열의 논문[199]과 차순철의 논문[200]에도 『동경인류학회잡지』에 야기 쇼자부로八木奘三郎의 '한국통신'이 실려 있다고 한다.

니시타니 다다시西谷正는 "일본은 1890년대에 들어서면서 당시 도쿄제국대학에 재직하고 있던 역사학, 고고학, 건축사학 같은 학문을 전공하는 학자들이 잇따라 조선에 파견되었다"고 하면서, 야기 쇼자부로八木奘三郎가 『동경인류학잡지』(제16권 제176호, 177호, 1900)에 게재한 「한국통신韓國通信」을 근거로 하여, 야기 쇼자부로八木奘三郎는 1893년과 1900년에 한국에 파견된 것으로 기술하고 있다.[201]

이러한 현지조사는 1893년 도쿄제국대학에 인류학교실이 창설되고 제국주의 일본정부의 지원을 받는 학자사회가 형성되었다는 배경 아래 이루어진 것으로[202] 『동경인류학회잡지』에 게재한 '한국통신'을 인용한 내용에는 모두 구체적인 내용이나 목적 및 일정이 기술되어 있지 않다. 그러나 1893년에 조선에 파견된 야기는 고인돌과 삼국시대 고분을 살핀 것으로 추정된다.[203]

---

199  이만열은 『동경인류학잡지(東京人類學雜誌)』에 이 무렵이 야기(八木)의 旅行談이 실려 있다고 한다(李萬烈, 「19世紀末 日本의 韓國史 研究」(주석13), 『淸日戰爭과 韓日關係』, 一潮閣, 1985).

200  차순철, 「일제강점기 고적조사 연구의 성과와 한계」, 『新羅史學報』 17, 2009.
     『東京人類學會雜誌』第15券 176號(東京人類學會, 1900)에 八木奘三郎의 '韓國通信'이 실려 있다고 한다.

201  西谷正, 「1945年 以前의 高句麗 遺蹟 發掘과 遺物」, 『高句麗 遺蹟 發掘과 遺物』, 高句麗研究會編, 2001, p.99.

202  李盛周, 「新石器 時代」, 『國史館論叢』第16輯, 국사편찬위원회, 1990년 10월.

203  申叔靜은 西川宏의 논문(「日本帝國主義下における朝鮮考古學의 形成」, 『朝鮮史研究會論文集』 7, 1970)을 인용하여, 八木奘三郎이 1893년에 조선에 파견되어 고인돌과 삼국시대 고분을 살폈다고 한다(申叔靜, 「우리나라 新石器文化 研究傾向」, 『韓國上古史學報』 제12호, 韓國上古史學會, 1933).

야기가 파견된 1893년은 청일전쟁이 일어나기 전으로 호조(여권)가 없이는 여행을 할 수 없었을 뿐만 아니라, 군사적 보호 없이는 여행이 불가능한 시기였다. 따라서 한반도 침략을 위한 첩보적 공작의 일환으로 이루어진 것이라 할 수 있다.[204] 이 같은 군사적 목적에 의해 행해진 조사였기 때문에 야기는 그의 조사에 대한 구체적인 내용이나 목적 및 일정이 기술하지 않았던 것으로 볼 수밖에 없다.

---

李盛周는 鳥居龍藏의 『ある老學徒の手記』(1953, p.155)를 참고로 하여, "八木奘三郎은 1893년 入國하여 눈에 잘 띄는 支石墓와 古墳들 만을 조사하고 石器時代 遺蹟은 없다고 報告하였다"고 하고 있다(李盛周, 「新石器 時代」, 『國史館論叢』 第16輯, 국사편찬위원회, 1990년 10월).

204 村上勝彦의 「隣邦軍事密偵と兵要地誌」(『朝鮮地誌略』, 1981 (復刻板), 京仁文化社, 1997 影印)에 의하면,
1893년 8월 부산총영사관 무로타 요시후미(室田義文)는 철도국 기사전문측량반으로 하여금 부산철도정설 예정측량으로 위장하여 공작을 행했으며, 1893년 9월에는 2명으로 조선 8도를 정찰, 대 청일전쟁을 준비했다고 한다.

# 1894년 4월 3일

**일본 승려가 화장사 패엽경을 가져가다.**

경기도 장단군의 화장사華藏寺에는 패엽경貝葉經이 전해왔는데, 김창협金昌協
의 『유송경기游松京記』에 다음과 같은 기록이 있다.

화장사에 이르렀다. 이 절은 원래 서역의 중 지공指空이 창건한 것으로서
매우 웅장 화려하였던 바 석년昔年에 불전이 화재를 입었다. 근자에야 비
로소 중건하였는데 단청이 으리으리하다. <중략> 중이 상자 하나를 내보
이는데 그 안에 패엽서貝葉書와 전단향栴檀香이 들어 있다. 글은 다 범어로
되어 알 수 없다. 전단향이란 곧 능엄경에 이른바 한 가치를 태우면 사십
리 이내에서 동시에 향기를 맡게 된다는 것이다. 대개 지공이 서역에서 가
지고 온 것으로 이를 간직하여 지금에 이르렀다고 한다.[205]

또 이규경의 기록에,

우리나라 경기도 장단부 보봉산의 화장사에 패엽경이 있는데, 고려의 나
옹선사가 서역의 중 지공대사에게 가서 사사師事하고 돌아올 때 가져온 경
이다. 이 경의 길이는 포척布尺으로 반자 쯤 되고 너비는 4촌 쯤 되는데, 그

---

205 金昌協, 『游松京記』, 1671년의 記錄.

빛깔은 희고 무늬와 결은 마치 자작나무 껍질과 같으며 두께도 그와 같다. 한 잎에 6-7행씩 범자가 쓰여졌고 세자細字가 쓰여진 것까지 합하면 모두 천여 잎이나 되는데, 위아래 두 군데에 구멍을 뚫고 실로 꿰맸으며, 겉에는 양쪽으로 나무 조각을 대어 꼭 끼어 놓았다.[206]

라고 하고 있다.

1894년 한국을 정찰하기 위해 도한渡韓한 일본 승 가토 후미노리加藤文教의 『계림불교탐견여행일지鷄林佛敎探見旅行日誌』 1894년 4월 3일자 기록에 의하면, 가토 후미노리加藤文敎가 이곳 화장사를 방문했을 당시는 경기, 강원 일대의 제 1 거찰로서 승도가 무려 200여 명에 달하였다고 하며, 패엽경에 대해서는,

이 절의 보물 지공존자가 서천西天으로부터 가지고 온 문수보살의 친필로 된 패엽경은 그 수 15여 매로 내가 1매를 구하고자 하였으나, 주관主管이 말하기를 돈으로 교역交易 할 수 없는 것이라고 하여 내가 하나의 안案을 제안하였는데, 대웅전 석가불이 금박박金箔剝하니 이를 개금改金하고 패엽경을 받기를 청하니 산내첨의山內僉議하고 이를 허락하여 도체금鍍替金 6백 문六百文 즉 10원을 주어 그 증명서를 받았다.[207]

---

206  李圭景, 『五洲衍文長箋散稿』 XVIII.
207  加藤文敎, 「朝鮮開敎論」, 附錄篇, 明治33년(1900), pp.61~63.

라고 하며 그 증명서[208]까지 기록하고 있어 15매 중 1매는 가토가 반출해 갔음을 밝히고 있다.

1894년에는 일본승 가도 후미노리加藤文教가 한국 불교계를 정탐偵探하고 일본으로 돌아간 다음 그는 조선에서의 포교를 위한 수단과 방법에 있어 가장 필요한 항목을 다음과 같이 제시하였다.

1) 학교를 설치設置하고 포교사布教師를 양성養成할 것

2) 한국내지韓國內地에 30여 소에 교회지부教會支部를 설치設置할 일

3) 일한상통유학생日韓相通留學生을 파견派遣하는 일

4) 경성내京城內 일대회당一大會堂을 세우는 일

5) 출판사업出版事業을 일으키는 일[209]

# 1894년 5월 20일

일본 육군참모본부가 갑오농민봉기 진압에 필요한 자료를 정탐하기 위해 참모본부원 육군포병소좌 이지지를 부산에 파견, 이지지는 5월 30일 정탐자료를 수집하여 돌아갔다.[210]

---

208 證明書의 마지막에는 "日本僧加藤文教師爲華藏寺大化主大施主誓心明意成就佛寺故 滿山 衆僧處決議立旨之意許給貝葉經一枚者也 華藏寺主管 德雲 爐殿三濟"라고 기록하고 있다.

209 加藤文教, 「韓國開教論」, 1900, pp.29~33.

210 사회과학원 역사연구소, 『일제조선침략일지』, 사회과학출판사, 1973.

# 1894년 6월 2일

이토 히로부미는 임시내각회의에서 갑오농민전쟁을 진압하는 한편 중일전쟁을 도발하기 위하여 '공사관 및 거류민 보호'라는 구실 밑에 침략 군대를 조선에 출병할 것을 토의하고, 일본 왕은 정식으로 이를 승인했다.[211]

# 1894년 7월 23일

## 일본군이 궁궐의 비장지보(秘藏至寶)를 약탈하다.

1894년 7월 23일(음력 6월 21일) 새벽 일본군 부대장과 일본공사가 병 1,500명 대포 8문을 이끌고 경복궁 내에 침입하여 주권을 강탈할 때에 그 강도단은 500년래 이 나라 왕궁 내에 장적藏積되어 있던 수많은 금, 은, 보화, 기물 각종 문화재 등을 모조리 강탈 포장하여, 인천을 경유하여 강탈하여 갔다. 이때 황매천은 "국가 수백년래의 비장지보秘藏之寶가 일조一朝에 탕갈蕩渴되었다"고 탄식하였다.[212]

---

211  사회과학원 역사연구소, 『일제조선침략일지』, 사회과학출판사, 1973.
212  黃玹, 『梅泉野錄』李章熙 譯, 大洋書籍, 1973.
　　　1894년 6월 20일 을축 조에,
　　　일본인은 대궐을 침범하여 강제로 맹약을 맺고 대원군 이하응을 궁중으로 영입하여 국사를 논하였다. 그리고 大鳥圭介는 外部署로 다음과 같은 조회를 하였다.
　　　"청국인이 귀국을 屬邦이라고 하면서 병대를 출동하여 보호한다고 하니 이것은 자주권을 침탈하는 행위입니다. 그러므로 지금 귀국이 이런 명분을 용인하여 참다운 길을 잃는다면 청국군들은 오랫동안 귀국의 경내에 머물러 있을 것이니, 이것은 귀국의 자주

권을 침해당할 뿐 아니라 그 조약에 기재된, 한국과 일본은 평등하다는 구절이 한갓 文
具에 지나지 않을 것이므로 그것은 체통이 서지 않는 소행이 될 것입니다.

그러므로 귀 정부는 빨리 淸軍을 물러가게 하여 본래의 위치로 돌아가게 할 것을 의논
하십시오. 만일 시일을 지연시킨다면 本使는 마음속으로 결정한 바가 있으므로 외부서
의 종사관에게 약속을 어겼다는 대답을 하겠습니다."

이 조회를 보낸 후에도 大鳥圭介는 우리에게 청나라의 속국인지 아닌지를 물어 왔다.
그의 말은 매우 긴밀하므로 沈舜澤 등은 그 명칭을 시정하겠다고 하였으나, 아무 건의
도 하지 않고 은밀히 청국인의 병대를 믿으며 관망만 하고 시일을 보냈다.

大鳥圭介는 우리 측의 이러한 태도를 알고 병대를 지휘하여 경복궁까지 진주하여 문을
부수고 들어가서 別殿까지 이르므로 우리 측의 호위군과 侍臣들은 모두 도주하고 오직
兩殿만 남아 있었다. 그들은 하얗게 번쩍이는 칼을 들고 양전을 에워싸고 있으므로 양
전은 전전긍긍하면서 자세를 잃고 있었다. 그들에게 무슨 까닭으로 이러는지 물으려고
하였으나 옆에는 통역관조차 없었다.

이때 마침 安駉壽가 들어왔다. 안경수는 일본어를 잘 하였다. 고종은 매우 기뻐하며 그
에게 통역을 하라고 하였다. 이때 大鳥圭介는 칼을 빼들고 고함을 치며 "國太公이 아니
면 人主로서 오늘과 같은 날이 없었을 것이니 국태공을 속히 데려오시오" 라고 하였다.
대원군 이하응이 들어오자 大鳥圭介는 고종의 교지를 받아 대신들을 불러들였다. 일병
들은 대궐문을 파수하고 있으면서 들어오는 사람마다 일일이 점검하여 들여보냈다.

金弘集, 金炳始, 趙秉世, 鄭範朝 등이 차례로 들어오고 그 후 沈舜澤이 도착하자 그는
손을 저으며 들어오지 못하게 하므로, 심순택은 들어가지 못하고 그곳을 물러나와 朝
房에서 사흘 동안을 앉아 있었다. 대신들은 대궐로 들어갔으나 그들이 두려워 아무 대
항도 하지 못하고 있다가 빠른 시일 내에 옛 제도를 변경하자는 여론을 전개하였다.

大鳥圭介는 대원군을 대궐 안에 구류하고 있었다. 이때 대궐 안에 있던 各司의 관원들
은 모두 그곳을 떠났고 御供도 들여오지 않았다.

고종은 배가 매우 고파 운현궁에 명하여 음식을 가져오라고 하였다. 그 수라상이 대궐문
에 도착하자 문을 지키던 일병들은 그 음식을 마구 집어먹어, 수라상이 고종 앞에 도착하
였을 때는 이미 빈 상이 되어 있었다. 고종은 그 후 다시는 성찬을 차리지 말라고 하였다.

大鳥圭介가 대궐을 침범할 때 平壤兵 500명은 대궐을 호위하고 있다가 대조규개를 향
해 창을 던졌다. 이에 그는 협문을 통하여 고종이 있는 곳으로 가서 고종을 협박하여
함부로 요동하는 자는 참한다는 교지를 내리게 하자, 병사들은 모두 통곡하면서 銃筒
과 군복을 마구 찢고 부순 후 도주하였다.

또 여러 營兵들은 下都監에 모여 맹세하기를, "우리가 비록 천한 졸병이지만 국가의 厚
恩을 입은 사람들입니다. 지금 변괴가 이런 지경에 이르러 궁중에서 일어난 일을 아무
도 모르고, 그들은 우리 영병들이 해산하지 않는 것을 알고 감히 공격을 하지 못하고
있으니 만일 의외의 사태가 발생하면 우리는 결사투쟁을 해야 합니다" 라고 하면서 대

농민들이 봉기한 이후 청나라와 일본이 조선을 두고 서로 다투었다. 청병은 아산에 상륙한 그 이튿날인 1894년 6월 7일부로 "청국은 속방屬邦 조선의 청원에 의하여 내란토평內亂討平을 원조하고자 출병한다"는 의미의 통첩을 발하였다. 이에 일본 정부에서는 청국의 출병은 천진조약의 위반일 뿐만 아니라 청국이 조선을 속방이라 하는 것은 일본으로서 단연코 인정할 수 없는 일이라 하여, 일본도 출병하기로 했다. 오토리大鳥공사는 군함에 탑승하고 1894년 6월 9일 인천에 도착하여 육해군 4백여 명의 호위 아래 10일 한성에 들어왔었고 또 그 뒤를 이어 오오시모大島 소장이 영솔한 혼합여단 3천명도 13일 한성으로 들어왔다.[213] 오토리 게이스케大鳥圭介는 1889년 주청특명전권공사로 임명되었으며, 1893년에는 조선공사를 겸임했다. 오토리 게이스케大鳥圭介 일본공사는 본국 훈령에 따라서 1894년(고종31) 7월 3일 고종에게 내정개혁방안요령內政改革方案要領 5개조를 제출하는 한편, 청의 세력을 물리칠 것을 강요하였다. 조선 조정에서 세속 이를 거부하자 7월 23일 무력으로 경복궁을 점령했다.

『경성발달사』에서는 그들의 악행은 빼버리고, "7월 23일 오토리 공사는 곧바로 2개 대대 병력을 거느리고 왕궁으로 향했다. 이들은 총을 쏘며 저항하는 조선병사 500명을 격퇴시키고 곧바로 경복궁으로 들어갔다. 민씨 일족과 친정파

---

포를 정비하여 宮墻을 수비하고 있다가, 일병들이 대궐에서 나와 여러 영병을 약탈할 기세가 있으면 영내에서 일제히 대포를 발사하였다.
그러나 大鳥圭介가 고종의 교지를 받아 儀仗兵을 내보내자 營兵들은 분이 나서 칼로 돌을 쳐부수고, 哭聲은 산이 무너지듯 하였다. 그들은 이렇게 하다가 해산하였으므로 영병의 병기는 모두 일병들의 소유가 되었다. 이에 일병들은 사방을 수색하고 다니며 대내의 보화와 列朝의 珍品과 종묘의 器皿 등을 찾아 모두 인천항으로 싣고 갔으므로 우리나라가 수백 년 동안 쌓아 두었던 국보가 하루아침에 없어지게 되었다.
213 「韓末政局, 當年의 追懷」, 『每日申報』 1928년 8월 28일자.

는 모두 달아나고 대신 대원군이 국정의 중책을 떠맡았다. 대원군은 오토리 공사와 내정개혁에 관한 협의를 진행한 뒤 7월 3일 이래 우리가 줄곧 요구한 사항들을 모두 받아들였다. 노인정회의가 곧 이것이다"[214]라고 하고 있다.

1894년 7월 23일의 상황은 『갑오실기甲午實記』에, "새벽에 일본병사 몇 천 명이 와서 경복궁을 지키고 영추문迎秋門 밖에 이르렀는데, 자물쇠가 열리지 않자 나무사다리를 타고 궁궐 담장을 넘어 들어왔다. 또 동소문은 불을 질러 돌진하여 자물쇠를 부수어 문을 열고, 임금이 계시는 집경당緝敬堂의 전폐殿陛 아래로 곧장 들어와 빙 둘러 호위하고 각각의 문을 지켜서고 조신朝臣과 액속掖屬은 모두 들어오는 것을 허락하지 않았다"고 한다.[215] 『나암수록羅巖隨錄』에 의하면 "왜

경복궁 앞에서 일본군을 지휘하는 오도리 게이스케(大鳥圭介) 공사
(서울특별시시사편찬위원회 편저, 『국역 경성발달사』. 갑오농민군 토벌을 구실로 파견되
오도리 일행이 경복궁 난입과정에서 조선의 호위병과 전투를 벌이고 있다.
1894년 나가시마(永島春曉) 작품으로 추정, 재일동포 역사가 강덕상 소장)

214 서울특별시시사편찬위원회 편저, 『국역 경성발달사』, 2010, p.123.
215 『甲午實記』(2책)는 작자 미상의 책으로 1894년 3월부터 12월까지의 중요 사실을 기록한 것이며 농민전쟁과 청일전쟁 및 갑오개혁 관련기사가 많이 수록되어 있다(國史編纂委員會, 한국사데이터베이스).

인이 수륙 병행으로 도착한 자가 천, 만으로 헤아리기 어려울 정도였다. 대궐 문밖에서부터 도성 및 미평米坪에 이르기까지 세 겹으로 둘러싸고 군진을 치니, 별이나 구름이 빙 둘러서 나열하는 것과 같았다. 공사가 직접 대내大內에 들어가 말하기를, '귀국이 청나라에게 부탁하였소. 하지 않았소?' 라고 말하니, 상감이 더듬거리며 대답을 제대로 하지 못하였다"고[216] 하니, 이러한 공포 분위기 속에서 궁궐을 점령한 일본군은 궁궐의 보화를 보이는 대로 약탈을 한 것이다.

『해학유서海鶴遺書 9권卷』 '최익현 전崔益鉉傳'[217]에 의하면 1906년 4월에 일본정부로 서신書信을 보내 그들의 16개個 죄목罪目을 들어 질책을 했는데, 그 중 "갑오甲午년 (1894)에는 대조규개大鳥圭介가 난亂을 일으키어 우리 궁궐宮闕을 소각燒却하고 우리 재물財物을 약탈하여 우리의 전장문물典章文物을 훼손하였습니다. 이것은 명분상으로 우리나라의 독립을 주장하였지만 후일의 약탈掠奪과 착취搾取가 이것으로부터 시작되었습니다. 이것이 신의를 저버리는 두번째 죄罪입니다" 라고 질책하기도 했다.

일본 육군참모본부가 공식으로 발행한 『일청전사』 8권 42책(1895년 淸戰史)에 의하면, 일본 육군은 청일전쟁 직전인 1894년 7월 23일 경복궁을 무력으로 점령했다고 되어 있다. 이 자료는 이어 "조선 왕궁에 대한 위협적 운동과 준비는 이미 7월 21일 시작됐다"고 하고 있다. 작전 수행을 위한 혼성여단 사령부는 당시 경성 공사관 안에 설치됐으며 오전 3시 반에 출발, 왕궁 동북고지부터 점령할 것 등 각 부대의 행동계획을 상세하게 기술하고 있다.[218]

---

216 國史編纂委員會 編纂, 『羅巖隨錄』, 1981. 『羅巖隨錄』은 유학자 박주대(朴周大, 1836~1912)가 지은 책으로 구한말의 상황을 상세히 기록하고 있다.
217 국사편찬위원회 데이터베이스.
218 『구 조선총독부 건물 실측 및 철거 보고서』, 문화체육부 국립중앙박물관, 1997.

일본의 학자 니시야마 다케히코西山武彦는 「한국건축조사보고의 수수께끼」에서, 다음과 같이 비판하고 있다.

> 1894년 7월 20일 새벽, 일본 정부는 일본군을 동원하여 한국의 왕궁을 기습 점령하였다. 왕궁 점령의 목적은 국왕을 포로로 잡아 무력에 의한 위협으로 국왕을 윽박질러 한국 군대의 무장해제와 일군의 청국군 공격은 한국정부의 요청, 국왕의 의뢰에 따르는 것임을 국왕으로 하여금 말하게 하는데 있었다. 이때 무장해제와 함께 왕궁에 소장되어 있는 방대한 귀중한 문화재가 약탈되었다. 일본이 한국의 보물을 탈취한 것은 단순히 우발적인 일은 아닌 듯하다. 일본은 청일전쟁을 기화로 조선, 중국의 문화재의 조직적 수집에 혈안이 되었다.[219]

당시 얼마나 많은 궁궐의 보물이 약탈되었는지 구체적인 것은 알 길이 없다. 혼란한 중에 이를 신경 쓸 여지도 없이 급변하는 상황이라 누구도 기록을 남길 수가 없었던 것으로 보인다.

# 1894년 7월 25일

청일전쟁 발발

---

219 西山武彦, 「한국건축조사보고의 수수께끼」, 『한국의 건축과 예술』, 건축문화, 1990.

# 1894년 7월 27일

갑오경장


# 1894년 9월 6일

## 청일전쟁 전리품 공개

일제는 청일전쟁 중에 수집한 전리품戰利品을 본국으로 수송하여 1894년 9월 6일부터 1차로 도쿄東京, 오사카大阪 등 각지에 이를 진열하고 대중들에게 공개를 하였는데 이 속에는 한국에서 제작한 고지도古地圖와 한국 여인의 상의上衣까지 들어 있었다.

전리품을 진열하여 대중들에게 공개한 목적은 "전리품을 진열하여 이를 공중公衆에게 보여 주어 국민의 적개심敵愾心을 고무鼓舞시키고 이로 종군장사從軍壯士의 훈공勳功을 밝힘"[220]이라고 하고 있으나 이는 약탈掠奪로서 승자의 권리를 찾으려는 악랄한 모습을 보여주는 것이라 할 수 있다.

---

220 『日淸戰爭實記』第6編, '戰利品陳列', 博文館, 明治27년(1894) 11월, p.48~51.

# 1894년 10월

## 무면허도항자(無免許渡航者)에 대한 금지령 무산

일본에서 조선으로 건너온 대부분의 일본인들은 하층계급에 속해 있으면서 한국에 도항하여 한밑천 잡아보겠다는 생각을 가지고 건너온 자들로서 대부분 행상으로 시작했다.[221] 이 중에는 유랑적流浪的 무뢰한無賴漢들도 많아서 조제람조품粗製濫造品을 고가高價로 팔거나 거의 사기詐欺나 다름없는 행패를 부리고 다니는 자가 대부분이었다.[222] 이를 일본정부에서는 내심內心 장려책으로 묵인하는 상태였다.[223]

---

221 1889년 12월 27일 林權助가 통상국장 淺田德則에게 보낸 공신(公信) 제153호 <朝鮮國に於ける內地人行商論に同國仁川帝國副領事より送致一件>에 의하면, 이 문서에는 小田切의 「內地行商」이란 글이 첨부되어 있는데, 내지행상의 연혁을 다음과 같이 소개하고 있다. 1876년 강화도조약을 체결할 때 일본은 조선 내에서의 자유행상을 희망했으나 조선 측의 반대로 부산과 동래 사이를 왕래하는 권리를 허락받았을 뿐이었다. 1882년에 체결된 조미조약에도 내지행상은 허용되지 않았으나, 1883년 조영조약에 이르러 드디어 내지행상권이 승인되었다. 이때 내지행상권이 처음 허용된 이유는 강화도조약 때와 달리 청국이 보이지 않는 조력이 있었고 또 조선 인심도 조금 평온해졌기 때문이라고 설명했다.

이어서 그는 내지행상이 어떤 이익을 가져다 줄 수 있는지를 다음 세 가지로 정리했다. 첫째 내지행상은 화물을 염가로 구입할 수 있게 하므로 일본인 상업자에게 이익이 된다. 둘째 내지행상은 수입화물을 염가로 판매할 수 있게 하므로 조선인 소비자에게 이익이 된다. 셋째 내지행상이 성행하게 되면 조선 전국의 생산을 진척시켜 부를 증식시키는 결과를 낳는 것이 된다고 하고 있다(국사편찬위원회, 「일본 소재 외교사료관 소장 재한외국인 문제 관련 주요사료 해제」, 『해외사료총서22 -일본·중국소재 한국사 자료 조사보고-』, 2010, p.169).

222 孫禎睦, 「開港期 日本人의 內地浸透. 內地行商과 不法定着의 過程」, 『韓國學報』 21, pp.90-91.

223 「大日本帝國議會誌」(第2卷 第7號, 章議會貴族院, 明治27년 10월 19일 議事)에 다음과 같은 기사가 있다.

朝鮮같은데로 가서 무역을 경영하는 자는 결코 我國의 紳商이라는 자는 아닐 것이다. 이름이 알려져 있는 자가 아니라 반드시 집도 없고 地面도 없는, 地方長官에게는 알려져 청일전쟁 직전부터 대거 몰려온 불량도항자不良渡航者들의 수의 증가에 비례하여 이들의 만행蠻行도 더욱 심해져 고대무덤을 파괴하고 고기물을 꺼내는 등 한국에서는 꿈에도 생각지 않던 만행을 일삼아 한국인의 원성이 높아지자 일본정부로서도 골치덩어리가 되었다. 이렇게 되자 일본정부는 1894년 9월에 한국에서의 일본 불량 도항자들의 만행을 우려하여 240여 명을 귀국 조치하기도 했다.[224]

1894년 10월에는 칙령勅令 제135호로 "문무관文武官 기타 관청官廳의 명에 의한 자 외의 일본신민은 관할지방청의 허가 없이 조선국에 도항渡航하는 것을 금禁함"을 내용으로 한 무면허도항자無免許渡航者에 대한 금지령을 만들어 이를 적용하고자 했다. 이같은 금지령은 1894년 10월 18일 제7회 제국의회에 의안議案으로 제출되었으나, 칙령勅令제135호의 '조선국 도항渡航에 관한 건件'을 귀족원貴族院은 승락하였으나 중의원衆議院에서 승낙을 거부하여 이 안은 부결否決로 처리되었다.[225] 이 법령은 효력을 상실하고 상인은 물론 장사壯士, 무뢰한들의 도항渡航에 하등의 제약이 없었으며 이를 오히려 장려하기 위해 편리를 도모했다.[226] 불량 도항자들의 도항이 오히려 급등하게 되었다.

---

있지 않는 「裏店」에 있다든가 혹은 負債를 많이 지고 있다든가 하는 자가 경영하는 것이다. 외국 무역이라고 하는 것은 冒險者들이 하는 일이다. 오늘날 조선에 있는 在留人民은 반드시 그 처음은 冒險者였고 極貧者이다. <중략> 군사비중의 3분지1 혹은 실제로는 그 이상을 조선국내에 산포해야 하며 이 多額의 正貨를 回收하는 것은 이들 모험자의 힘에 의한다는 것으로 실제 일본의 銀貨는 그렇듯 回收된다는 것이다(韓沽劤,「開國後 日本人의 韓國浸透」,『東亞文化』第1輯, 서울대학교 동아문화연구소, 1963년에서 轉載).

224 「在韓の 本邦人足」,『日淸戰爭實記』, 第2編 內外彙報, 博文館, 明治27년(1894) 5월.

225 「帝國議會議案」,『日淸戰爭實記』, 第9編, '內外彙報 日本', 博文館, 明治27년(1894) 11월 17일, p.82.

226 「朝鮮渡航者の 便利」,『日淸戰爭實記』, 第9編, '內外彙報 朝鮮', 博文館, 明治27년 11월 17일, p.106

일인들은 처음에는 개항장을 중심으로 하나 둘씩 한국에 들어와 상거래商去來를 하다가 청일전쟁 직전부터는 군사력을 배경으로 무리를 지어 대량으로 불량일본인들이 한국에 진출을 하게 되었다.

『경성발달사』에서는 "우리 수천의 병사들이 한때 입경해 거류지에 뜻밖의 이익을 안겨 주었다. 우리 거류민은 경제적으로 거류지 개설 이래 미증유의 큰 발전과 팽창을 거듭하였다. 그러자 전쟁에 따른 이익을 얻으려고 수많은 동포들이 경성으로 모여들었다"고 증언하고 있다. 이는 경성뿐만 아니라 전국적인 추세라 할 수 있다.

# 같은 해

## 일제의 전시 청국보물 수집

일제의 약탈자로서의 만행은 1894년에 제정한 「전시청국보물수집방법戰時淸國寶物蒐集方法」[227]에 극명하게 나타나 있다. 이는 '요지要旨', '방법方法', '비용費用'까지 아주 구체적으로 명시하고 있다.

그 '요지要旨'는 전시청국에 보물 수집원을 파견하여 수집 매수하는 대요大要를 제9항까지 기술하고 있다. 그 제1항은, "일본문화의 근저根底는 중국과 조선에 밀접한 관계를 가지고 있으며 일본 고유의 성질을 명백히 함에 있어서도 이들과 대조할 필요가 있다. 그러므로 대륙인방大陸隣邦의 유존품遺存品을 수집하

---

227 이에 대한 내용은 李進熙, 「好太王碑の 謎」(講談社, 1973, pp.147~149)의 註釋에서 인용한, 中塚明의 「淸日戰爭の硏究」에 수록되어 있음.

는 것은 학술상 최대의 요무要務에 속한다" 하고, 제2항 하단에는 "일체의 호기
회를 이용하여 그 실행을 도모해야 한다" 제3항에는 "전시수집의 편의는 평시
에 도저히 얻을 수 없는 명품을 얻는데 있다" 제4항은 "전시 수집의 편의는 평
시에 비하여 극히 저렴한 가격으로 명품을 얻는데 있다" 제8항은 "전시에 명품
을 수집하는 것은 전승의 명예와 함께 천세千歲의 기념으로 남아 국위國威를 발
휘하기에 족하다" 라고 기술하고 있다.

수집 '방법'은 11항으로 이루어져 있는데, 제1에서, "수집원은 육군대신 또는
군단장의 지시에 따라 군대의 적의適宜의 부분部分으로 따르게 하여 전지戰地 근
방近傍에서 수집 매수를 한다" 하고, 제2는 "수집물품은 견고하게 포장하여 병
참부兵站部에 송부送附하고 병참부에서는 본부에 송부送附한다" 하고, 제11에서
는 "파출원派出員은 제국박물관 총장의 관할에 속하고, 단 전지에 가서는 군단
장이나 부수附隨 사단장의 지휘 감독" 하에 두는 것으로 하고 있다.

'비용' 조는 수집원에 대한 봉급, 수당, 매수비용 등을 기술하고, 마지막에는
보물 수집이 "전승의 명예가 따르고 천세의 기념으로 남을 국위國威를 선양宣
揚"하는 것으로 끝을 맺고 있어, 그 약탈적 성격을 여실히 보여 주고 있다.

「전시청국보물수집방법」에 나타난 일제의 만행에 대해 일본의 사학자 니시
야마 다케히코西山武彦 조차 다음과 같이 신랄하게 비판하고 있다.

일본정부가 전쟁을 이용하여 중국이나 한국의 문화재와 보물을 약탈하는
방침은 1894년 가을에 이미 결정을 내리고 있었다고 한다. 더욱이 평시에
는 여간해서 입수하기 어려운 '명품'을 입수하려면 전쟁 와중의 혼란한 틈
을 타서 약탈함이 상책이라는 지침까지 지시했다는 사실에 이르러서는 불

난 집에 뛰어들어 도둑질을 일삼는 화재도둑놈의 발상과 조금도 다를 바 없지 않는가? 더욱이 그것이 '국위國威를 선양宣揚하는' 일로 이어진다고 하는 데에는 그저 아연실색할 뿐이다. 개인이 사람을 죽이면 살인죄로 벌을 받지만 같은 사람이 국가를 배경으로 전쟁 마당에서 사람을 죽이면 훈공과 영예를 획득한다는 논리로 이어지는 것일까? 아무리 그렇다고 하더라도 일국의 문명국 정부가 염치도 없이 귀중품을 노략질하는 골동상인처럼 남의 나라를 침략한 끝에 그 재보財寶 뿐 아니고 문화재까지 해적적인 수법으로 탈취한다는 것은 도저히 납득할 수 없는 이야기가 아닐는지 <중략> 하지만 이는 일본 정부가 서슴없이 자행한 엄연한 사실이다.[228]

이 「전시청국보물수집방법」은 당시 제실박물관(현 동경국립박물관)총장 구기 다가이지九鬼隆一가 작성하여 정부와 육해군 고관에게 보낸 것으로, 일본 국회도서관 헌정자료실의 사이도 미루노齋藤實 문서文書에 들어 있다고 한다.[229]

이는 정부의 지시로 총장에게 작성케 하고 정부차원에서 은밀하게 행하여진 것으로, 임진왜란 때 도요토미 히데요시豊臣秀吉가 서적약탈대를 조직하여 조선의 서적과 그 외 문화재를 약탈해 간 전례와 같이, 청일전쟁시에도 보물수집대를 편성하여 이를 군대에 부속시키고 전시 중의 혼란한 틈을 이용하여 약탈 또는 매수한 것으로, 이러한 약탈적 수집방법은 청일전쟁 이후 한국에서도 여지없이 행하여 졌던 것이다.

---

228  西山武彦,「韓國建築調査報告書의 수수께끼」,「韓國의 建築과 藝術」, 月刊建築文化, 1990.
229  中塚明,「淸日戰爭の硏究」(李進熙,「好太王碑の 謎」, 講談社, 1973, p.147의 註釋).

## * 임진왜란 때의 서적 약탈

임진왜란을 일으킨 도요토미 히데요시豊臣秀吉는 처음부터 우리나라 서적에 대한 약탈계획을 세우고 있었다. 이 계획의 제일선에는 승려들이 있었다. 일본의 승려들은 일본에서 그나마 가장 학식이 밝은 층으로 아시카가시대足利時代 이래 외교문서를 작성할 때는 필히 교토京都 5산五山: 相國, 南禪, 建仁, 天龍, 東福寺 의 승려들이 담당하였으며, 임진왜란 때는 담판談判에 참여하거나 출정제장出征諸將의 문서담당으로 조선에 건너온 승려들이 많았다. 여말麗末부터 임진왜란 전까지 막부幕府 또는 영주領主의 사명使命을 가지고 해구진무海寇鎭撫의 교섭이나 대장경을 청구하기 위해 많은 승려들이 조선을 왕래하였다. 그들 중에는 학식이 풍부하여 조선의 학문에 대해 깊은 감흥을 받아 온 자들이 많았을 뿐 아니라 조선의 서적에 대해서도 밝았다. 그들이 일본에서 가장 학식이 높다는 것은 신숙주申叔舟의『보한재집保閒齋集』이나『해행총재海行總裁』에 일본승에게 준 시가 많다는 것을 보아도 짐작할 수 있다.

도요토미 히데요시豊臣秀吉는 임진란 출정에 앞서 조선과 명나라 사이에 오가는 서신과 또한 일본과의 서신 왕래에 대한 해독과 문서 작성에 학식이 있는 승려들이 필요할 것을 예상하고 상국사의 쇼오다이承兌, 남선사의 레이조우靈三, 동복사의 에이데스永哲 등을 나고야名護屋의 본영으로 불러 문사비서文事秘書 겸兼 참모參謀로 이들을 기용하였다. 그리고 겐소玄蘇로 하여금 고시니 유기나가小西行長를 따르게 하여 일찍부터 숙지하고 있는 도로를 선도先導하도록 작전참모에 참여케 했다. 모리 데루모토毛利輝元의 참모에는 안국사의 에게이惠瓊가 따르게 하였는데, 에게이惠瓊는 일찍부터 모리 데루모토毛利輝元에게 중용重用되어 식읍食邑을 받고 국정에 참여하였으나, 도요토미 히데요시豊臣秀吉가 모리 데루모토毛利輝元 정벌에 출정하였을 때 에게이惠瓊는 양진영을 오가면서 화친和親을 주선한 관계로 도요토미 히데요시豊臣秀吉가 후히 대하고 그에게 많은 자문을 구하기도 했다.[230]

도쿠가와 이에야스德川家康는 상국사의 쇼오다이承兌(1548~1607),[231] 엔코元佶 (1548~1612), 스덴崇傳, 덴가이天海 등을 등용하여 작전참모로 삼았다. 스덴崇傳은 원래 남선사의 승려인데 쇼오다이承兌를 통해서 도구가와 이에야스德川家康에게 접근하여 문장의 재능으로 문서를 기초하는 직책에 종사하다가 점차 능력을 인정받아 정권 장악에 참여하였다. 그의 수완은 흑의의 재상이라 할 정도로 대단했다.[232] 이같이 임란을 전후한 승려들의 위치는 대단하였으며 상당수의 승려들이 임란에 참가하여 그들의 학식을 바탕으로 도요토미 히데요시豊臣秀吉가 조직한 서적약탈부書籍掠奪部에 참여하였다.

서적약탈부書籍掠奪部는 종군문서참모부從軍文書參謀部라 했다. 그 조직위원으로는 상국사의 쇼오다이承兌, 남선사의 레이조우靈三, 동복사의 에이데스永哲, 분레이文英, 기요간淸韓, 안국사의 에게이惠瓊 등이 있었는데 이들은 주로 조선 서적을 약탈할 때 서적의 가치를 식별하는 역할을 맡았다.[233]

---

230 辻善之助, 「安國寺惠瓊の書簡の一節(嚴島文書)」, 「(弘安文祿)征戰偉績」, 史學會編纂, 1905; 松田甲, 『續日本史話 第一編』, 朝鮮總督府, 1931, pp.4-5 參照.
231 선조40년 通信副使로서 일본에 갔다 온 慶暹의 기록『海槎錄』에,
　중 승태는 본디 탐심이 있고 음흉한 자로 경인년(선조23, 1590)에 書契에 불손하게 한 것과 병신년(선조29, 1596)에 詔使를 협박한 것이 모두 이 중에서 나오 것이라고 했다.
232 石田瑞麿, 『日本 佛敎史』(李英子 譯), 民族社, 1988, p.238.
233 李弘稙은 『韓國文化史論攷』에서,
　이는 壬亂時에 일본에 약탈된 우리 전적이 단순하게 군졸의 손으로 질서 없이 약탈된 것이 아님은 현재 일본 각종 중요 도서관 문고에 산재한 조선본의 藏書印을 보면 모두

현재 광도현 엄도신사에는 안국사 에게이惠瓊가 임진년(1592) 6월 8일에 현지現地: 釜山浦에서 본국의 안국사 이하 자기 휘하 관계 사원에 보낸 서신이 보존되어 있는데, 이 서신의 말미末尾에, 조선과 명을 정복하고 내전內典, 외전外典의 서적書籍[234]과 기타 보물을 배에 만재滿載하여 송치送致하겠다[235]고 하는 점으로 보아 출정에 앞서 서적 약탈에 대한 계획이 수립되어 있었음을 짐작케 하고 있다.

이리하여 전쟁을 시작한지 한 달 쯤 지난 뒤, 모리 데루모토毛利輝元의 진군이 성주성에서 싸울 때 성이 4시간 만에 함락되고 성안에 보관保管된 성주문고星州文庫 수만 권이 약탈된 것을 시작으로 각 성마다 보관된 서적을 약탈당하였던 것이다. 그 안에는 동양에서 최고가는 고서적인 『오례의五禮儀』, 『군학석채의목群學釋菜儀目』, 이언적李彦迪의 『중용구경연의中庸九經衍儀』, 이이李珥의 『격몽요결擊蒙要訣』, 서경덕의 『화담문집花潭文集』, 김시습의 『금오신화金鰲神話』 등을 비롯한 수 십만 권이 포함되어 있다.[236]

당시 조선의 名家의 것이라는 점으로 짐작할 수 있으며 이들은 전란의 여가를 타서 계획적으로 관청, 구가의 장서를 샅샅이 탐색하여 약취하였음을 알 수 있다고 한다.

234 原文에는 內傳, 外傳으로 되어 있으나 辻善之助는 內典, 外典으로 해석하고 있다.
小野則秋는 『日本文庫史』(1942년 敎育圖書株式會社) '상대の寺院と經藏' 條에서, 일본 奈良時代에는 圖書에 대해 內典과 外典으로 區分하였는데 佛書를 內典이라 하고 儒敎 其他 圖書를 外典이라 불렀다.

235 辻善之助, 「安國寺惠瓊の書簡の一節(嚴島文書)」, 「弘安文祿)征戰偉績」, 史學會編纂, 1905. 文書에는 정확한 해(年)가 나타나 있지 않으나 辻善之助은 여러 상황으로 보아 文祿元年(壬辰年 1592)으로 추정하고 있다.
惠瓊이 서찰을 보낸 곳은 안국사, 건덕암, 영선사, 향적사, 반야암, 남상원, 성은사, 장복사 외에도 여러 곳으로 보낸 것으로 나타나 있어 혜경의 세력이 대단하였을 것으로 짐작되며, 아울러 이들 사찰 등에는 조선에서 약탈한 상당한 약탈품이 소장되었을 것으로 보인다.

236 김문길, 『임진왜란은 문화전쟁이다』, 도서출판 혜안, 1995.

임란 때의 문화재 수탈에는 우리나라에서 가져갈 수 있는 것은 다가져 갔겠지만 특히 책은 보는 대로 싣고 간 것 같다. 그래서 홍대용은 다음과 같이 기록하고 있다.

동방의 문헌이 오래부터 소략疏略하지만 만력연간 7년 동안의 왜란에 서적이 다 없어 졌습니다. 최언명崔彦明의 『문선文選』은 이미 전본傳本이 다 없어졌고 .......[237]

이외에도 정유재란에 왜군의 포로가 되어 일본에서 3년간 피수생활被囚生活을 하다가 귀국한 정희득鄭希得(1575~1640)은 임란 때에 약탈된 전적을 개인의 가정집에서 발견하고,

이에마사家政의 집 벽 위에 있는 『천하여지도天下與地圖』를 보았다. 임진년에 서울에 들어갔을 때 얻은 것이라 한다. 칠산 바다와 삼각봉을 보자 불현듯 어머니를 잃은 슬픔과 임금님 그리워하는 마음이 이날따라 갑절이나 더했다.[238]

라고 하는 것으로 보아 개인에 의해 약탈된 것도 상당수에 달할 것으로 보인다.

임진왜란 때 조선의 서적은 대부분 약탈되거나 소각되어 한국 내에서는 임

---

237 홍대용, 『담헌서』, 杭傳尺牘 條.
238 鄭希得, 『海上錄 第1卷』, 海上日錄, 戊戌年 3月條.

진왜란 전에 간행한 조선본은 한국에서 오히려 찾아보기 힘들게 되었다. 일제 때 조선본을 막대하게 수집하였던 도쿠토미 이이치로德富猪一郎은 매년 조선에 건너와 우리나라 고서적을 수집해 갔는데 그는 "나는 경성에 왕래함이 매년 수차 틈을 내어 고서古書를 찾아 다녔는바, 명대만력이전明代萬曆以前의 것이라고 할 만한 조선 또는 중국판의 서적은 거의 볼 수 없었다. 그런 서적은 오히려 동경에서 구할 수밖에 없는데 그 이유는 문록경장文祿慶長 곧 임진란 때 일본군에 의해 약탈掠奪 당한 때문이다"[239]라고 하고 있다.

---

239 德富猪一郎, 「曝書漫筆」, 『蘇峰隨筆』, 民友社, 1926. p.202.

# 1895년 4월 24일

## 승려의 입성금지령(入城禁止令) 해제

1877년에 일제당국과 일본 승려들은 한국에의 포교布敎 문제를 협의하고 곧바로 침투활동浸透活動이 시작되었는데, 일제침략의 조건을 유리하게 만들어 놓는 정치적 작업의 일환으로 추진되었다.[240] 이는 1877년 일제의 내무경內務卿 오구보 도시미지大久保利通와 외무경外務卿 데라지마 무네요리寺島宗則 그리고 대곡파본원사관장大谷派本願寺管長 겐뇨 조닌嚴如上人이 '조선개교朝鮮開敎'에 관한 일을 협의하였는데 당시 기록에, "우리 본원사本願寺는 종교와 정치와 서로 상보相補함으로써 국운國運의 진전발양進展發揚과 국민의 활동을 도모해야 한다는 것을 신조信條로 삼고 있다" 라고 한 것이 이를 입증立證하고 있다.[241]

그들은 먼저 대중적 호응을 얻고 일본불교와의 연대 가능성을 터놓기 위해 조선시대 억불정책의 하나였던 승려의 입성금지령入城禁止令[242]을 해제解除케 했다. 일련종관장대리日蓮宗管長代理 사노 젠레이佐野前勵란 자는 1895년 4월 22일 총리, 내무, 이무, 탁지, 학무, 공무, 법무, 군무, 궁내의 제대신들을 방문한 다음 총리대신 김홍집金弘集 앞으로 승려의 도성출입에 관한 한승입성해금건백서韓

---

240 최병헌,『한국불교사 전개와 역사적 성격』, 학술회의, 한국사학회, 1986년 8월 12일.
241 朝鮮開敎監督部,『朝鮮開敎五十年史』, 大谷派本願寺朝鮮開敎監督部, 1927, p.18.
242 仁祖元年에 僧尼의 입성을 禁止시켰고, 顯宗2년에 尼院을 廢하고 年少者를 환속시키고 老者를 城外로 放했으며, 양민의 出家를 금하게 했다. 肅宗35년 司諫院에서 僧尼의 入城禁止를 請한 記錄이 보이며, 正祖2년 9월에 僧尼의 入城禁止를 嚴達한 記事가 보이며, 純祖15년 正月에도 同記事가 있다.

僧入城解禁建白書를 보내, 2일 뒤에 사노佐野의 건의대로 실현되었다.[243]

그들이 예상했던 대로 입성해제문제入城解除問題는 친일불교親日佛敎에로의 결정적 계기를 만들어 주었고, 한국의 일부 승려들은 일본의 불교를 흠모하고 그 정책을 따라야 크게 우리의 불교가 부흥할 수 있다고 강조했으며,[244] 용주사 승려 최취허는 "대존사 각하께서 이 만리타국에 오시어 은혜를 베푸시니 본국의 승도로 하여금 500년래의 억울함을 쾌히 풀게 하였습니다. 이제부터는 왕경王京을 볼 수 있으니 이는 실로 이 나라의 한 승려로서 감사하고 치하하는 바입니다"[245]라고 하는 감사장感謝狀까지 보냈다.

승니僧尼의 입성금지入城禁止는 조선왕조의 인조仁祖 이후 270년 간 신분身分대우待遇 면에서도 변화가 일어나는 암시라고도 해석할 수 있겠으나 실은 일본 불교의 한국 상륙이나 그 침투의 용의성을 시사하는 차원 높은 종교침략정책임을 간파해야 할 것이다.

사노佐野는 일본 군부의 비호와 위협 하에 한국정부의 고위층을 움직여 이 숙원을 실현시킴에 공로功勞를 인정받게 되어, 그 어세餘勢를 몰아 불교의 일본화에 박차를 가하였다.

---

243 「韓僧入城解禁과 日蓮宗의 佐野前勵老師」,『朝鮮佛教』, 朝鮮佛教社, 1927년 2월.
244 李炫熙,「日本의 文化侵略政策과 그 實際」,『韓國史學』 8, 정신문화연구원, 1986.
245 김광식 편저,『한국불교 100년』, 민족사, 2000년 5월.

# 1895년 5월

영은문(迎恩門)을 헐고 삼전도비(三田渡碑)를 쓰러트리다.

영은문은 서울 서문 밖 수리에 있었는데 연조문延詔門이라 부르던 것을 후에 영은문으로 개칭하였으며, 대개 중국의 사신을 맞이하던 곳이다. 삼전도비는 송파에 있는데 1637년 남한산성에서 치욕적인 굴욕을 당한 후 청 태종의 전공戰功을 기록한 것이다. 이경석李景奭[246]이 비문을 지었다.

청나라와의 국교가 단절되고 대한제국이 들어서자 1895년 4월 내각에서는 송파에 있는 삼전도비(청태종공덕비)를 쓰러뜨리고 영은문을 제거하며 청의 사신을 접대하기 위해 예부터 설치했던 모화관慕華館과 홍제원弘濟院을 부수자는 논의가 있었다. 그 중 공덕비를 쓰러뜨리고 영은문을 제거하는 일에 대해서는 의견이 일치했으며, 모화관과 홍제원의 두 건물은 공연히 이를 때려 부술 필요가 없으며 그 명칭을 바꾸어 다른 건물로 사용하도록 의견을 모았다.

이리하여 1895년 5월, 청국에 대한 수백년래의 치욕을 씻기 위하여 송파의 삼전도비는 넘어트려 묻어 버리고 영은문을 헐어버렸다.[247] 이로써 영은문은

---

246  이경석은 병자호란 때 仁祖의 간곡한 권유로 三田渡碑文을 지은 인물로 뒤에 영의정까지 역임하였다. 그는 효종초에 송시열 등을 천거하여 등용시키기도 했는데 뒤에 송시열이 금에 아부하는 글을 지은 송나라의 손적을 빗대어 이경석을 모욕하는 글을 지었고 이에 맞서 이경석은 송시열의 관료로서의 처신을 비판하는 상소를 올리기도 하였다 (尹熙勉,「朴世堂의 生涯와 學問」,『國史館論叢』第34輯, 1992년 7월).

247  迎恩門을 헐고 朱之蕃의 迎恩門 額字는 지금 總督府 學務課 分室에 보관했다고 한다 (考古生,「京城이 가진 名所와 古蹟」,『별건곤』제23호, 1929년 9월).

독립문과 영은문 주초(국립중앙박물관 유리건판)

최후의 운명을 고하게 되었고 동시에 그것이 독립문 건립의 시발이 되었다.


# 1895년 8월


도리이 류조鳥居龍藏에 의해 고구려유적에 대한 조사가 있었다.

당시의 조사는 동경인류학회東京人類學會의 필요에 따라 1895년 8월에서 12월까지 5개월에 걸친 만주 일대의 조사에서 고구려 산성에 대한 일부의 조사와 고구려시대의 것으로 보이는 전塼을 채집하였다.[248]

---

248  鳥居龍藏,『滿蒙の探査』, 萬里閣書房, 1928, p.13; 鳥居龍藏,「鴨綠江上流に於ける高句麗の遺蹟」,『南滿洲調査報告』, 1910; 東湖,『高句麗 考古學 硏究』, 平成9년, p.1.

# 1895년 10월 8일

1895년 10월 8일 새벽, 일본공사 미우라가 꾸민 명성황후 살해 흉계에 따라 왕궁에 침입했던 육군 장교 다나카가 명성황후를 살해하고 그 시체를 왕궁 근처 녹원의 수림 속에 끌어내어 석유를 뿌리고 장작불에 태우는 만행을 자행했다.[249]

# 같은 해

## 일본인의 한국 이주 열기

청일전쟁이 일본에게 유리하게 진전된 1895년 초에 이르자 일본에서는 일본인 한지이식韓地移植의 여론이 강하게 불어 가와사기 무라사기야마川崎紫山는 다음과 같은 주장을 펴고 있다.

우리는 일본인으로 하여금 되도록 속히 한지韓地에 이식시키는 일, 이것은 침으로 영원한 장책長策이다. 그리하여 일본인의 이식을 도모함은 일한조약日韓條約을 정정訂正하고, 일본민에 한하여 내지잡거內地雜居를 허하는데 있을 뿐이다. <중략> 한지 이식의 사업은 반도를 개척하는데 무엇보다도 제일의 장책長策이다. 금일의 기회를 타서 내지內地에 있어서 일대 식민회사를 일으켜 성망신용일세聲望信用一世에 뛰어난 인물을 들어서 그 주간主幹

---

249  사회과학원 역사연구소, 『일제조선침략일지』, 사회과학출판사, 1973.

으로 삼고 <중략> 한지韓地로 이식移植시킬 때에는 대단한 국부國富의 증진을 도모하는데 족할 뿐 아니라 반도의 권리를 차지하는데도 또한 보다 더 나은 방법이 없을 것이다.[250]

이처럼 한국에서의 권리증진을 위하여 이주 장려는 제1의 장책長策이라고 하면서 6개 종목의 편의便宜한 방법까지 제시하여 약탈과 일확천금의 기회만 노리고 있던 일본인들의 도항열渡航熱을 부추겼던 것이다.

청일전쟁 전까지만 해도 전통적인 우호관계에 있던 청국淸國에 비해, 일본에 대해서는 적의감敵意感을 가지고 있었기 때문에[251] 일본 거류민들의 활동이 그다지 활발하지 못하였으나 1894년 청일전쟁을 계기로 무제한으로 한국에 도항渡航한 일인들의 수는 갑자기 급등하여 청일전쟁 후에는 제3국을 압도하였으며 경성(서울)의 경우에는 거의 3배에 달했다. 이때부터 일본인이 내륙도시에 본격적으로 정착하게 되었다.

일본거류민단에서 발행한 『경성발달사京城發達史』에 의하면,

250 川崎紫山,「日本人韓地移植の 急」,『日淸戰爭實記』第22編, ‘國論一斑’, 博文館, 明治28년 3월 27일, pp.101-102.
251 末永純一郎의「朝鮮紀行」(『朝鮮彙報』, 東邦協會, 明治26년, p.190)에 의하면, 韓日修好條約 前에는 부산포 거류의 일본인들은 자유로이 租界 밖으로 나갈 수 없었는데 일본 외무성과 한국정부가 약속을 맺고 부산에 한해서 間行의 특혜를 만들었다. 그러나 府使는 항상 시민의 騷擾를 명분으로 입성을 거절해 왔다. 1979년 일본 함대가 부산포에 정박하고 함장 이하 하사관, 수병 수명이 府에 이르렀을 때 성문을 폐쇄하고 구실을 만들어 입성을 거절하자 外務語學生 武田某가 國家間의 약속을 어긴 것이라고 항의하자 府民들이 성벽 위에서 瓦片을 던져 두 명이 부상을 당하기도 했다.

어제까지 우리 일본인을 경멸하고 배척하던 조선인들도 그 태도를 바꾸어 우리나라 사람을 경외하고, 신뢰하는 모습을 보이기에 이르렀다. 더욱이 청나라 상인들은 지난 가을에 철수한 이래 아직까지 돌아오지 않았기 때문에 경성의 무역은 우리 사인들이 독점하였다. 특히 이러한 시국 속에서 우리 군대가 뿌리고 간 수많은 재화가 우리 상인들 수중으로 들어갔다. 그 영향으로 거류지는 일본군의 위용이 남긴 후광과 더불어 정치·경제적으로 지금껏 보지 못한 큰 발전을 이룩하였다. 남산 아래 일대는 갑자기 백화百花가 만발한 듯한 느낌이었고, 시장은 활기로 가득 찼다.

모국(일본) 동포 중에는 이 전쟁을 계기로 조선 도항을 희망하는 자가 나날이 증가했다. 정치적 야심을 품은 자, 맨주먹으로 조선반도에 천국을 개척하겠다는 헛된 망상을 품은 자, 직업을 구하는 자, 사업을 계획하는 자, 일한 무역에 종사하려는 자들이 잇따라 도래하였다. 호수는 500호에, 인구는 1,839명이 되었다. 이것을 전년과 비교하면, 호수는 234호, 인구는 991명이 증가했다. <중략> 이렇게 일시에 조선 도래자가 급증한 것은 전적으로 일청전쟁의 승리가 큰 영향을 미쳤다고 봐야 할 것이다.

<중략> 우리의 국권과 국력은 일청전쟁이 시작된 지난 가을부터 일사천리로 거침없이 뻗어나가 경성천지를 떨게 하였다. 우리 거류민의 활약과 발전 또한 참으로 괄목할 만한 것이었다. 이 여세를 몰아간다면 조선 조정의 개혁도 이루어질 것이고, 조선팔도 산하도 천황의 은택으로 영광을 누릴 것이다. 우리 경성거류민도 서로 협력해 놀라운 팽창과 발전을 이룩함

으로써 경성을 일본화하는 것도 어렵지 않을 것으로 보였다.[252]

1895년 이노우에 가오루井上馨는 도쿄히니치신문東京日日新聞에 다음과 같이 이주 및 택지구입을 부추기고 있다.

일청교전이래日淸交戰以來 경성의 아거류신민我居留臣民은 그 이전에 비해 거의 3배에 달하게 되었으므로 아신민我臣民은 오직 거류居留의 지역을 넓히고자 한다. 그리고 조선의 법은 거의 택지宅地의 소유권所有權이라는 것은 인정하지 않고 가옥家屋을 구매購買하면 그 부지敷地는 따라서 소유所有로 들어오는 고故로 자유로 아신민我臣民의 가옥家屋 구매購買를 하여....운운云云[253]

청일전쟁에서 승리를 한 일본은 그 군사력을 배경으로 일본인의 한국 이주에 더욱 박차를 가하였으며, 불량 일본인들이 대거 몰려오게 되면서 한국 문화재는 위기에 처하게 되었다.

---

252 『京城發達史』, 京城居留民團役所, 1912, pp.74-75.
253 「井上伯の 朝鮮意見」, 『日淸戰爭實記』, 第32編 '國論一斑', 博文館, 明治28년 7월, p.122.

# 1896년 5월 17일

## 계림장업단(鷄林奬業團) 설립

인천에서 계림장업단鷄林奬業團이란 단체가 설립되었다. 1896년 5월 17일 인천항을 중심으로 설립된 반관반민 성격의 행상단이다. 일본 정부로부터 보조금을 받아 일본인 행상대가 조직된 것인데, 명성황후 시해와 단발령 등으로 반일감정이 최고조에 달하자 단독 행상을 억제하는 한편 대규모 상단을 구성해 집단으로 내륙 상권을 공략하도록 하였다. 그런데 이들은 무기를 휴대한 일종의 '상대商隊'로서 물리적 바탕으로 상권을 확대하고자 했다. 당시 조선을 여행하는 자는 모두 여권(호조)을 휴대해야만 하는 규칙이 있었다. 그런데 계림장업단원은 수속도 간편하고 보증인도 필요치 않았다. 후에 평양, 개성, 강경, 목포, 경성, 부산, 원산, 대구 등지에 지부을 두었다.[254]

# 1896년 11월 21일

## 기공식(起工式)은 있었으나 낙성식(落成式)을 가지지 못한 독립문

1895년 영은문을 헐고, 1년 후 일청전쟁이 끝난 뒤 조선은 청국의 관섭을 벗

---

254 서울특별시시사편찬위원회 편저, 『국역 경성발달사』, 2010.

헐리기 전의 영은문(한국사데이타베이스 사진유리필름자료)

어나 완전한 자주독립국이 되자 독립협회원들이 중심이 되어 독립문을 전 영
은문 자리 뒤에 건립하게 되었다.

영은문迎恩門은 중종30년(1535)에 쌍주문雙柱門으로 세우고 연조문延詔門이라 하
였다. 1539년에 명의 사신 설연총薛延寵이 연조문은 그 의미가 좁다고 하여 영은문
이라 개편하고 사신 주지번朱之蕃의 글씨로 편액을 걸게 되어[255] 이후에는 영은문
이라고 하였으니 그것은 중국의 사신을 맞이하는 곳이기 때문이다.[256] 중국의 사
신이 조선에 오게 되면 영은문 앞까지 와서는 여장을 다시 대례복으로 고쳐 입고
모화관으로 들어가면, 국왕도 또한 대례복으로 입고 모화관까지 나와서 사신을

255 考古生, 「京城이 가진 名所와 古蹟」, 『별건곤』 제23호, 1929년 9월.
256 『梅泉野錄』 고종32년 을미(1895).

영접해 가지고 성내로 들어갔다. 이와 같이 성내로 들어가서는 사신 일행이 태평관에 묵기도 하고 남별궁南別宮에 묵기도 했다. 그리고 조선에서 중국에 들어가는 사신은 소위 동지사冬至使라 하여 11월 동지 때는 중국을 가면서 이 문을 통과했으니 조선의 입장에서는 중국을 대국으로 하는 가장 상징적인 건축물이기도 했다.

이후 경복궁 중건과 기타 각 관아를 중수할 때 영은문도 다시 중수하였다. 그러다가 1895년 봄, 청국에 대한 수백년래의 치욕을 씻기 위하여 조정에서는 영은문을 헐어버렸고,[257] 송파의 한이비汗伊碑(청태종공덕비)는 깨트려 버렸다. 이로써 영은문은 최후의 운명을 고하게 되었고 동시에 그것이 독립문이 출생할 시발이 되었다.

1896년 6월에 독립협회가 창립되어 모화관을 독립관이라 하고 당시 협회의 주동자 서재필, 권중현, 이상재, 남궁억 등이 매일 회관에 모여 독립을 기념하는 독립문을 세우자고 협의를 했는데, "연주문(영은문)이 있던 자리에 새로 문을 세우되 그 이름은 독립문이라 하고 그 뜻은 세계 만국에 조선이 아주 독립국이라는 표를 보이자는 뜻이고, 연주문(영은문)은 조선시대에 제일 수치가 되는 일인 즉 그 수치를 씻으려면 다만 그 문만 헐어버릴 뿐만 아니라 그 문이 섰던 자리에 독립문을 세우는 것이 이왕 수치를 씻을 뿐만 아니라 새로 독립하는 주초를 세우는 것"이라고 했다.[258] 독립문 건립의 발기인은 안경수, 이완용, 김가진, 이윤용, 김종한, 권재형, 고영희, 민상호, 이채연, 이상재, 현흥택, 김각현, 이근

---

257 迎恩門을 헐고 朱之蕃의 迎恩門 額字는 지금 總督府 學務課 分室에 보관했다고 한다 (考古生, 「京城이 가진 名所와 古蹟」, 『별건곤』 제23호, 1929년 9월).
258 『독립신문』 1896년 6월 20일자.

호 남궁억 등이 시작하였고 의장 겸 회계장은 안경수가 맡고, 위원장은 이완용, 위원은 김가진, 김종한, 민상호, 이채연, 권재형, 현흥택, 이상재, 이근호였으며, 간사원은 송헌빈, 남궁억, 심의석, 정현철 오세창, 현제복 이계필, 박승조, 홍우관 등이었다.[259] 조직이 이루어지자 곧 바로 기부금 모집에 나서게 되었다. 이때 기부금은 회원들 사이에서 응분의 금액을 내었고, 당시 고종께서는 러시아공사관 안에 있을 때였으나 상당한 금액을 하사하여 일은 계획대로 진행해 갔다.[260]

독립문의 설계는 러시아인 사파진에게 맡겼는데 이 문의 모습은 프랑스의 개선문을 모방했다. 그래서 건축에 착수하려고 청부업자를 물색하려는데 석조 건축으로는 청국인 밖에 할 사람이 없다고 하여 독립문의 건축은 청인이 맡아 하게 되었다. 청국과의 관계를 버리기 위해 영은문을 헐어버린 뒤에 조선의 자주독립을 상징하는 독립문을 세우는데 하필 청국인이 맡아 하게 된 것이다.

모든 계획이 순조롭게 진행되어 드디어 1896년 11월 21일에 역사적인 기공식이 이루어졌다. 『독립신문』 1896년 11월 22일자에는 정초식 행사에 대해 다음과 같이 기술하고 있다.

1896년 11월 21일 오전 10시 독립문의 정초식定礎式을 거행했다. 오전 10시에 먼저 배재학당 생도들을 비롯하여 당시 관립영어학교 생도들이며 독립협회원들과 대례복을 입은 고관대작, 그밖에 각국 공사와 영사 등 외교단들도 참여하였고 기타 일반시민들도 구름처럼 모여들어 무려 5천여명

259 『독립신문』 1896년 7월 4일자.
260 「韓末 政局, 當年의 追懷(七)」, 『每日申報』 1928년 8월 21일자.

이 운집하였다. 당일 식장은 그 옆 광장에 임시로 부계浮階를 하고 태극기를 위시하여 만국기를 세웠다. 먼저 회중 일동은 국가합창으로 개회를 하고 독립문의 정초定礎를 한 후 회장의 개회사가 있은 후 한성부윤의 '어떻게 하면 우리의 독립을 영구히 할까'라는 연설이 있고, 배재학생들의 독립가 합창이 있은 후 이완용 씨로부터 '우리나라의 장래'라는 연설이 있은 후, 다시 배재학생들의 전진가前進歌 합창으로써 식을 마친 후 여흥으로 관립영어학생들의 체조가 있고 일동이 다시 그 옆에 배설排設하여 놓은 연석으로 옮겨 10여분의 환락歡樂을 다한 후 오후 1시경에 산회하였다.

『대조선독립협회회보』 제2호(1896년 12월 15일) '회사기'에도 그와 같은 내용을 담고 있다.[261] 정초식을 가진 이후 계속해서 기부금을 모집하여 독립문 건립에 매일 청국인들이 돌을 쪼고 기둥을 세우고 하여 일을 진행해 나갔다. 당초에는 공사

---

261 이 날은 獨立門 立礎하는 날이라. 수월 전부터 회장과 위원장과 간사 諸員氏들이 독립문을 전 영은문터에 건설하고 독립관을 전 慕華館 터에 수선함으로 왕태자전하께서 장려하시는 意를 下賜하시고 朝野 동포 형제와 외국빈객까지 같은 마음으ᄅ ᄀ 일을 경축하여 독립문 립초하는 날 본회 회원들의 청첩을 應하여 회동하여 축하할 때 來會者 무려천여인이요 觀聽하는 者 不知幾萬人이라. 본일 오후 2시반이 되어 正礎하는 役丁의 呼邪唱聲이 纔終하매 배재학당 학원더리 朝鮮歌를 詠하여 대군주폐하 성덕을 頌하며 본회의 영구함을 祝하고 其次 미국교수 아편설어 氏가 慶福을 祈禱한 후에 회장 安駉壽氏가 본회 創始한 연유와 제회원의 勉力하심을 설명하여 연설하고 한성판윤 李采淵氏가 「어찌하면 獨立을 永久이 保存할 일」을 연설하고 외부대신 李完用氏가 「우리나라 前程이 어떠할 일」을 연설하고 피제손 씨가 조선에 있는 외국사람(英語와 朝鮮말)을 연설한 후에 배재학당 學員더리 進步歌를 부르고 育英公院 學員더리 體操演習을 마친 후 회석을 본회 독립관으로 옮기어 다과로 래빈을 향연할 때 회장 安駉壽氏가 本會總代로 래빈의 盛意謝賀하여 축사하고 그 뒤를 接하여 각국 諸公使 來會혼 氏에 축사와 부라운 氏에 歐米諸邦賓客의 총대축사가 각기 경하를 표하시더라. 賓主가 十分歡喜한 후 退散이 되니 已六七時頃이러라.

가 속히 진척되는 듯 하였으나 그 후 독립협회의 수난과 협회 주요 인물들의 망명, 피살 등 여러 가지 이유로 인해 독립문 공사는 그만 주인이 없이 되어 공사를 하다가 중지를 하고, 중지를 하다가 또 시작을 하여 공사는 자꾸만 지연이 되었다.

여기에는 독립협회의 내부 갈등과 외압이 큰 원인이 되었다고 할 수 있다. 윤치호는 독립협회가 조직될 당시를 다음과 같이 회고하고 있다.

원래 독립협회가 창립되기는 1896년 가을 청일전쟁이 끝난 뒤 마관조약에 의하여 청국이 다시 조선을 간섭하지 못하게 되어 주상께서 조선의 독립과 서정庶政의 개혁을 친히 대묘에 고한 일도 있어 조선은 자주독립국이 되었으므로 당시의 지식계급들이 모여 이완용을 회장으로 하고 처음에는 구락부 비슷한 일종의 사교단체의 성질을 가지고 조직되었던 것인데 모화관을 독립관이라 하여 그곳을 협회사무실로 정하고 가끔 협회원들이 모여 "거리에 가등街燈을 다는 것이 어떻겠느냐, 흰 옷을 검은 옷으로 개량하는 것이 어떻겠느냐"는 등의 극히 온건한 토론을 하고 있었습니다. 토론이란 말도 그때는 신문자였습니다.[262]

이같이 처음부터 독립협회라는 단체의 명을 사용하지 않고 윤치호가 지적하는 것처럼 하나의 사교모임 같은 것이 있었던 것으로 보인다.

처음에는 1896년 2월에 이상재, 남궁억 등 신진 인사들이 '민권옹호, 정치개선

262  尹致昊, 「밀려오는 新風潮는 慕華館을 獨立館으로(韓末政局, 當年의 追憶(二))」, 『매일신보』 1928년 8월 15일자.

독립문 부근 사진(『매일신보』 1935년 1월 30일자에는
1910년의 모습이라고 설명하고 있다.독립문 앞 건물이 모화관 건물)

의 촉진'이라는 2대표방 아래 건양협회建陽協會라는 유사정당의 단체를 조직하였
다. 그러나 그때까지도 일반 민중이 아직 이해와 의식이 없는 까닭에 회원이 수
십 여 인에 불과하고 노력이 또한 미약하야 계동 모퉁이에서 다만 간판만 유지
할 뿐이었다고 한다. 그러던 중 미국에 망명했던 서재필이 정부의 내외시정고문
으로 10개년 계약으로 귀국한 후 직접 간접으로 협회를 원조하면서 면목을 일
신히였다.[263] 이에 회명을 고쳐서 독립협회라 하고 회관은 정부에 교섭하야 모
화관慕華館을 빌려 독립관獨立館[264]이라 개명하고 그 제액題額의 글씨는 당시 황태

263 慶會樓畔居士(筆名), 「徐載弼氏의 登場」, 『삼천리』 제4권 제12호, 1932년 12월.
264 考古生이란 필명을 가진 사람의 「京城이 가진 名所와 古蹟」(『별건곤』 제23호, 1929년 9
    월)에 의하면, 獨立館은 元 慕華樓로 世宗12년에 慕華館으로 개칭하야 이래 수백년간
    中國使行의 迎賓所가 되엿다가 그 亦 獨立協會 시대에 獨立館으로 개칭하야 국민의
    연설집회소가 되엿더니 其後 一進會가 또한 국민의 연설대로 사용하다가 宋秉畯의 소
    유가 되야 東光社創立事務所가 되엿더니 지금은 그 계통인 興業農業株式會社의 소유

자가 어필御筆로 내려주었다. 그런데 독립협회의 명칭 사용에 대해 윤치호의 회고에서는 독립협회의 창립이 '1896년 가을'이라고 하는데, 『독립신문』에서 '독립협회'란 회명이 처음 등장하는 것은 1896년 7월 7일자로, "독립공원 내에 독립문을 건설하는데 독립협회에 보조금을 이왕 5백10원 외에 새로 수립한 것이 <중략> 공심있는 사람들은 속히 대정동 은행소에 계신 안경수씨께 독립협회 보조금을 보내시오" 하는 내용이다. 그리고 『독립신문』 1896년 6월 20일자에서 이미 독립문 건설 계획에 대한 기사가 보이고 있어, 독립문 건설 계획과 함께 이때를 즈음하여 독립협회란 공식적인 명칭으로 협회가 창립된 것으로 보인다.

독립협회의 창립 후 서재필의 경영하는 독립신문은 엄연히 독립협회의 기관지가 되어 일반의 사상을 고무시키는 동시에 정부의 비행을 공격하였다.[265]

독립협회의 초기에는 정부의 대관부터 하급 관료까지 독립협회 회원이 아니면 행세를 못할 정도로 위상이 대단했다. 민종묵, 조병식까지 그 회의 간부가 되고 이완용이 안경수의 뒤를 이어 회장을 맡기도 했다. 그런대 이 회는 사실상 정부당 우경파右傾派 - 야당 과격파過激派의 두 색채가 모은 곳인 까닭에 이완용이 제2차 회장으로 있을 때에는 신진 회원들의 "광산, 철도의 위임을 외인에게는 절대 불가하다"는 상소를 하자고 주장하는 데 대하야 회장 및 간부파는 평민으로서 정부의 일을 간여할 수는 없다고 반대함으로 회원은 일제히 고성규탄하야 회장과 간부를 전부 면직축출免職逐出시키고 새로 윤치호가 회장에 이상재가 부회

---

가 되는 동시에 그 사무소로 充用한다. 尚又 雙柱門은 撤廢한 후 兩箇 石柱만 잔존하야 獨立門 북측에 立하얏다고 한다.

265 車相瓚, 「朝鮮最初의 民間政黨 獨立協會의 秘史, 政府를 彈劾하고 褓負商과 血戰하든 壯絶! 悲絶!한 事實의 眞相公開」, 『별건곤』 제6호, 1927년 4월.

장을 맡게 되었다.[266] 이때부터 협회가 점점 정치운동으로 방향전환을 시작했다. 협회가 점차 과격하여 지니까 관료계급들은 모두 슬금슬금 탈퇴하고, 그 후로는 순순한 재야인들만 남게 되었다. 이때의 주요한 인물들로는 이상재, 남궁억, 서재필, 이승만, 윤치호 등이 있었는데, 윤치호는 협회 창립 초에는 민영환을 수행하여 러시아, 프랑스 등에 갔다가 1897년 가을에 귀국하여 합세하였다.[267]

1898년 10월 28일. 독립협회는 회원 이외에 학생, 시민, 노동자, 부녀, 맹인, 관리 유생까지 크게 소집하야 종로 대로에서 만민공동회萬民共同會, 일명 관민공동회官民共同會를 열고 회장 윤치호, 부회장 이상재, 서기 한만용, 임진수 등이 참석하고 회장, 부회장을 위시하여 남궁억, 류맹 등이 정부의 비행을 들어 공개의 연설을 하였는데 그 세가 엄청났다.[268] 그러나 기세가 날로 성할수록 정부를 공격

266 張膺震,「나의 젊엇든 時節 第一痛快하엿던 일, 十九歲때에 獨立協會에서 十部大臣을 罵倒하든 일」,『별건곤』제21호, 1929년 6월.
　　車相瓚은「朝鮮最初의 民間政黨 獨立協會의 秘史, 政府를 彈劾하고 褓負商과 血戰하든 壯絕! 悲絕!한 事實의 眞相公開」(『별건곤』제6호, 1927년 4월)에서, "독립협회에서 純全한 新進派가 정부의 비행을 들어서 공개 연설을 하거나 上疏를 할 것 같으면 彼 정부 소속의 일파는 극력 반대를 하여 자연 兩派를 分立하게 되었다. 爲先 일례를 들어 말하자면 당시 정부에서 광산, 철도 등을 外人에게 양도코자 할 때에 新進派 회원이 반대 상소의 制疏委員을 선정코자 하는데 소위 회장인 李完用은 정부의 일은 인민이 간섭할 바가 안이라 주장을 하고 그의 형 李允用은 자기는 勅任官으로 獨上疏할 자격이 잇슨즉 자기 개인으로 上疏함은 可하나 회원 공동으로 하는 것은 不可하다고 주장하다가 일반 회원의 攻迫을 밧고 회장과 간부의 직을 免케되었다"고 한다.
267 尹致昊,「밀려오는 新風潮는 慕華館을 獨立館으로(韓末政局, 當年의 追憶(二))」,『每日申報』1928년 8월 15일자.
268 그 때 張膺震 19세 나이로 영어 학교에 재학 중이었는데 영어 학교의 대표로 또한 참가하엿는데 당시 여러 회원들이 大臣을 옆에 세워놓고 정부를 비판 했는데, 그 현장을 다음과 같이 회고 하고 있다.
　　이때까지 관리의 앞, 더구나 要路大臣의 앞에서는 평민의 몸으로 감히 면회도 어렵고 면회를 하더라도 鞠躬膝行의 醜態를 연출하는 것이 그 때 인민의 선천적 사상이엿는데 나

함이 더욱 과격해져 정부의 반감을 사게 되었고, 동정을 표하는 황제까지도 독립협회를 멀리하게 되었다. 이런 중에 서재필이 명을 받아 미국으로 소환케 되니 독립협회로서는 상당한 타격이었다. 독립협회에서는 계속하여 외국인 채용에 반대운동과 중추원 부활운동을 개시하고, 정부의 실정과 비행을 공격하며 시위운동을 하며 반정부열을 고조시켜 나가자 정부에서는 은밀히 황국협회皇國協會를 사주하여 독립협회를 억압하기에 이른다.[269] 황국협회는 침상훈, 민영기, 윤영선, 조병식 등이 길영수, 유기환, 현영운, 이기동, 정응설, 김련식, 김규필 등과 연락하여 보부상褓負商을 중심으로 조직하고 충훈부忠勳府 내에 공관을 두었다.[270]

양회는 서로 반목질시를 해오던 중 1898년 11월 하순경에 수천의 보부상들은 전에 폐지한 상공국商工局의 설치를 정부에 청원한다고 하면서 속속 입성하였다.[271] 1898년 11월 21일에 보부상들은 서문 밖에서 수천 명이 모여 독립관

---

는 19세의 학생의 신분으로 十部大臣을 立會해 놓고 정부의 賣國적 행동을 여지 없이 唾辱하는 통에 몇 만 명 군중이 박수 怒號하는 소리가 천지를 진동하야 비록 千兵萬馬의 위세와 銃砲鎗劍의 위엄으로라도 도저히 이 기세를 막아낼 수는 없었다. 그리하여 十部大臣을 즉석에서 列坐해 놓고 『철도 광산 개설권을 外人에게 부여치 말일』 외 십여 조의 결의안을 교부하는 것은 통쾌중에서 大痛快였다(張膺震, 「나의 젊었든 時節 第一痛快하엿던 일, 十九歲때에 獨立協會에서 十部大臣을 罵倒하든 일」, 『별건곤』 제21호, 1929년 6월).

269 尹致昊, 「밀려오는 新風潮는 慕華館을 獨立館으로(韓末政局, 當年의 追憶(二))」, 『每日申報』 1928년 8월 16일자.

270 車相瓚, 「朝鮮最初의 民間政黨 獨立協會의 秘史, 政府를 彈劾하고 褓負商과 血戰하든 壯絶! 悲絶!한 事實의 眞相公開」, 『별건곤』 제6호, 1927년 4월.

271 1880-1881년간에 太皇帝는 특히 褓負商을 직접으로 정부와 連絡하기 위하여 當路大官 趙秉式으로 都尊位, 李時宇로 副尊位를 삼아 자유로이 行刑하는 權까지 許하더니 그 弊가 甚多함으로 일시 商工局을 폐지하였다가 이에 이르러서 황제 이하 諸 대관은 소위 以夷制夷의 술책을 用하야 이 皇國協會를 이르키게 되었다고 한다(車相瓚, 「朝鮮最初의 民間政黨 獨立協會의 秘史, 政府를 彈劾하고 褓負商과 血戰하든 壯絶! 悲絶!한 事實의 眞相公開」, 『별건곤』 제6호, 1927년 4월).

을 불의에 습격하야 양파 간에 대격전이 일어나 서문 밖과 인화문(德壽宮 西方正門) 일대가 아수라장이 되었으며, 11월 22일에도 남대문 밖에서 또 격투가 벌어져 쌍방에 다수한 사상자가 나는 등 대소요가 발생했다. 11월 26일에 황제는 돈례문 밖에 가사假舍를 설치한 후 독립협회와 황국협회 대표자들을 불러놓고 독립협회에서 원하는 중추원 부활과 황국협회에서 원하는 상공국의 설치를 다 들어 줄 터이니 해산하라고 했다. 이것으로 양파의 육박전은 끝을 냈다.[272]

그런데 11월 27일에 갑자기 이상재, 방한덕, 남궁억, 류맹 등을 비롯하여 17인을 소위 '패악지최저자悖惡之最著者'라 지목하여 체포하고 경무청에 수감시켰다가 십여 일 후에 석방시키고 회는 해산되었다.[273] 이후 정부에서는 재차 독립회원들을 체포하는 것을 비롯하여 다수한 사람이 잡히거나 죽은 자들도 많았다. 미국으로 간 이승만도 그 때 체포되어 감옥에서 7, 8년을 고생하다가 러일전쟁 때 석방된 것이다. 이렇게 하여 혹은 죽고 혹은 망명을 하게 되면서 흩어지고, 그 후 고영근 등이 협회의 후신인 만민공동협회萬民共同協會를 조직하여 활동을 하다가 얼마 안가 없어지고 말았다.[274]

이 같이 복잡한 사정 속에서 독립문 건립은 계속 지연되었으며, 또 기부하였던 사람들 중에 돈을 잘 내지를 아니하여 경비문제에 있어서도 크게 곤란을 당하였다하며 또 일이 그렇게 된 까닭에 독립문의 낙성식 같은 것도 없고 말아

---

272 車相瓚, 「朝鮮最初의 民間政黨 獨立協會의 秘史, 政府를 彈劾하고 褓負商과 血戰하든 壯絶! 悲絶!한 事實의 眞相公開」, 『별건곤』 제6호, 1927년 4월.
273 이 당시에 회장 윤치호는 체포되지 않았는데, 이에 대해 車相瓚은 "회장 尹致昊는 그의 부친 尹雄烈이 정부 요로에 在함으로 免함"이라 하고, 윤치호는 "사전에 체포령을 알고 숨었다"고 한다.
274 尹致昊, 「신구 양파의 난투극(韓末政局, 當年의 追憶(四))」, 『每日申報』 1928년 8월 16일자.

그야말로 용두사미가 되고 말았던 것이다.

『독립신문』1898년 1월 18일자에는 "대한에 제일 영광되는 문을 근일에 필역하였는데 든 돈이 3천8백25원이오. 문 지은 기사 심의석씨가 혈심으로 자기의 돈을 근 천원을 들여 그 문을 필역하였으나 아직도 협회에서 못 준 돈이 천여원이라 운운"[275]하는 것으로 보아 1898년 1월경에는 일단 건축을 마친 것으로 보인다. 그런데 낙성식에 관한 내용은 보이지 않는다. 그리고『독립신문』1898년 6월 21일자에는, "지금에 독립문이 다 필역이 되오데 역비 부족으로 금액을 출금치 못해 사방으로 보조금 모금"을 광고하고 있어 이때까지도 건설비를 다 정산하지 못하였음을 알 수 있다.

낙성식은 가지지 못했으나 독립문이 완공된 후 처음으로 대대적인 행사는 1898년 9월 1일에 '대한개국 506돌 경축회 행사'를 독립문에서 가진 기록이 보인다.[276] 이날 모인 독립협회 회원들과 정부 대소관인, 각 학교의 학도들 그리고 운집한 민중들이 수만이나 되었다고 한다. 오전 11시에 회장 윤치호가 회를 연 후에 대지大늘를 연설하고 그 다음에 회원 징교가 개국기념 연설을 하고, 그 다음에 이상재가 '제국 전진하자'는 연설을 했다.

---

275 독립문 공사의 석수는 청국인을 고용하고, 심의식이 감독한 것으로 보인다. 이는 1947년 서재필 박사의 회고에도 "심이라는 우리 석수의 손으로 건립"한 것이라는 데서도 볼 수 있다(『동아일보』 1947년 11월 9일자).
276 『독립신문』 1898년 9월 2일자.

# 1896년 12월 19일

## 고려무덤 도굴

상고이래上古以來 우리나라는 분묘墳墓를 조상 영역靈域으로 모시되 그 죽은 사람의 지위地位와 부력富力등에 따라 응분의 금은金,銀, 보석寶石, 기물器物, 장신구裝身具, 패물佩物 등을 다수 부장물副葬物로써 시신과 함께 매장埋葬하는 풍습이 있었다. 그러나 능소陵所와 묘총墓塚을 불가침적不可侵的 영역靈域으로 알고 있기 때문에 총주塚主들의 수하誰何를 막론하고 여하한 도적도 이것을 범하는 일이 없었던 것이다.[277]

일제기에 평양박물관장을 지냈던 고이즈미 아키오小泉顯夫는 다음과 같이 증언하고 있다.

특히 사욕死褥을 기혐忌嫌하는 뿌리가 강한 사상을 지닌 조선민족으로서는 어지간히 하급의 무식자가 아니면 이러한 일을 하지 않았을 것임에 틀림없다. 현재에 이르기까지 조선의 고분이 비교적 잘 보존되었던 까닭일 것이다. 요즈음과 같은 참상에 이르러서는 어떤 사람이든 병합전후부터 일본인이 조선의 벽지에까지 들어 간부터의 일이며 일확천금을 꿈꾸고 도래한 그들이 금사발이 묻혀 있는 것을 바랐음인지 정월초하루에는 금닭이 묘 속에서 운다는 전설의 고분을 요즈음 유행하는 금광을 캐듯이 파고 돌아다니는 것 같다.[278]

---

277  文定昌,『日帝强占36年史』, 柏文堂, 1966, p.387.
278  小泉顯夫,「古墳發掘漫談」,『朝鮮』, 朝鮮總督府, 1932년 6월, pp.86-87.

그러므로 일본인이 이 땅에 상륙하기 이전에는 인위적인 분묘의 파괴는 없었던 것이다. 그런데 강화조약 직후부터 일본인들이 한복으로 변장하고 다니면서 조선각지의 사祠와 능陵의 제기祭器와 향로香爐를 절취盜取하는 등의 도난이 심하였으므로 조선왕조가 8도와 사도四都에 통첩을 발하여 그것을 방지하라고 엄달嚴達하였으며 매구(천년묵은 여우가 변하여 된다는 괴이한 짐승)가 분묘를 파헤치고 분묘내墳墓內에 있는 사자死者의 금金, 은제기물銀製器物과 보화寶貨를 절취하되 그 들킨 매구가 일본인이었다는 소문이 성행하였다.[279]

특히 개성 일원의 고분묘에는 일본인 도굴꾼들이 들끓어, 극히 일부는 체포되어 일본영사관으로 넘기기도 했으니,『독립신문』1896년 12월 31일자에는 다음과 같은 기사가 있다.

> 12월 24일 장단군 서리 파주군수 이종호 씨가 경무청에 보고하였는데, 이 달 19일 밤에 서울 천도한, 김지천이가 일인 후가가와 준이치沈川純一, 다가키 도쿠미高木德美를 데리고 장단군 방목리 삼봉재 있는 고려국 양현왕 둘째 아들 무덤을 파고 옛 그릇들과 용 그린 석합과 벼리돌과 각색 그릇을 가져가다가 본군 순괴들이 즉시 포착하여서 경무청으로 보내노라고 하였거늘 이달 26일 일인들은 일본영사관에서 데려가고 조선 도둑놈 둘만 경무청에 갇혔다더라.

개성 일원의 고려시대 고분에서 고려자기를 도굴하다가 잡힌 범죄자를 처벌한 내용이 1995년 총무처기록보존소에서 간행한 『국권회복운동판결문집國權回

279 文定昌, 『日帝 强占 36年史』, 伯文堂, 1966, p.387-388.

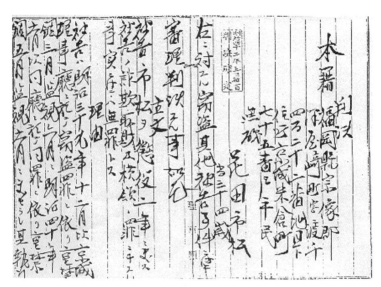

理事廳 判決文

復運動判決文集』에 일부 수록하고 있다. 그 중에는 당시 개성 일원의 고려시대 고분에서 고려자기를 도굴하여 매매하다 잡힌 일본인 범죄자들을 서울의 영사관領事館과 통감부법무원統監府法務院에서 처벌한 판결문 10건의 범행 내막이 수록되어 있다. 1896년부터 1909년까지 도굴 및 장물취급으로 잡힌 20명의 직업을 살펴보면, 무직 12명, 인력거꾼 1명, 소매상 2명, 잡화행상 2명, 대장장이 1명, 토목업 1명, 세탁업 1명으로 나타나 있다.[280]

　대부분이 아무런 직업도 없이 맨손으로 한국에 건너온 자들이었으며, 이들이 쉽게 돈을 만질 수 있는 방법이 도굴이었기에 엄청난 수가 도굴에 참여했으리란 짐작을 할 수가 있다.

280 總務處記錄保存所, 『國權回復運動判決文集』, 1995('일본인의 高麗磁器 盜掘 등 文化財掠奪' 조 pp.346~367, pp.458~462).

# 우리 문화재 수난일지

## 1897~1902년

# 1897년 10월 3일

도쿄국립박물관에서는 1897년 10월 3일자로 청자호 1점을 구입했다.[281]

# 1897년 10월 12일

## 대한제국 선포

1897년 10월 12일 고종은 환구단圜丘壇에서 상제上帝님께 천제를 올리고 황제에 즉위하여 국호를 '대한제국大韓帝國'이라 고치고 내외에 선포하였다. 『독립신문』 1897년 10월 12일자에는 다음과 같은 논설을 내고 있다.

이전 남별궁 터전에 단을 모았는데 이름은 환구단圜丘壇이라고도 하고 황단皇壇 이라고도 하는데 역군과 장색 천여 명이 한 달이 못 되어 이 단을 거의 다 건축을 하였는데 단이 삼층이라 맨 밑에 층은 장광이 영척으로 일백 사십 사 척 가량인데 둥글게 돌로 싸서 석 자 길억지 높이를 쌓았고 제 이층은 장 광이 칠십 이 척인데 밑층과 같이 돌로 석자 높이를 쌓았고 맨 윗층은 장 광이 삼십 육 척인데 석 자 높이를 돌로 둥글게 싸서 올렸고 바닥에는 모두 벽돌을 깔고 맨 밑층 가로는 둥글게 석축을 모으고 돌과

---

281 『東博圖版目錄』, 2007, 圖12.

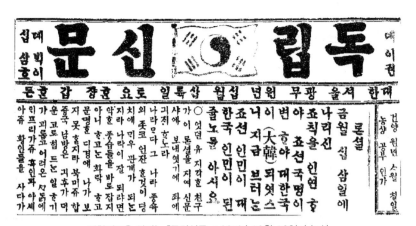

대한제국을 알리는 『독립신문』 1897년 10월 16일자 논설

벽돌로 담을 쌓았으며 동서남북으로 황살문을 하여 섰는데 남문은 문이 셋이라 이 단은 금월 십이일에 황제 폐하께서 친행하사 거기서 백관을 거느리시고 황제 위에 나아가심을 하나님께 고하시는 예식을 행하실 터이라 그 자세한 절차와 예식은 후일에 기재하려니와 대개 들으니 그 날 황제 폐하께서 황룡포를 입으시고 황룡포에는 일월성신을 금으로 수놓았으며 면류관을 쓰시고 경운궁에서 환구단으로 거동하실 터이요 백관은 모두 금관조복을 하고 어가를 모시고 즉위단에 가서 각각 층계에 서서 예식을 거행할 터이라더라. 이 예식이 마친 후에는 대군주 폐하께서 대황제 폐하가 되시는 것을 천지신명에게 고하시는 것이라 조선이 그 날 부터는 왕국이 아니라 제국이며 조선 신민이 모두 대조선 제국신민이라 조선 단군 이후에 처음으로 황제의 나라가 되었으니 이 경사로움과 기쁨을 조선 신민들이 측량없이 여길 듯하더라 이름으로는 세계에 제일 높은 나라와 동등이 되었거니와 이제 부터 실상을 힘써 각색 일이 외국에서 못지않게 되도록 신민들이 주선을 하여야 제국 신민된 본의요 남에게 실상 대접을

받을 터이라 사람마다 오늘 부터 조선이 남에게 지지 아니할 방책을 하여 외국들이 조선이 황제국 된 것을 웃지 않게 일들을 하여야 할 터이요 또 조선 사람들이 실상 일을 하여야 외국들이 조선을 황제국으로 승인들도 할 터이라 이 계제들을 타서 사람마다 자주 독립 할 마음을 더 단단히 먹고 대황제 폐하를 모시고 세계에 대접을 받고 나라를 보전 할 획책을 생각 하며 사람마다 조선이 남에게 의지 한다든지 하대 받지 않도록 일 하는 것이 왕국이 변하여 황국이 된 보람이 될 듯하더라.

『매천야록』'대한제국의 탄생' 조에는 다음과 같이 기록하고 있다.

9월 17일(음력), 고종이 황제로 즉위하여 국호를 「大韓」이라고 하였다.

을미년(1895) 이후 정부에서는 고종의 마음을 헤아려 황제로 즉위하기를 권하고 있었다. 그러나 러시아, 프랑스, 미국 등 여러 나라 공사公使들은 그것이 불가하다고 하였고, 일본 공사 삼포오루도 조금 더 기다리는 것이 좋겠다고 하였다.

그 후 삼포오루가 죄를 지어 떠나자 우리 조정에서는 다시 그 여론이 일어나 점차 의식儀式을 준비하고 있었는데, 각국에서는 강력히 우리 측의 의견을 저지하고 러시아 공사도 "귀국이 제호帝號를 쓰면 우리 러시아는 반드시 절교할 것이다"라고 하였다. 이때 고종은 조금 두려움을 느꼈으나 거의 완성단계에 와서 저지를 받는 것도 별로 보기 좋은 일은 아니므로 몇몇 신료들에게 밀지密旨를 내려 계속 진정을 하게 하였다. 흡사 고종이 뜻을 굽혀 여러 대신들의 의견을 따른 듯한 느낌이었다.

이에 기로신, 금재현 등은 연명류聯名流를 올리고 의정 심순택과 특진관 조병세도 그들의 뒤를 이어 백관을 거느리고 정청을 하였다. 그들의 주문은 다음과 같다. <중략>

이때 그 다음날 다시 다섯 차례나 소장을 올리고, 또 그 다음날에도 두 차례나 소장을 올렸다. 그리고 교지는 다음과 같이 내려졌다.

"짐이 덕이 없어 임어한 지 34년 동안 많은 어려움을 겪고 있다가 결국 만고에도 없는 변을 당하였습니다. 그리고 정치도 짐의 뜻대로 되지 않아 눈에 근심이 가득하였고, 늘 혼자 생각할 때는 등에서 땀이 줄줄 흘렀습니다. 그러나 지금 막대한 의식으로 걸맞지도 않는 제위帝位에 올리기 위해 진신搢紳들이 소장을 올려 간청하고 대신들도 장계를 올려 간청하고 있으며, 6군과 모든 백성들도 합문 밖에 엎드려 간청하고 있으니 상하가 서로 고집만 피우고 있으면 그칠 날이 없으므로 그 대동단결한 여론을 끝까지 외롭게 할 수 없어 오랜 시일 동안 상의한 끝에 부득이 여론을 따르기로 결심하였습니다. 그러나 이런 대사는 예의를 참작하여 시행해야 할 것입니다"

이날, 예경 금영수가 이 사실을 환구단圜丘壇에 고하기 위하여 환구단 옆에다가 의자를 마련하였다. 고종은 대위大位에 오른 후 태묘와 사직에 고사告祀를 하고, 정전正殿으로 환어하여 백관의 축하표전祝賀表箋을 받았다.

# 같은 해

『동경인류학회잡지』 제141호(1897)에, 시마무라島村孝三郎, 하야시林若吉, 이소베磯部武者五郎 등이 기증한 도쿄제국대학 소장의 삼국시대 토기가 스케치에 의

해 소개되었다[282]고 한다.

282 早乙女雅搏, 「신라고고학사」, 『일제강점기 신라고분 발굴조사 關聯資料集』, 국립경주문화재연구소, 2011, p.19.

# 1898년 9월

봉원사奉元寺 승 1명이 금을 탐하여 북한산 태고사에 있는 금불 1좌를 몰래 훔쳐가지고 오다가 순검에게 체포되었다.[283]


『동경인류학회잡지』 제150호(1898), 161호(1899)에 하야시林若吉, 히라타坪井正五郎, 도키土岐嶸, 이소베磯部武者五郎 소장의 삼국시대 토기가 스케치에 의해서 소개되었다[284]고 한다.


일본불교가 1877년 부산에 상륙한 이래 전국 각 처에 사원을 설립하여 1898년 현재 출장소를 포함 총 47개소로 늘었다.[285]

---

283 『皇城新聞』 1898년 9월 5일자.
284 早乙女雅搏, 「신라고고학사」, 『일제강점기 신라고분 발굴조사 關聯資料集』, 국립경주문화재연구소, 2011, p.19.
285 內部警務局 「日本人 設立寺院」 『韓國 警察統計』 隆熙3년(1899) 5월.
　　지역별로는 경성 19, 부산 6, 인천 4, 군산 4, 평양 5, 진남포 3, 원산 3, 대구 2, 신의주 1 개소이다.

# 1899년 2월 14일

2월 14일에 남문 밖 관묘關廟에서 실화失火하여 정전正殿과 비각碑閣을 소실했다.[286]

# 1899년 3월 1일

경운궁의 새로 건축한 정문에 대안문大安門이라 쓴 현판을 걸었다. 이어 문 앞 축대 공사도 시작하였다.[287] 현판의 글씨는 민병석閔丙奭이 명을 받아썼다.[288]

# 1899년 4월 5일

## 고려 현릉 제수물품 도난

고려 현릉顯陵에서 한식절제寒食節祭(양력 4월 5일)를 맞아 어떤 무지도한無知 盜漢이 고려 현릉 태묘에 침입하여 제수물품祭需物品을 훔쳐갔다. 4월 13일에 이 능관陵官은 고등재판소에 이 사실을 알리고, 이 능속該陵屬들도 다 중죄를 당하

---

286 『황성신문』 1899년 2월 16일자.
287 『독립신문』 1899년 3월 3일자.
288 『황성신문』 1899년 2월 15일자.

게 되었다.[289]

고려 태조 현릉의 제기로 알려진 것에는 청자순화4년명호(이대박물관 소장)가 있어 주목된다.


# 1899년 6월 5일

## 파리만국박람회 물품 구입 광고

내년 법국 서울 파리 만국 박람회에 기이 하고 희귀 하고 좋은 각종 물품을 친히 가지고 가서 팔려 하는 장사 사람이나 혹 물건 임자가 물건 값을 정 하여 보내려 하는 대한 첨군자는 양력 유六월 八일(음력 五월 초일一일) 내로 매일 오전 일곱 시로 부터 여덟 시 안에 진고개 나동 파성관으로 왕림하여 상의 하심으 바라옵나이다.

법국 사람 트레물레(『독립신문』 1899년 6월 3일자 광고).

來年法京巴里萬國大博物會에珍怪ㅎ고稀貴흔各種物品을帶往販賣ㅎ라는商人이나或如右흔物品의本主가定價만ㅎ야送賣ㅎ라는大韓僉君子는本年六月八日內(陰曆五月初一日)에每日아침七時로부터八時內에羅洞巴城旅宿館으로枉臨商議ㅎ심을望홈

法人 擄來物理 敬白

『황성신문』 1899년 6월 5일자 광고

---

289 『皇城新聞』 1899년 4월 14일자.

# 1899년 6월

## 도쿄제국대학 도서 전시

1899년 6월에 도쿄제국대학도서관에서는 도서를 전시하여 학계인사들이 관람할 수 있게 했는데 이때 조선에서 약탈 또는 매입한 상당수를 진열했다.

전시된 것 중 『군서치요群書治要』는 동활자본으로 임진왜란 때 약탈해간 것이다. 그 외 조선본으로 『동국문헌비고』 40책, 『계곡집谿谷集』 16책, 『이충무공전집』 기타 6종 등이 진열되었다.[290]

## 굴총 도적

평양의 김모는 그 지역의 고분을 도굴하여 파낸 유물을 암매하다가 평양 관찰부 순검에게 체포되었다.[291]

---

290 「東京帝國大學圖書館陳列品」, 『史學雜誌』 제10편 제7호, 1899년 7월.
291 『獨立新聞』 1899년 6월 14일자.

## 사찰을 훼철하고 무덤을 쓰려다 실패

고성군에 사는 부호 김의선이 고성군 안정사安淨寺를 훼철하고 자기의 친산親山을 묻으려다 승려와 군민의 저항으로 실패했다. 김의선은 그 분을 이기지 못하여 동민을 선동하여 민요民擾를 일으켜 감옥에 갇히게 되었으나 그의 동생 김일선이 주선하여 방면이 되었다. 김의선은 엽전 3만냥을 가지고 상경하여 고성군수를 얻으려고 도모하였는데, 고성군민들은 김의선이 고성군수가 되면 군민은 모두 어육魚肉이 될 것이라고 걱정한다고 한다.[292]

대개 사찰들이 자리한 곳은 명당자리라 하여 관리나 힘 있는 부호들의 노림을 당하기도 했다. 당시 산간의 한두 명 거주하는 힘없는 사찰이나 암자들은 관리나 힘있는 부호들이 석탑이나 부도 등을 넘어트리고 묘를 설한 곳이나, 폐사된 사찰도 상당히 있다.


회양군 금강산 장안사長安寺 해은각海恩閣에서 실화하여 해은각이 불탔다.[293]


---

292 『皇城新聞』 1899년 6월 27일자.
293 『황성신문』 1899년 8월 18일자.

# 1899년 9월 21일

## 경복궁 실화

9월 21일 새벽에 경복궁 내에서 실화失火하여 50여 칸이나 불타버렸다.[294]


# 1899년 11월

## 와다 유지(和田雄治)가 한국을 방문하다.

서울대학교 규장각 한국학연구원 자료에 의하면, 1899년 11월 10일자로 외부대신 박제순이 학부대신 이건하에게 보낸 '궁내부안宮內府安' 문서에, "일본공사 하야시 곤스케林權助에 따르면 제국군함 야마토大和함장 오오타太田盛實, 중앙기상대기사 와다 유지和田雄治가 경복궁, 창덕궁 관람을 청하고 있다"는 조회의 문서가보이며, 아울러 위 두 명의 관람을 윤허 받았다는 기록(11월 13일)도 보인다.[295]

『독립신문』 1899년 11월 21일자에는, "기상 관칙 협의. 중앙기상대 기사 일본사람 화전웅(치)씨가 한국에 왔는데 동양기상관측東洋氣象觀測의 연락할 것을 총세무사 불아운씨와 의론하고 22일에 귀국할 터이라더라"는 기사가 보인다.

---

294 『독립신문』 1899년 9월 23일자; 『황성신문』 1899년 9월 22일자.
295 한국사 데이터베이스, 『宮內府安』 奎 17801.

# 같은 해

월리엄 스터지스 비겔로(1850~1926)는 보스턴미술관에 30점의 한국 미술품을 기증했는데, 이 중 17점의 도자기류는 1899년에 텐만 왈도 로스(1853~1935)와 공동 명의로 기증했다.

이에 대한 자세한 내용은 정수형의 「보스턴미술관 한국미술품 소장사」(『미술자료』, 국립중앙박물관, 2013년 12월)에 조사되어 있는데, 기증품 중에는 세계적으로 유명한 '나전국당초문경함', 14세기 고려불화 '원각변상도', 조선초기 '삼장보살도', 안견풍의 '산수화', 이암의 작으로 판명된 '가응도' 등이 비겔로의 기증품이라고 한다. 비겔로가 구입한 것은 일본 체류 당시 극도로 궁핍해진 일본의 사찰을 돌며 수집하거나 몰락한 무사들이 헐값에 내놓은 물건들을 구입했을 것으로 추정된다고 한다.

# 1900년 4월

1900년 4월부터 강화 정족산성, 강릉 오대산, 무주 적상산성 및 봉화 태백산사고에 있는 열성조실록을 폭쇄曝曬하다.[296]

# 1900년 8월 8일

1900년 8월 8일에 고종황제가 이토 히로부미伊藤博文게 금배金盃 1개 및 표피豹皮 1령一領, 단선십병團扇十柄을 보냈다.

# 1900년 9월 14일

도쿄국립박물관에서는 9월 14일자로 분청인화문발粉靑印花文鉢을 구입하다.[297]

---

296 『官報』光武10년 4월 20일.
297 『東博圖版目錄』, 2007, 圖189.

# 1900년 10월 14일

## 경운궁 선원전이 실화로 소실되다.

선원전은 경운궁(덕수궁)의 동부 포덕문 안에 있었는데 1900년 10월 14일 경운궁 선원전이 실화로 불타버리고 7실 어진도 봉출하지 못하고 불타버렸다. 『매천야록』에는 "선원전에 화재가 발생하여 열성列聖의 진용眞容 7본이 모두 소각되었다. 고종은 함흥릉咸興陵의 선원전본璿源殿本을 모방하여 궐내에 건립한 전각殿閣에다가 봉안하였으나 한밤중에 화재가 발생하였다. 이때 청국 공사가 소화기를 가지고 대안문에 도착하였으나 고종은 무슨 변란이 일어날까 싶어 그들을 저지하였으므로 결국 다 타 버리고 말았다"고 한다.[298]

선원전은 원래 아관파천 직전까지 경복궁 안에 자리하고 있었으나 고종이 장차 환궁할 곳으로 경운궁을 다시 짓게 하면서, 명성황후의 빈전殯殿과 역대 임금들의 어진을 모신 선원전璿源殿도 이곳으로 함께 옮겨오게 하였으니, 그때가 1896년 8월 23일이었다.[299] 경복궁으로부터 모셔온 어진은 경운궁 즉조당即阼堂으로 이봉했다가,[300] 1897년 6월에 선원전이 완성되어[301] 다시 어진을 이곳으로 이봉하였다.[302]

---

298 『皇城新聞』1900년 10월 17일자에는 "厚謝救火. 일전 선원전 실화 시에 일본공사 林權助씨와 청공사 徐壽朋씨가 救火器具를 携率하고 대안문 앞까지 왔으나 궁내부 이지용 氏와 참리관 오인탁 氏를 兩公館에 派送하여 救火하려던 후의를 謝하였더라" 라는 기사가 보인다.

299 『梅泉野錄』3권, 1900년 조.

300 『高宗實錄』1896년 8월 31일자 기사.

301 『高宗實錄』1897년 6월 19일자 기사.

302 『高宗實錄』1900년 5월 18일자 기사.
　　太祖高皇帝의 御眞과 文祖翼皇帝의 어진을 璿源殿에 奉安하다.

일본공사와 청공사 측에서 화재 진압에 도움을
주고자 했으나, 이를 정중히 거절했다는 기사.
(『황성신문』 1899년 10월 17일 기사.)

선원전 어진을 소실하게 되자 영정
이모도감影幀移摹都監과 진전중건도감
眞殿重建都監을 합설合設하여 이모移摹
중건重建하게 하고 특별히 내탕전內帑
錢 5만원을 내려 양 도감의 비용에 보
충하게 하였다.[303]

이어 영희전永禧殿에 봉안奉安한 숙
종肅宗의 어진御眞, 냉천정冷泉亭에 봉안
한 영조英祖의 어진, 평락정平樂亭에 봉
안한 정조正祖의 어진, 영희전에 봉안
한 순조純祖의 어진, 평락정에 봉안한
어진을 1900년 음력 9월 28일에 흥덕
전興德殿에 이봉한 다음[304] 모사에 착수
하게 했다.[305]

이듬해 1901년에 영성문 안에 선원
전을 재건했다(영성문은 덕수궁의 북문으로 영성문안 선원전 일대를 '영성문
대궐'이라 불리었다). 이로 인하여 경운당에 봉안한 태조영정과 아울러 여러 곳
으로부터 가져온 열성어진을 동년 6월에 선원전에 봉안했다.[306]

---

303 『高宗實錄』 1900년 10월 14일자 기사; 『皇城新聞』 1900년 10월 15일자.
304 『高宗實錄』 1900년 10월 27일자 기사; 『高宗實錄』 1900년 11월 4일자 기사.
305 『皇城新聞』 1900년 11월 20일자.
306 小田省吾, 『德壽宮史』, 李王職, 1938.

# 1900년 10월 27일

## 1900년 야기 쇼자부로(八木獎三郎)의 조사

야기 쇼자부로八木獎三郎의 정찰적 성격의 조사는 1900년 10월 27일 부산에 도착한 이래 1901년 3월까지 행해졌다.[307]

야기가 처음 한반도에 발을 들여놓은 것은 청일전쟁 전인 1893년으로, 당시의 한국 여행은 극히 제한적이고 극비리 행해졌기 때문에 그 내용이 구체적으로 밝혀지지는 않았다. 1893년의 한국여행에 대해서는 『동경인류학회잡지』에 게재한 '한국통신韓國通信'에 일부 나타나 있다고는 하나,[308] 여러 사람이 인용한 내용에는 모두 구체적인 내용이나 목적 및 일정이 기술되어 있지 않다. 그리고 야기 쇼자부로八木獎三郎은 1915년 12월 17일자 『매일신보』의 「조선의 선사민속」에서, "나는 1900년에 처음 한국을 조사하기 위하여 당지에 출장하여" 조사를 시작했다고 기술하고 있기 때문에 야기의 공개적이고 정식적인 조사는 1900년 이후부터라고 할 수 있다.

야기는 1902년 4월에 『사학계』에 발표한 「한국탐험일기」의 서언에서 여행 목

---

307  每日申報』, 1917년 12월 11일자.
　　加藤灌覺의 「朝鮮陶磁器槪要」(『朝鮮史講座』, 朝鮮史學會同人, 1923, p.10)에 의하면, 明治31년(1898년 9월)경의 일로 생각한다고 하면서 동경제국대학 理科大學 人類學敎室의 八木獎三郎이 조선에 출장하여 각지를 여행하면서 여러 가지 조사를 하였다는 기록이 있으나, 加藤灌覺의 기록 외에는 보이지 않아 1900년의 조사를 잘못 기억한 것이 아닌가 생각된다.

308  앞 1893년의 八木獎三郎의 한국 조사 참조.

적을 "다년多年 내지內地의 유물 유적을 탐토探討한 결과 한국 조사가 필요한 것을 깨닫고"이를 실행에 옮겼으며, 또한 "여행 중에 보고 들은 것을 경과 순서로 기록하여 타일 도항자渡航者들에게 일조一助를 하고자 함"에 있음을 밝히고 있다.

또한 『고고계考古界』 제1편 제5호(1901년 10월), '야기 쇼자부로八木奬三郞씨의 한국행'에서, "본회 평의원 야기 쇼자부로八木奬三郞씨는 도쿄 이과대학으로부터 파견되어 작년 겨울부터 본년 여름까지, 수월 간 한반도에 인류학 연구 여행을 하고 <중략> 동씨同氏는 본년에 역시 동국 탐구의 명을 받아 본월 3일 당지로 출발"이라고 밝히고 있어 그의 조사활동은 도쿄제국대학의 명임을 알 수 있다.

도쿄제국대학 이과대학의 명에 따라 1900년과 1901년 2회에 걸친 여행에서 인류학, 고고학, 역사학적인 기초조사를 위해 그가 부산에 처음 도착한 것은 1900년 10월 27일이다.[309]

야기는 1900년 10월 27일 부산에 도착하여 인류학회 회원인 야하시 간이치矢橋寬一郞를 만나 한국 발견품 곡옥, 경감鏡鑑, 토기류를 열람하고, 모두 일본의 고분과 관계를 가진 것을 보고 기쁨을 감추지 못했다고 한다.

10월 28일에는 동행자 야마나카山中와 함께 여관 앞에 있는 용두산에 올라 소요하면서 산상의 사시를 둘러보았다. 그 후 11월 4일까지 일본인 거류지 내의 신사, 기념비, 가옥, 고성 등을 답사했다.[310]

10월 30일에 부산영사관에 가 여행에 필요한 사전 준비를 하고 11월 4일에 출발하여, 야하시와 야마나카를 포함 일행 5명은 부산진을 경유하여 동래에서

---

309 八木奬三郞,「韓國探險日記」,『史學界』第4券 4號, 5號, 1902년 4월, 5월.
310 八木奬三郞,「韓國探險日記」,『史學界』第4券 4號, 1902년 4월.

온천을 구경했다. 11월 5일에는 범어사의 유물을 조사하고, 11월 6일에는 통도사 유물을 조사했다.[311]

그 후 경상북도로 향하여 대구로, 대구에서 조령을 거쳐 문경으로 올라갔다. 문경에서 선사시대 것으로 추정되는 요석凹石 및 타제석부打製石斧와 같은 것을 채집하였다. 1915년 12월 『매일신보』에 「조선의 선사민족先史民族」이란 제목으로 발표한 글에는 대략 다음과 같이 기술하고 있다.

명치19년(1886) 12월 당시 원로원의관元老院議官으로 인류학회 회장 간다 고우헤이神田孝平는 개성에서 발견하였다고 칭하는 마제석검을 세상에 소개하였는데, 후 8년이 지나 동회의 간사 와가바야시 가쓰쿠니若林勝邦가 조선 발견의 동 석검으로 미국잡지상에 게재된 분分을 인용한 일이 있었고, 후에 또 4년여를 지나 황해도 봉산군 고분으로부터 출하였다고 칭하는 마제석족을 세상에 발표한 일도 있으니 이러한 등은 조신석기로 내지인간에 지실知悉된 것이나 당시 일본인의 고분 중으로부터 석제품이 출한 일을 숙견熟見한 학자 간에 있어서는 모두 이를 모조품으로 인정하였으니 이는 일본의 고분 중 나의 제3기에 가하는 것 중에는 실물대용품으로 당시의 소도小刀, 모鉾, 경鏡, 기타의 류를 소형의 석제물로 조성 매장하는 풍습이 많았으므로 인함이라.

다음에 나는 1900년에 처음 한국을 조사하기 위하여 당지에 출장하여 부산방면으로부터 경주지방을 순회하고 대구에 출하여 조령을 넘고자 하야 수일 후 문경에 달하였는데, 그 전방에서 일본의 석기시대에 본 것과 같은 요

311  八木奘三郎, 「韓國探險日記」, 『史學界』 第4券 5號, 1902년 5월

석凹石 및 타제석부打製石斧와 같은 것을 채집하였으니 이는 조선내서 순연한 선사주민의 유물 획득의 시작이나 석부는 그 확부確否를 결정하기 어려우므로 도리어 이를 발표하기에 주저하였도다. 당시 또 포천 지방에서 선사주민의 고분인 탱석撑石(지석묘)을 실견하고 또 촬영 귀래하여 탱석을 조선 최고의 고분으로 인식하였을 뿐이오. 그 진상을 알지 못하였으며, 이후 석기의 정품으로 학계에 보도함은 이마니시 류今西龍군인데 이로 유물이 차제로 세상에 출현하여 도리이鳥居, 와다和田 박사 및 나 등이 모두 정확한 품종을 득하는 동시에 유적도 발견하고 또한 나는 하나의 의문이던 탱석은 실로 선사주민분묘로 전게 풍산군의 분도 역시 동일한 고분임을 추찰하였노라.

조선의 석기는 30년 전부터 일본인의 손에 들어왔으나 처음에는 모조품이라 인정되었더니 지금에는 선사민족의 유물임을 확인함에 이르렀는데. 금년 추에 공진회의 출품물을 …..[312]

왕년 조선 연구를 위하여 팔도를 순회할 때 누차 조선인의 소위 탱석을 실견하고 그 구조상 최고의 유적으로 인정하여 이후 그 민족 및 시대 등을 분명히 하고자 하나 다소 고심한바 있으나 추히 소지를 달성하기 불능하여 당시 유감을 이길 수 없더니 선년 우연히 기회를 얻어 이 중에서 석기 인골 등은 발견하고 또 지인에게서 탱석 내의 석기를 얻어서 이에 비로써 선사민족의 유적됨을 확정하였노라.[313]

---

312  八木奘三郎,「朝鮮의 先史民族」,『每日申報』, 1915년 12월 17일.
313  八木奘三郎,「朝鮮의 先史民族」,『每日申報』, 1915년 12월 23일.

그의 탐사에는 평소 관심이었던 선사유물에 대한 조사를 겸하고 있음을 알수 있다. 또 그의 탐사에는 선사유물에 대한 조사와 함께 임진왜란 때의 왜군과 관련한 성지를 살핀 것이 주목된다. 그가 조사한 왜군과 관련한 성지城址의 분포지역을 다음과 같이 밝히고 있다.[314]

문록역 고성지 분포
1) 경상남도 부산진 산상
2) 경상남도 울산 서생포
3) 경상남도 낙동강 구포
4) 경산남도 마산 산방
5) 경상남도 사천
6) 경상북도 문경군
7) 경기도 죽산
9) 경기도 송정 일본임시전신대 주재지 근방

야기의 조사는 『사학계』에 11월초까지는 그 일정이 일부 나타나 있으나, 『사학계』 제4권 5호에 '미완未完'으로 표시하고 있으며 무슨 연유인지 그 다음호 이후에서는 그의 기록이 나타나 있지 않다. 이후의 일정에 대해서는 자세히 알수가 없다. 그 이후에도 그가 한국에 건너와 무엇을 어떻게 조사했는지 정식보고서가 나오지 않아 알 수 없다. 단지 1900년 12월 1일자 훈령 제21호를 보

314  八木奘三郎, 「韓國に現存する日本の古城蹟」, 『歷史地理』 제3권 제7호, 1901년 7월.

면 개성, 평양 등지를 여행했다는 것을 짐작케 하고,[315] 1901년 1월 7일자 훈령 제1호에 의하면 경기, 강원, 충청, 전라, 경상도까지 그 범위를 넓혀 조사했다는 것을 알 수 있다.[316] 당시 한국 정부는 야기에게 온갖 혜택을 제공했기 때문에 그의 조사는 순조로웠을 것으로 보인다.

---

315 理科大學員의 연구를 위한 행도에 편의를 제공하도록 해당 각 군에 훈령
　　문서번호 訓令 第二十一號
　　발송일 光武四年十二月一日(1900년 12월 1일)
　　발송자 議政府贊政外部大臣 朴齊純
　　수신자 沿途[自開城至平壤]各郡守 座下
　　결재자 主任 交涉 局長 課長大臣 協辦
　　駐京日本公使 照請 理科大學員 八木奘三郎 爲硏究古物 擬於十二月三日 遊歷開城平壤 等地 等因이기로 此를 準ᄒ야 護照를 繕發ᄒ고 玆에 訓令ᄒ니 該員이 到境이어든 安爲照料ᄒ야 免致阻滯가 爲可.
　　議政府贊政外部大臣 朴齊純 沿途[自開城至平壤]各郡守 座下 主任 交涉 局長 課長大臣 協辦 光武四年十二月一日 光武四年十二月一日 起案
　　[출처 : 국사편찬위원회 한국사데이터베이스 http://db.history.go.kr].
316 일본인 대학교수의 여행길 편의를 제공할 것
　　문서번호 訓令 第一號
　　발송일 光武五年一月七日(1901년 01월 7일)
　　발송자 議政府贊政外部大臣 朴齊純
　　수신자 沿途[自京畿 江原 忠淸 全羅 至慶尙道]各郡守 座下
　　결재자 主任 交涉 局長 課長大臣 協辦
　　駐京日本臨時代理公使照稱 大學在任 八木奘三郎 來九日 當地出發 遊歷 京畿 江原 忠淸 全羅及慶尙等因이기로 准此訓令ᄒ니 該員이 到境ᄒ거든 安爲照料가 爲可.
　　議政府贊政外部大臣 朴齊純 沿途[自京畿 江原 忠淸 全羅 至慶尙道]各郡守 座下 主任 交涉 局長 課長大臣 協辦 光武五年一月七日 光武五年一月七日 起案
　　[출처 : 국사편찬위원회 한국사데이터베이스 http://db.history.go.kr].

# 1900년 10월

## 검열 소홀로 유배

지난해(1899)에 강화부 정족산성 사고에 봉안한 실록을 폭쇄하고 봉고奉考했던 비서랑 이병소가 인조조 정축년 실록 2책이 없어졌다고 보고함에 따라 그 전해에 실록을 폭쇄하고 봉고했던 비서랑 이우만 등 4인을 유배시켰다.[317]

# 1900년 11월

## 검열 소홀로 유배

1900년 4월부터 강화부 정족산성 사고에 봉안한 실록을 폭쇄하는 과정에서 없어졌다던 2책을 찾아 다시 봉안奉安했으므로 이우만 등 4인을 유배에서 풀려나고, 전에 상세히 점검하지 않고 경솔하게 입주入奏했던 비서랑 이병소를 황주 철도로 삼년 유배시켰다.[318]

---

317 『官報』光武4년 10월 27일; 『황성신문』 1900년 11월 13일자.
318 『官報』光武4년 10월 27일; 『황성신문』 1900년 11월 13일자.

## 장충단(獎忠壇) 신설

元帥府軍務局

에來恭홀事

酹호너戰亡士卒의遺族은伊日班次

을設호고陰曆九月十九日正午에致

詔勅을奉有호야前南小營의獎忠壇

甲午以後戰亡士卒을致酹홀事로

廣告

전 남소영에 장충단을 설치하고
제사를 지낸다는 광고
(『황성신문』 1900년 10월 30일자)

장충단은 1894년 갑오전쟁(동학농민혁명)과
1895년 을미참변(명성황후시해사건) 당시 왕실
수호를 위해 희생당한 군인들의 충절을 기리기
위해, 1900년 11월에 남산 남소영南小營 터에 장
충단獎忠壇이 완공되자 11월 10일에 그 첫 제사
를 지내게 되었다.[319]

같은 해 11월에 작은 개천을 사이에 두고 동쪽
노변에 비를 세우고, 표면에는 예필로서 '장충단'
이라고 세글자를 새겨 넣었다. 1908년 6월 29일

장충단(『매일신보』 1913년 1월 23일자)

---

319 『황성신문』 1900년 11월 12일자, 12월 22일자.

칙령 제39호로 궁내부 소관 부동산 대부분이 국유화되자 장충단 건물과 비석은 11만 3,807평이 국유로 편입될 때 함께 국유화되었다. 그리고 같은 해 7월 20일 칙령 제50호 '향사정리건享祀整理件'을 발하면서 장충단 제사도 중단시켰다.[320]

# 1900년 12월 13일

도쿄국립박물관에서 '청자상감국화문명青磁象嵌菊花文皿'을 구입함[321]

## 같은 해

### 구한말 러시아인이 목격한 고려자기

구한말 러시아가 한반도에 대한 세력확장의 정책자료로 연구하여 1900년에 발행한 『한국지韓國誌』(원명은 KOPEN) 자기磁器, 도기陶器 조條에,

한국산 자기제품 가운데서 가장 유명한 것들은 여러 가지 종류의 찻잔, 물로 싸여 있는 벼랑 위의 문어, 비단뱀(그 주위에는 보통 나무줄기가 있으며 그것을 따라 줄장미가 감겨져 있다) 소나무 가지나 또는 복숭아나무를

---

320  서울특별시 시사편찬위원회, 『국역 경성부사』 제1권, 2012, p.645.
321 『東博圖版目錄』, 2007, 圖24.

묘사하고 있는 진귀한 물건들이다. 또한 극히 흔하게 보이는 것은 손잡이가 달려 있으면서 검푸른 색깔을 띠고 있거나 꽃다발로 장식되어 있는 목이 굵고 키가 큰 물주전자와 곡선을 따라 청색의 넓은 가장자리를 두른 물주전자이다. 그런데 여기서 되풀이해서 지적해야 할 것은 현재 한국에 있어서의 자기제조磁器製造는 완전히 몰락한 상태에 있으며 앞으로 언급한 모든 물품은 유럽의 박물관에 진열되어 있다는 것이다. 그리하여 이들 자기제품을 생산해낸 바 있는 이 나라에서는 능陵이나 고분을 발굴할 때에 이따금 발견되는 데 불과한 것이다. 송도松都에서 이러한 발굴작업이 이루어져 발굴된 그릇의 일부를 사기 위해 작업현장을 방문하였다. 칼즈는 이 발굴결과에 관해서 기술하였다. 이곳에서 발견된 차그릇은, 그의 말에 의하면, 유약으로 그림이 그려진 청자제품이 대부분을 이루고 있다고 한다. 이 차그릇에 그려져 있는 그림의 주선主線은 처음 도토陶土 위에 조각을 하고 나서 그 위에 유약을 진하게 바른 것임이 틀림없다고 하였다. 어떤 자기제품의 표면에는 부서진 자기조각이나 작은 돌로써 여러 가지 모양을 만들고 그 위에 유약을 발라 구워 내었다.[322]

1900년 이전에 이미 도굴현장이 러시아인들의 눈에도 띄었으며 이미 유럽에까지 그 도굴품이 팔려갔음을 말하고 있다.

---

322 『國譯韓國誌』(國譯論叢 84-1), 韓國精神文化硏究院, 1984.

# 1901년 1월 12일

미국공사관에서 한국 갑주甲冑를 매입한다는 광고를 내다.

# 1901년 3월 23일

백주에 도굴을 자행

영동군에서는 3월 23일에 무뢰배 30여 명이 백주 횡행하여
영동군 서면 심천리 등지에서 촌민을 결박 위협하며 굴총토재掘冢討財했다.[323]

# 1901년 5월 2일

백장암(百丈菴)의 화재

5월 2일에 전남 운봉군 산내면의 민가에서 불이나 민가 25호를 소진하고, 백
장암에 번져 불우 21칸 및 칠성각七星閣이 불탔다.[324]

---

323 『황성신문』 1901년 4월 25일자.
324 『황성신문』 1901년 5월 7일자, 5월 14일자.

# 1901년 5월 13일

## 개성 영통사(靈通寺) 화재

1901년 5월 13일 개성 오관산의 영통사靈通寺에 불이나 모든 전각이 불탔다. 『신증동국여지승람』에,

영통사: 오관산 아래 있는데, 골 안이 깊숙하고 산이 첩첩이 싸여 있으며, 물이 이리저리 굽이쳐 흐르고, 나무는 우거졌고, 그 서루西樓의 뛰어난 경치는 송도에서 제일이 된다. 절에 김부식이 지은 승통의천탑명僧統義天塔銘이 있고, 또 고려 문종의 화상과 홍자번의 화상이 있다.

영통사지(국립중앙박물관 유리건판)

영통사는 모든 전각과 전각 안에 있던 유물이 불탄 이후 다시 중건하지 못하고 대각국사비, 5층석탑, 동3층석탑, 서3층석탑 등이 폐사지에 남아 있었는데, 수차의 조사를 거쳐 1931년 6월에 이들 석조물들을 보물로 지정했다.


# 1901년 6월

도쿄국립박물관에서 청자상감문륜화형배靑磁象嵌文輪花形杯 1점을 구입하다.[325]


# 1901년 9월 19일

## 일본인이 창덕궁의 화첩(畵帖)을 도려가다 체포

9월 19일에 일본인 2명이 창덕궁 낙성재에 들어가 주련珠聯, 화첩畵帖 9장을 도려내 가자 궁을 지키는 순검이 이들을 체포하여 일본영사에 이들의 불법 행위를 설명하고 경부로 압송했다.[326]

---

325 『東博圖版目錄』, 2007, 圖128.
326 『황성신문』1901년 9월 21일자.

# 1901년 10월

## 야기 쇼자부로(八木奘三郎)의 한국 조사

야기 쇼자부로八木奘三郎는 1900년 10월부터 1901년 3월까지 한국에 대한 조사를 마치고, 2차로 1901년 10월초부터 11월까지 경상도 전라도는 물론이고 평양, 의주, 원산 등지에 이르기까지 살핀 것으로 나타나 있다.[327]

그가 당시 조사한 것을 대략 살펴보면, 야기는 부산에 도착하여 범어사, 통도사 등을 조사하고 경성으로 올라와 궁궐, 성문, 산성 등에 대해 간략하게 조사한 다음 전국적으로 조사를 확대한 것으로 보인다.[328]

특히 한국의 불탑佛塔에 대해 상당한 조사를 한 것으로 보이는데, 「한국불탑론」에서는 각도의 중요한 탑의 소재지를 명기하고 있다.

경상도 양산군 범어사, 양산군 통도사, 경상도 경주, 경상도 문경, 경상도 인동군 왜관역 근방, 전라도 익산, 충청도 부여, 충청도 목산, 충청도 충주군 탑평, 경기도 이천, 경기도 경성,[329] 경기도 여주, 경기도 송도, 강원도 금강산 신계사,

---

327 『考古界』第1篇 第6號, 1901년 11월.

328 八木奘三郎, 「韓國京城論」, 『考古界』第1篇 第1號, 1901년 6월.
八木奘三郎, 「韓國考古資料通信」, 『考古界』第1篇 第6號, 1901년 11월.

329 MH生, 「地歷上小譯(續)」, 『大韓興學報』제6호, 1909년 10월에는 다음과 같은 구절이 있다.
(C) 國士의 寒水石塔 記事
明治 三十五年(1902) 國士에 八木奘三郎氏의 韓國王宮이라난 一篇이 有ᄒ고 其 結末에 此 塔의 記事가 有ᄒ니 卽 塔은 寒水石으로 製造ᄒ 것이니 京城 內에 在ᄒ며 前日에난 松都에 在혼 듯 ᄒ나 現朝에서 京城에 移置혼 것 갓도다. 時代난 高麗時代나 製作地난 韓支에 確定이 無ᄒ고 石質上으로 論ᄒ면 韓物이라 ᄒ얏스나 其 說은 要領이

강원도 금강산 유점사, 강원도 탑동, 함경도 석왕사, 황해도, 평안도 평양, 평안도 성천 등이며, 이 외도 사원의 폐허 및 현존의 대사찰에 많은 불탑이 있다고 기술하고 있다.[330] 이 중에서도 탑평리의 탑에 대해서는 지명의 유래와 탑의 구조 등을 구체적으로 기술하고 탑사진을 게재하고 있다.[331] 『고고계』 제1편 제9호에 실린 여주 신륵사전탑과 충주 탑평리탑(중앙탑)사진은 현재까지 발견된 사진 중에서 가장 오래된 사진으로 추정된다.

1900년-1901년에 촬영한 여주 신륵사전탑
(『考古界』第1篇 第9號에 게재)

『고고계』 1902년 4월호에는 1902년 3월 30일사 『시사신보』에 실린 야기의 「조선고고담朝鮮考古談」을 옮겨 실었는데 그 내용은 조선의 고분과 부장품에 대한 일반적 설명이다. 야기는 고분을 탱석撑石, 고려총, 후고려의 고분 등 시대 순으로 3종으로 구분하고 있다. 고려총에는 토기, 동기, 철류 등이 부장되어 있음을 기술하고, 후고려 고분에서는 고경, 마구, 부斧, 전도剪刀, 시匙, 고전古錢, 고려자기 등이 부장되어 있음을 설명하고 있다. 또 고분의 분포를 설명하여 탱석은 평안도,

明白치 못호니 一分 價値가 無호도다.
330  八木奘三郞, 「韓國佛塔論」, 『考古界』第1篇 第8號, 1902년 1월.
331  八木奘三郞, 「韓國佛塔論」, 『考古界』第1篇 第9號, 1902년 2월.

경기도에 있고, 두 번째의 고려총은 경상도 및 전라도가 본장本場이고 경기도 서북지역에는 극히 적다고 하고 있다. 셋째의 후고려의 고분은 경기도의 송도에 가장 많다고 하고 있다. 연와분煉瓦墳은 대동강 부근지역에 있다고 하며,[332] 이어 고려자기에 대한 설명까지 곁들이고 있다.[333] 이런 등으로 보아 그가 직접 고분을 발굴했는지는 알 수 없지만 최소한 전국을 답사하면서 도굴된 고분들에 대해 상당한 조사를 했을 것으로 추정된다.

또 야기는 한국도자기를 시대적으로 분류를 하고 있는데, 제1기 신라소新羅燒, 제2기 고려소高麗燒, 제3기 조선소朝鮮燒로 분류하고, 신라소는 소소素燒와 축부소祝部燒로 분류하고, 고려소는 청고려靑高麗와 백고려白高麗, 조선소는 청회수靑繪手와 소소素燒로 다시 분류하고 있다. 또 기술상의 분류로는 소소素燒와 유소釉燒로 분류하고 소소는 적소赤燒와 청서소靑鼠燒로 나누고 유소釉燒는 청유무지소靑釉無地燒, 청유모양수소靑釉模樣手燒, 백유소白釉燒, 상안입소象眼入燒, 청회수소靑繪手燒로 분류하고 있다.[334] 이런 조사는 후일 이왕가박물관에 근무하면서 특히 전국 도요지를 조사한 것과 무관하지 않는 것 같다.

야기의 조사는 세키노의 한국건축조사에도 일조를 했을 것으로 보인다. 1902년 세키노가 한국건축조사 후 1904년에 간행한 『한국건축조사보고』의 '만

---

332 「八木奘三郎君の朝鮮考古談」, 『考古界』 第1篇 第11號, 1902년 4월호.
333 八木奘三郎, 「韓國の美術」, 『考古界』 第4篇 第2號, 1904년 7월.
　　한국도자기 시대적 분류
　　제1기 新羅燒, 제2기 高麗燒, 제3기 朝鮮燒로 분류하고, 신라소는 素燒와 祝部燒로 분류하고, 高麗燒는 靑高麗와 白高麗, 조선소는 靑繪手와 素燒로 다시 분류하고 있다.
　　또 기술상의 분류로는 素燒와 釉燒로 분류하고 素燒는 赤燒와 靑鼠燒로 나누고 釉燒는 靑釉無地燒, 靑釉模樣手燒, 白釉燒, 象眼入燒, 靑繪手燒로 분류하고 있다.
334 八木奘三郎, 「韓國の美術」, 『考古界』 第4篇 第2號, 1904년 7월.

월대' 조에서 고려왕궁지를 기술함에 있어서, "우인友人 야기 쇼자부로八木奘三郎 씨가 일찍이 여기를 다녀가 그 조사한 도면을 기여함에 의하여 이를 게재하여 설명이 불충분한 곳을 돕고, 이울러 유지의 상황의 일반을 표시하려한다"라고 하고 있어 야기는 고려왕궁지에 대한 도면까지 그렸음을 알 수 있다.

그가 한국 정부의 온갖 특혜를 받아가면서[335] 조사한 기간은 다음과 같이 밝히고 있다.

여사한 신 사실을 하루라도 속히 소개함은 자기의 천직인 것 같이 믿고 부산에 도착 후 약 6개월간 삼남, 경기, 황해, 평안도를 답사하고 익년 3월에 1차 내지로 귀환하고 동년 10월에 재차 도래하여 서북동의 3도 즉 평안, 함경, 강원의 지방을 순람하여 그 12월에 귀경하였소. 대저 당시의 여행은 지금 생각하면 노력은 많고 공은 적어 타인의 기대는 이무가론以無可論이고, 자기의 희망과 포부와는 그 10분의 1도 달하지 못하였소.[336]

그가 1900년 10월부터 1901년 사이에 한국을 조사한 기간은 대략 8-9개월 정도로, 한국 전토에 대한 일반적인 조사를 하고 돌아갔지만 그가 어떤 유물을 가지고 갔는지 구체적으로 밝혀진 것이 없다. 기록으로 보면, 문경에서 선사시대 것으로 추정되는 요석凹石 및 타제석부打製石斧와 같은 것을 채집한 것이 있

---

335　八木奘三郎이「韓國考古資料通信」(『考古界』第1篇 第6號, 1901년 11월)에서, 한국 구시의 대장대신 등이 차고 다니던 검을 野津 中佐와 林 공사가 지니고 있는 것을 기록한 것으로 보아 한국주재의 일본 권력층과도 밀접한 관계를 가지고 있었을 것으로 보인다.
336　『每日申報』, 1917년 12월 11일자.

고, 평양의 고분에서 전塼을 발견하고[337] 개성 등지에서도 와瓦를 발견한 것으로 기술하고 있다. 도쿄국립박물관에 한국 풍속과 관련한 유물을 기증한 건이 보이고 있는데 다음과 같은 것이 있다.

| 품목 | 개수 | 출토지 | 반출 시기 | 비고 |
|---|---|---|---|---|
| 凹石 및 打製石斧 | | 경북 문경 | 1900년 | 1915년 12월 『매일신보』 |
| 고려왕궁지 圖面 | | 개성 | | 『韓國建築調査報告書』(1904) |
| 冠紐 | 1 | | 1901년 | 동경국립박물관 소장. 『收藏品目錄』, 1956. |
| 煙管 | 1 | | 1901년 | 동경국립박물관 소장. 『收藏品目錄』, 1956. |
| 塼 | | 평양의 고분 | 1900년 | 井內功, 『朝鮮古瓦塼圖譜』, 井內古文化研究室(1981) |
| 瓦 | | 개성 등지 | 1900년 | 井內功, 『朝鮮古瓦塼圖譜』, 井內古文化研究室(1981) |

세키노의 한국 조사가 62일에 걸쳐 이루어 진 것에 비해 야기의 조사는 8-9개월 조사로서 그 기간도 4배 이상이나 된다. 뿐만 아니라 세키노는 경주, 개성, 경성을 중심으로 이루어진데 비해 야기의 조사는 전국에 걸친 조사로서 그 범위가 방대하다. 그러나 야기의 조사 기록은 너무 소략하나. 야기의 조사는 한국에 대해 고적, 풍습 등 광범위한 것으로 일본국의 입장에서 보면 그가 목적에서 기술한 바와 같이 후일 다른 연구자를 위해 전반적인 기초 조사에 임하고자 했던 것이다. 이는

---

337 井內功의 『朝鮮古瓦塼圖譜』(井內古文化研究室, 1981)의 '總說' 편에 의하면, 八木이 평양에서 塼을 발견한 사실은 八木이 그의 은사 坪田 박사에게 보낸 1900년 12월 20일부로 보낸 通信文(八木奬三郎 「韓國短信」, 『東京人類學會雜誌』 제16권 178호, 1901년에 게재)에서 밝히고 있다고 한다.

세키노의 건축분야의 좀 더 깊이가 있는 조사를 가능케 했던 것이다.[338]

# 1901년 12월 9일

도쿄국립박물관에서는 12월 9일자로 전남 강지 출토의 청자주형용기青磁舟形用器와 청자앵무문발青磁鸚鵡文鉢 외 청자 2점을 구입하다.[339]

---

338 이상,『우리 문화재 반출사』.
339 『東博圖版目錄』, 2007.

# 1902년 1월 25일

## 한국연구회 설립

한국에 건너온 일본 관리 및 어학생들은 한국을 연구하기 위해 1902년에 '한국연구회'를 조직하여 한국에 대한 역사 문물 등 자료를 수집 연구하여 일제강점의 기초 마련을 준비했다.

1902년 1월 25일 시데하라 히로시幣原坦 문학사의 주창으로 오오에大江의 집에서 다케우치竹內, 시데하라幣原, 고쿠분國分, 시오가와鹽川, 나카지마中島, 다나카田中, 오오에大江가 한국연구회를 발회했다. 이후 매월 25일에 연구회를 가지는 것으로 했다. 이래 매월 1회 회합을 개최하고 회원 각자 연찬한 결과를 피력한다. 점차 그 연구한 바를 세상에 공개하기로 했다.[340]

제2회는 동년 2월 25일 시데하라幣原의 집에서 가졌는데, 이때 기쿠치菊池, 아유카이鮎貝가 합세해서 9명으로 늘어났다. 1902년 9월에는 『(한국연구회)담화록』이란 한국연구 책자까지 발간했다.[341] 1902년 10월에 서울에서 설립된 한국연구회는 월례연구담화회를 개최히어 그 기사를 '한국연구회담화록'이라는 이름으로 간행했는데 이는 1902년 9월에 제1호를 내기 시작하여 1905년 7월 제4호로서 끝이 난다.

이들 중에서 활발한 연구발표를 한 사람은 주로 대한제국 정부에 의해 고용

---

340 「韓國研究會」, 『史學雜誌』 제14편 7호, 明治36년 7월, p.98.
341 韓國研究會, 『(韓國研究會)談話錄』, 明治35년 9월.

되어 학부 또는 관립학교 등에서 일하던 사람이었다. 이들은 일본인들의 조선 내 활동에 실제적인 도움이 되는 실용적인 내용 보다는 조선 문화에 대한 문헌적 연구에 치중하였으며 주제도 상당히 전문화시켜 학구적인 태도를 보였다. 이들은 이런 점에서 일인들이 본격적인 연구 활동의 초기담당자라 할만하다. 한국연구회는 실업가, 외교관, 교사들에 의해 설립된 단체로서 1902년부터 1905년까지 활동했는데 아마도 한국연구회가 한국에 관한 일인들의 학문연구 조직으로 처음의 것이 아닌가 한다.

# 1902년 2월

## 도쿄제실박물관의 신진열품

일본공사관 서기로 한국에 와있던 야마요시 모리요시山吉盛義는 이토 히로부미보다 훨씬 앞서서 고려자기를 수집하여 일본으로 반출하였다.[342] 이 자가 어떤 식으로 고려자기를 수집했는지는 밝혀지지 않았다. 그러나 1902년 2월에 도쿄제실박물관에서는 진열실의 진열품을 일부 교체를 하였는데 이때 야마요시 모리요시山吉盛義가 한국에서 수집한 고려청자 등이 진열되었다. 그 수가 무려 200여 점이나 되어 거의 1실을 점하였다고 한다. 그 중에는 '청자기린향로', 청

---

342 관보 光武2년(1898) 9월 16일자에 의하면 伊藤博文이 내한할 때 일본공사관 서기 山吉盛義가 그를 맞이한 기록이 보인다.

자상감다완, '고려백자기명'등의 일품이 속해 있었다.[343]

　세키노는 1902년에 한국에 왔을 때 고려자기를 수집한 일본인들을 만나고 귀국한 후에 1904년 도쿄제국대학조사보고서로 제출한『한국건축조사보고』에서, "나는 경성 및 개성 재류의 일본인에게서 이들 도기의 다수를 보았다 야마요시山吉盛義 또한 일찍이 한국공사관에 재직시 이것을 수집하여 거의 수 백 점에 이르렀다. 지금은 도쿄제실박물관에 1실을 마련하여 이것을 진열하였다"[344]하고 있다. 또 도쿄제실박물관과 야마요시 모리요시山吉盛義가 소장하고 있는 고려자기의 모양을 제시하고 있는데 각종 형태를 망라하고 있다. 이는 야마요시가 수집한 고려자기가 얼마나 다양하고 많은 량을 수집하였는지를 알 수 있게 한다.

　야기 쇼자부로八木奘三郎에 의하면, 야마요시는 이즈음에 이미『고고려요원류古高麗窯源流』라 제한 분류표까지 작성했다[345]고 하니 고려자기 수집과 아울러 상당한 연구가 있었을 것으로 보인다.

　야마요시山吉는 한국에서 입수한 고려청자를 가지고 귀국 후에 사진집을 만들었다.『고고려미흔古高麗美痕』이란 제목의 이 사진집에는 우수한 고려청자가 수록되어 있으며, 일부는 1896년 개성 부근의 고분에서 출토된 것이라고 한다.[346] 이는 당시 고려청자에 대한 일본인들의 호기심을 자극하기에 충분하였던 것이다.

---

343　考古學會,『考古界』제1編 제9號, '彙報', 1902년 2월, p.60,

344　關野貞,『韓國建築調査報告書』, 1904, p.105.

345　八木奘三郎,「韓國の美術」『考古界』제4扁 2號, 1904년 7월, p.74.

346　長谷部樂彌,「高麗 古陶磁の再發見」,『陶磁講座』제8卷, 雄山閣, 1973.

# 1902년 5월

환구단 석고石鼓 건축에 소용할 석재오좌石材五坐를 용인군 백운사白雲寺로서 옮겨오기로 했다.[347]

# 1902년 3월 10일

일본국민동맹회日本國民同盟會의 창립자로 조선 사정에 밝은 구니도모 시게아키國友重章 및 쓰네야 세이후쿠恒屋盛服 기타 100여 명이 한국에서 실리적 사업을 일으키려는 목적으로 '조선협회'를 설립하려고 1902년 3월 10일 도쿄에서 발기인대회를 가졌다.[348]

# 1902년 7월 2일

### 세키노 타다시(關野貞)의 한국건축조사

야기 쇼자부로八木奘三郎의 정탐적 조사 이후 7개월이 지나, 도쿄제국대학의

---

347 『皇城新聞』 5월 26일자.
348 『皇城新聞』 1902년 3월 14일자.

명으로 세키노 타다시關野貞가 한국 고건축조사를 위해 1902년 7월에 한국에 건너왔다.

도쿄제국대학의 세키노 타다시關野貞가 이 땅에 발을 들여놓게 됨으로서 저들에게는 조선을 삼키기 위한 사전 정보 수집 차원일지 모르나 이는 한국문화재에 대한 본격적인 수탈의 시작이라 볼 수 있다.[349] 이때부터 세키노 타다시關野貞는 62일간에 걸쳐 한국 땅을 살피면서 궁궐, 절터, 무덤, 비석, 공예품 등을 조사하였다.[350]

1902년 6월에 한국건축조사를 명받고 30일 일본에서 출범하여, 7월 2일에 부산에 도착했다. 이어 부산, 마산, 목포, 군산을 기항하여 7월 5일 인천에 도착하여 경성으로 들어와 그 부근을 조사했다. 7월 22일 개성에 도착하여 일대를 조사하고 30일 풍덕군을 지나 31일에 재차 인천을 거쳐 경성에 귀착했다. 8월 9일 인천을 출범하여 8월 11일 부산에 도착하고 14일에 부산을 출발하여 동래, 양산을 거쳐 18일에 경주에 도착하여 경주 일대를 조사했다. 다시 영천, 대구를 지나 가야산을 거쳐 마산포를 출발하여 8월 30일 재차 부산에 도착. 9월 4일 부산을 출발 일본으로 향한 것으로 나타나 있다.[351]

---

349 『考古界』第2篇 第2號(1902년 7월)의 <彙報>란에 나타난 「關野貞氏の朝鮮古建築調査」를 보면, "회원 공학사 關野貞씨는 東京帝國大學의 命으로 조선에서의 고건축조사를 위해 6월 26일 당지를 출발 조선으로 향했다. 조사에 필요한 일수는 무려 5, 60일"이라고 하고, "우리들은 關野씨가 조사를 마치고 돌아올 날을 기다린다"라고 하며, 출발 전부터 일본 고고학계의 초미의 관심사로서 큰 기대를 가지고 있었다.

350 關野貞,「韓國建築調査報告」,『東京帝國大學工科大學 學術報告』第6號, 東京帝國大學 工科大學, 明治37년(1904) 7월.

351 關野貞,「韓國建築調査報告」,『東京帝國大學工科大學 學術報告』第6號, 東京帝國大學 工科大學, 明治37년(1904) 7월; 藤井惠介, 早乙女雅博 외 2명 편,『關野貞アヅア踏査』, 東京大學總合硏究博物館, 2005, p.237.

세키노의 일기[352]에 따라 그 일정을 대략 살펴보면 다음과 같다.

| 조사일정 | 날씨 | 조사내용 |
|---|---|---|
| 1902년<br>7월 2일 | | 오후 6시에 부산에 도착, 영사관에 들러 용두산에 오름<br>일본인 시가를 순람, 다시 영사관사에 들러 시데하라 기쥬로(幣原喜<br>重郞) 영사를 방문하여 그의 형 시데하라 히로시(幣原坦)의 소개장<br>을 얻어 오후 3시에 출범, 오후 7시에 마산포에 도착, 8시에 출범 |
| 7월 3일 목 | | 오후에 목포에 도착. 오후 6시에 출범 |
| 7월 4일 금 | | 오전 6시에 군산에 도착, 오후 4시 10분에 출범, 목포영사관<br>군산분관에 이르러 영사관을 면회하고 일본가를 돌아봄 |
| 7월 5일 토 | | 군산을 출범하여 오후 1시 반에 인천에 도착, 4시 50분에 열차를<br>타고 7시에 경성에 도착, 巴城館에 투숙, 오후 8시에<br>아키하라(秋原), 시데하라 히로시(幣原坦)을 방문했으나 부재 |
| 7월 6일 일 | | 오전 7시에 추원이 방문, 함께 창경원에 이르러 정전,<br>인정전 및 기타 건물을 일람, 인정전 사진 10장을 촬영 |
| 7월 11일 금 | | 창경궁을 보아 봄 |
| 7월 12일 토 | 비 | 용산 한강 등지를 답사 |
| 7월 13일 일 | 비 | 지난 밤부터 비가 많이 옴 |
| 7월 14일 월 | 비 | 경복궁 조사 |
| 7월 15일 화 | 비 | 남대문, 남묘 조사 |
| 7월 16일 수 | 비 | 창덕궁 조사 |
| 7월 17일 | 비 | 오전에 공덕리에 이르러 대원군묘를 답사 |
| 7월 18일 금 | 흐림 | 시데하라(幣原)와 함께 종로의 대종을 조사 |
| 7월 19일 토 | 흐림 | 이준영의 댁을 조사 |
| 7월 20일 일 | 맑음 | 북한산성을 조사 |

---

352 關野貞硏究會 編,『關野貞日記』, 中央公論美術, 2009.

| 조사일정 | 날씨 | 조사내용 |
|---|---|---|
| 7월 21일 월 | 맑음 | 경성을 출발하여 고양 벽제역을 지나 오후7시에 파주에 도착, 군수관사에 투숙 |
| 7월 22일 화 | 맑음 | 오전6시에 임진강을 건너 장단에서 중식, 오후 6l에 개성에 도착 |
| 7월 23일 수 | 비 | 고려궁지 및 홍씨충의지비를 조사하고 지사를 방문 |
| 7월 24일 | 흐림 | 선죽교, 성균관, 경덕궁, 고려궁지, 관묘 등을 조사 |
| 7월 25일 | | 한국경관의 호위를 받아 보봉산, 화장사를 조사 |
| 7월 26일 | 종일 비 | |
| 7월 27일 | 맑음 | 개성 남대문 및 대종을 조사 |
| 7월 28일 | | 대흥산성, 대흥사, 관음사를 조사하고 민가에 투숙 |
| 7월 29일 | | 관음사를 조사 |
| 7월 30일 | | 경천사탑 조사 |
| 7월 31일 | | 경성에 도착 |
| 8월 3일 | | 창덕궁 조사 |
| 8월 4일 | | 경복궁 조사 |
| 8월 5일 | | 인천에 이르러 영사를 면담, 동국여지승람을 봄 |
| 8월 6일 | | 경복궁의 명정전, 홍화문, 명정문을 조사 |
| 8월 7일 | | 동소문외 정릉, 흥천사를 조사 |
| 8월 8일 | | 여러 인사들을 면담 |
| 8월 9일 | | 오후 2시에 인천에 도착, |
| 8월 11일 | | 부산에 도착, 해안을 돌아봄 |
| 8월 12일 | | 오전에 영사의 소개로 부산의 호고가(好古家) 모씨를 방문하여 불상, 도자, 회화 등을 관람 |
| 8월 14일 | 흐림 | 제반 준비를 하고, 말을 타고 동래에서 중식을 하고, 오후 5시에 범어사에 도착 사진 6매를 촬영 |
| 8월 15일 | 흐림 | 오전 10시에 범어사를 출발, 오후 7시에 양산 통도사에 도착 |

| 조사일정 | 날씨 | 조사내용 |
|---|---|---|
| 8월 16일 | 비 | 통도사를 조사, 사진 6매 촬영, 오후에 계속 비가 와서 출발을 하지 못하고 통도사에서 조사 및 사진 촬영 |
| 8월 17일 | 흐림 | 통도사를 출발, 언양 등 조사 |
| 8월 18일 월 | 비 | 정오에 경주 도착, 오후에 폭우가 계속, 남문종루의 대종(봉덕사종)을 조사 |
| 8월 19일 | 흐린 후 비 | 분황사9층탑, 월성, 석빙고, 내물왕릉, 미추왕릉, 첨성대 등을 조사 |
| 8월 20일 | 맑다가 흐림. | 불국사 석탑 및 유물을 조사 |
| 8월 21일 | 흐리다가 맑음 | 백률사, 서악서원, 태종묘 등을 조사 |
| 8월 22일 | 흐림 | 금척리 고분군을 돌아보고, 영천에 도착, 영남루 근처 여관에 투숙 |
| 8월 23일 | 맑음 | 구암사3층석탑을 조사, 황혼에 대구에 도착 |
| 8월 24일 | 흐림 | 성주군에 도착 |
| 8월 25일 | 흐림 | 해인사를 향해 출발 |
| 8월 26일 | 흐림 | 해인사 건축 및 팔만대장경 등 유물을 조사 |
| 8월 27일 | 흐린 후 비 | 해인사를 출발하여 마산포로 향함 |
| 8월 28일 | | 영산군 돌아봄 |
| 8월 29일 | 비 | 창녕군 상포에 도착 |
| 8월 30일 | 비 | 김해를 경유하여 부산에 도착 |
| 8월 31일 | 비 | 영사관을 방문 |
| 9월 1일 | 종일 비 | |
| 9월 2일 | 종일 비 | |

세키노는 이 조사에서 처음 그가 기대했던 것과는 차이가 있었음인지 그가 일본으로 돌아간 후, 1902년 당시 『고고계』의 서술에는 "지난 6월말에 도쿄제 국대학의 명으로 조선의 고건축조사를 위해 동국을 여행하다가 9월 중순에 무

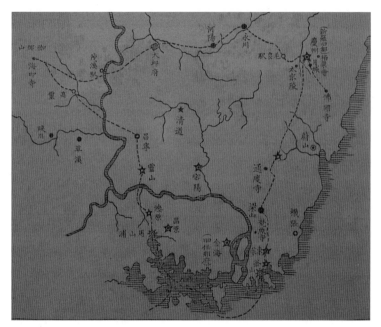

경상도 지역 조사 노선도(점선)

사히 귀조하였다. 씨의 담화로 동국(한국)에는 3백년 이외의 건축물이 매우 드문데 대해 크게 실망을 했다"[353]고 하고 있다.

세키노는 일본으로 돌아간 후 1차적 발표로『고고계』제3편 제2호(1903년 7월)에「신라시대의 유적」을 발표하였다.

이후 1904년에『한국건축조사보고』『東京帝國大學工科大學 學術報告』第6號로 발표했다. 한국에서의 조사내용을 정리 집대성하여 보고서 형식으로 1904년 7월에 도쿄제국대학 공과대학에서 비공개리에 활판 인쇄하였는데, 이 보고서(『한국건축조사보고』)는 본문 252쪽, 도판363도圖版363圖로 이루어진 방대한 자료이다.

353「關野貞氏の歸朝」,『考古界』第2篇 第5號, 1902년 10월.

세키노가 1904년에 제출한『한국건축조사보고』는 한국 건축 유물에 대한 최초의 학술보고라 할 수 있다. 하마다 고사쿠濱田耕作는 이 같은 세키노의 실적에 대해 "세키노 박사의 한국에서의 조사는 실로 일본의 고고학 연구가 처음 국외로 진출하여 그 범위를 외국으로 확대한 최초의 사건으로 영구히 기억될 것이다"라고[354] 기술하고 있다. 물론 그들 학자들에게는 한국문화재의 지침서가 될 수 있었을지 모르나, 결국 한국문화재 약탈을 부추겨 일본의 도굴배盜掘輩 등을 불러들이는 하나의 계기와 도표圖表가 되었던 것이다.[355]

세키노는 1908년에『한국건축조사보고』를 포함한 논문 4편으로 박사학위를 요청했는데,『한국건축조사보고』에 대한 당시 평의 요지 서두에는 "본편 저서는 일찍이 친히 한국의 일부를 발섭跋涉하여 그 수집한 재료를 역사 순서로 분류 배열하여 상세하게 기술"한 것이라고 하고 있다.[356] 이로 세키노는 1908년 4월에 문부대신 공학박사 학위를 수여받게 되었다.

그런데『한국건축조사보고』에는 조사의 목적이 기술되어 있지 않다. 단지 그 '서

354 濱田耕作,『考古學硏究』, 座右寶刊行會, 1939, p.290.
355 그 대표적 예로서, 불국사 사리탑의 반출과 경천사지10층석탑의 반출을 들 수 있다.
　　關野는 1902년 처음 한국에 와 한국건축도사를 할 때 개성에서 많은 원조를 받고 신세를 진 자에게 그 고마움을 표하기 위해 1904년에 출간한『韓國建築調査報告』한 책을 주었다. 그런데 이것은 그 자에게 掠奪物에 대한 정보를 제공한 결과를 초래하여, 책을 받은 자는 1906년 이 책에 나타난 불국사 사리탑을 寺僧에게 몇 푼의 돈을 집어주고 東京으로 가져가 버렸다.
　　또 田中光顯은 1907년 한국 황태자의 가례를 축하하기 위해 한국에 왔다가 개성 부소산의 경천사지10층탑을 일본으로 불법 반출하였다. 한국에 와 본적이 없는 전중이 이 탑에 대해 알 만무한 일이다. 그러나 그는 일본에서 關野의『韓國建築調査報告』를 주의 깊게 읽고 이미 점을 찍어 두었던 것이다.
356 「評論及彙報」,『歷史地理』제12권 제1호, 1908년 1월, pp.76-77.

언緒言'에 "관명官命을 받아 한국건축조사를 위하여 한국 땅에 건너가서 오로지 이런 점에 주목하고 연구에 힘썼으나…"로 기술하고 있을 뿐이며, '관명官命'즉 일본정부日本政府의 명命이 무엇이었는지는 전혀 언급이 없다. 이처럼 조사의 목적을 누락시킨 것은 대외적으로 밝히기 어려운 일제의 의도와 목적이 있었기 때문일 것이다.

그가 '서언緖言'에서 밝히기를,

처음 나의 출발에 즈음하여 다쓰노辰野 공과대학장은 특별히 명령하기를 한국건축의 사적史的 연구를 목적으로 하고, 또 말하기를 될 수 있는 대로 넓게 관찰하라, 깊지 않더라도 관계없다고 하였다. 나는 이 명령을 명심하고 한국에 있어서의 중요한 유적은 모두 한번 보려고 마음을 먹었지만 국내의 교통이 불편하고 날짜도 한도가 있고 해서 부득이 이 기한 내에 되도록 많은 유익한 재료를 획득하고자 고래古來로 항상 문화의 중심으로서 유물 또한 많은 곳을 선택하여 상고上古 천년간 신라조의 수도였던 경주, 중세기 오백년간 고려조의 왕도였던 개성 및 근세 오백년간의 지금의 조선조의 도성인 경성 및 그 주위를 탐험 조사하였다.

라고 서술하고 있다. 여기에서 '공과대학장의 특별한 명령'이란 것은 일본정부의 지시를 전달한 것으로, "될 수 있는 대로 넓게, 깊지 않더라도 관계없다"라고 하는 것은 세키노 자신의 의지와도 상반되는 것으로 개인적인 순수한 연구가 아니라 국가적인 의지임을 추정케 하는 대목이라 할 수 있다. 따라서 "넓게, 얕게"라는 것은 학문적인 연구가 아니라 일제의 침략정책에 자료가 될 수 있는 많은 정보의 탐색에 주목적을 두고 국가적인 차원에서 조사하라는 명령임이 분명하다. 그렇기 때문에 관명官命에 의해 일본인 모두가 이에 협조하도록 지시가 내려졌음인지 세키노는 그의 보고서에서 다음과 같이 밝히고 있다.

또한 한국건축조사에 관하여는 하야시林주한공사, 하기萩서기관, 시오가와鹽川 통역관, 오시마大島 외교관보, 미마스三增 경성공사, 가토加藤 인천공사, 시데하라幣原 부산영사 제씨는 공사公私간에 간절한 도움을 주었고, 문학박사 가네사와 쇼사부로金澤庄三郎, 야기 쇼자부로八木奘三郎, 고야마 미쓰도시小山光利, 나가다 노사부長田信藏, 이도 유고伊藤祐晃, 나가야마 겐스기長山之介 제씨, 특히 문학사 시데하라幣原 씨는 가장 유익한 지도와 조력을 주었다. 따라서 여기에 명기하고 제씨諸氏의 후의에 감사하는 바이다.

그의 조사에는 일찍이 한국관련 연구에 종사하던 야기 쇼자부로八木奘三郎, 가네 쇼사부로金澤庄三郎, 시데하라 히로시幣原坦의 조력은 물론이거니와 당시 재한일본인 관계자들이 대거 참여한 것으로 일제정부 차원에서 광범위하게 이루어졌음을 알 수 있다. 뿐만 아니라 당시 우리 정부에서는 세키노 타다시關野貞에게 특권을 주었던 바, 외무대신이 내린 광무6년(1902) 7월 16일자 훈령 제15호에 이 사실이 잘 나타나 있다.

제국 공과대학 조교수 겸 신궁을 세우는 일을 맡은 기사이며 또한 오래된 고사古寺의 보존회 위원이기도 한 세키노 타다시關野貞는 오는 18일부터 한성을 시작하여 강화, 개성, 파주, 부여, 은진, 경주, 합천 등지를 돌며 조사하겠거늘, 이 여권護照과 공문을 가진 바 훈령하니 이 자가 도경 해 오거늘

연도의 각 군수들을 비롯한 관리들은 보호하여 주도록 하라

의정부 찬정 외무대신 임시서리 궁내부 특진관 유기환

議政府 贊政 外務大臣 臨時署理 宮内府 特進官 俞箕煥[357]

이 같이 한국 관리들까지 세키노關野 일행에게 온갖 배려를 아끼지 말 것을 훈령하였으니 이러한 특혜는 일제정부의 치밀한 계획이 아니고는 불가능한 것이다.

니시야마 다케히코西山武彦는 「한국건축조사보고의 수수께끼」[358]에서 당시 메이지정부明治政府에 대해 다음과 같은 의문을 제기하고 있다.

당시 메이지明治정부가 '한국의 전통문화를 존중하여 이를 후대에 길이 발전시키기 위한 기초자료 작성을 위해 이러한 본격적 조사를 단행했다'고는 도저히 생각할 수 없다. 다시 부언한다면, 이 조사는 학술조사라는 이름을 빌어 일본정부의 한국침략에의 예비행동의 일환이 아니었는지 하는 생각을 떨쳐 버릴 수가 없다. 그리고 세키노關野가 3년이라는 세월에 걸쳐서 완성한[359] 「한국건축조사보고」서는 일본인으로서는 침략 후의 한국문화말살에 대한 기초자료로 활용하고 아울러 방대한 한국문화재 수탈의 대장적臺帳的 역할을 하지는 않았는지?

세키노가 처음 한국에 건너온 1902년은 일본의 한국 침략계획이 한창 진행

---

357 『舊 朝鮮總督府 建物 實測 및 撤去 報告書』(문화체육부 국립중앙박물관, 1997)에서 轉載.
358 姜奉辰 譯, 『韓國의 建築과 藝術』(月刊建築文化, 1990)에서 揭載.
359 西山은 이 보고서는 다시 1905년 8월에 官命에 따라 명치정부에 제출하였다고 한다.

되고 있던 시기로 1895년 청일전쟁을 승리로 이끌고, 러시아를 상대로 한국에서의 이권획득에 우위를 점하려고 러시아와 한창 각축전을 벌이고 있을 때이다. 이런 시기에 보다 많은 정보를 획득하기 위한 일환인 세키노의 조사는 절실하였을 것이며, 그간 한국의 지리, 역사 등에 관한 것은 일부 학자들에 의해 연구가 되었으나 유독 한국문화재에 대한 연구는 거의 없었던 바, 명목은 건축조사라 했으나 건축뿐만 아니라 모든 문화재를 총망라 한 것은 니시야마 다케히고西山武彦가 지적한 "국책을 수행하기 위한 수단" 즉 한국문화재 전반을 파악하여 앞으로의 한국침략 및 그 후일 한국을 지배하기 위한 기초자료로 활용하기 위한 수단으로 조사가 이루어졌던 것이다.

세키노는 『한국건축조사보고』에서 청일전쟁을 "결과는 드디어 불우不虞의 변變을 낳고 파열하여 청일전쟁으로 번졌기 때문에 조선은 사실상의 독립국으로 인정됨에 이르고"라고 하며 일본의 조선 진출을 조선의 독립국으로 인정하는 전쟁으로 보고, 청일전쟁을 일본의 야욕은 감춘 채 마치 청으로부터 조선을 독립시킨 것처럼 왜곡하고 있다. 또한 세키노가 1902년에 한국건축을 조사하기 위해 참고한 참고서적 목록을 보면 35종을 제시하고 있는데 32종은 한국서이고, 3종은 일본인이 저술한 『조선왕국』(菊池謙讓), 『조선개화사』(恒屋盛服), 『한반도』(信夫淳平)를 열거하고 있다. 세키노가 참고한 이들 일본서는 한국에 대한 일본의 침략의 실행자로 삼을 수 있는 사람들의 저작으로써 특히 기구치菊池와 쓰네야恒屋는 청일전쟁 전후의 일본의 한국침략과 깊이 관계한 인물이고, 그 침략을 위해 한국에 대한 관심을 계몽하려는 정치적인 의도가 강한 저작이라 할 수 있다.[360]

---

360 中西章의 『韓國建築調査報告』에 보이는 關野貞의 韓國建築觀」(『建築歷史研究』 제13

이 책들은 세키노의 한국관에 상당한 영향을 미쳤던 것으로, 그의 조사 목적과도 일치한다 할 수 있다.

세키노는 『한국건축조사보고』의 '서언'첫머리에,

"한국은 중국 만주지방의 동북으로부터 동남쪽으로 향하여 해중에 돌출한 반도로서 가깝게는 일본의 대마도와 서로 바라본다. 개벽 이래 벌써 3천여 년 전부터 중국의 문화를 받아 개명開明의 역域에 달하고 상고上古 일본에 복속했을 때에는 그 문물, 종교를 일본에서 수입하여 일본의 개화에 도움을 주었던 적이 적지 않았다. 일본의 기반을 벗어나서 부터는 피아彼我의 관계는 또 옛날과 같이 친밀하지는 않았지만, 중고中古 수백년간 소위 왜구의 관계가 한국의 연안을 침범한 때가 있었고, 임진란 때에는 한국의 국토를 석권했던 때도 있었다."

라고 시작하고 있다. 이는 일제의 왜곡한 역사 즉 일제의 참모본부에 의해 날

권 1호, 韓國建築歷史學會, 2004년 3월, pp.23-24)에 의하면, 『朝鮮王國』은 1896년 발행한 책으로 저자 菊池謙讓은 국민신보 특파원이라는 신분으로 도한했으며, 1895년 10월의 을미사변에 관계되어 廣島에서 구류하는 동안에 이 책을 집필했으므로 한다. 총론, 지리부, 역사부, 근세사로 구성되어 있고 총론에는, "그 衰亡이 歸由한 데를 察하여 이것을 지리, 사회, 역사의 三點에서 고찰하고 반도의 대세를 卜하려고 欲하여…"라고 하고 있다. 즉 한국이 쇠망한 원인과 그 장래를 고찰하려고 한 저작이라고 한다.
『朝鮮開化史』은 桓屋盛服이 1901년에 발행한 책이다. 桓屋은 갑신정변 후에 망명한 박영효 등과 같이 1894년에 한국으로 건너온 후 내각 보좌관이 되어 4년동안 재한했다. 그 서문에는 "반동의 지리, 인종, 문화 및 외교상의 事情을 記하여 그 본연이 장래에 미칠 관계를 알기에는 가치가 있다고 하여…"라고 하여 즉 한국의 본질을 알고 그것이 어떠한 영향을 장래에 미칠 것인가를 알려고 한 저작이라고 하고 있다.

조된 '임나일본부설'을 기정사실화 하고 마치 한국을 지배했다고 하며, 임진란
은 국토를 석권했다는 정도로 미화하고 있다. 그가 서언 첫머리에서 한국과 일
본의 관계를 이런 내용으로 풀어나가고 있다는 것은, 여기에서 바로 그들의 침
략야욕의 속내를 볼 수 있는 것이다.

일제는 한국 침략의 야욕을 불태우면서 동시에 한국에 대한 학문적 관심도 크
게 확대해 왔으며, 특히 청일전쟁 후에는 그 전과는 달리 일본의 대륙정책이 한국
을 강점하는 방향으로 굳혀졌기 때문에,[361] 각 분야의 전문가들이 한국에 건너와
한국 병탄을 구체화하기 위하여 한국에 관한 전문적인 연구를 시작하게 되었다.

## *1902년 세키노가 반출한 유물

『한국건축조사보고』에는 많
은 사진을 싣고 있으며, 그의
사진 자료는 오늘날 한국 고건
축의 원상을 연구하는데 중요
한 자료가 되고 있다. 그러나
그의 조사에서 어떤 유물을 얼
마나 가져갔는지는 밝히지 않
고 있다.

당시 사정으로 보면 도쿄대

동조미륵입상(도판41)   동조약사입상(42)

361  李萬烈, 「19세기말 일본의 한국사연구」, 『청일전쟁과 한일관계』, 一湖閣, 1985, p.89.

학장 다쓰노 긴고辰野金吾의 지시에 따라 보다 넓게 조사하기 위해 급속을 우선으로 했기 때문에, "이번 조사는 급속히 하는 것을 위주로 했기 때문에 하나하나의 건조물에 대한 실측을 하고 상세한 도면을 만들 틈이 없었고, 부득이 구조장식 같은 것은 모두 사진에 의할 수밖에 없었다"고 토로하듯 대부분 사진 촬영이 우선이었고 유물 수집에는 그다지 신경을 쓰지 않았던 것으로 보인다.

1904년 『역사지리』에 발표한 「고려의 구도開城 및 왕궁유지滿月臺」에서 "만월대에서 약간의 당초와唐草瓦 2종 및 파와巴瓦 2종 잔편을 채집했다."[362]하는 정도이다. 경북지역에서는 폐구암사의 유적에서 한 두 개의 잔결을 획득하여 제43도

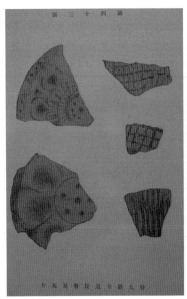

1902년 8월 23일 폐구암사지 수집 와

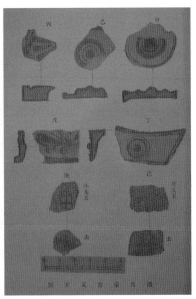

1902년 7월에 만월대에서
채집하여 반출한 파와

362 關野貞, 「高麗の舊都(開城)及王宮遺址(滿月臺)」, 『歷史地理』 제6권 제7호, 日本歷史地理學會, 1904년 7월.

로 제시하고 있다. 경주지역의 부장품에 대하여는 "그 토기는 제32도와 같이 각
종의 형상을 갖추고 있다"고 하며 도쿄대학 인류학과 소장의 한국 고분 발견 토
기를 제시하고 있으나 세키노 스스로가 수집했는 지는 불확실하다. 불상 조에서
는 "내가 경성의 한 골동상으로부터 소불상 2체를 얻고 해인사 경내에서 또 2체
를 획득했다"라고 하고 있다. 그 중 동조석가여래입상(도40), 동조미륵입상(도
판41), 동조약사입상(42)로 제시하고 있다. 이는 나중에『조선고적도보』에도 실
고 있다. 세키노는 보고서에서 폐구암사의 유적에서 한 두 개의 잔결을 획득하
여 제43도로 제시하고 있으며 고려왕궁지에서 채집한 파와를 제시하고 있다.

세키노는『한국건축조사보고』의 불상 조
에서, "내가 경성의 한 골동상으로부터 소
불상 2체를 얻고 해인사 경내에서 또 2체
를 획득했다"[363]고 하고 있다. 그 중 동조석
가여래입상(도40), 동조미륵입상(도판41),
동조약사입상(42)로 제시하고 있다. 이는
나중에 고적도보에 싣고 있다.

『한국건축조사보고』에 동조석가여래입
상(도42)로 게재하고 있는 것은『조선고적
도보』에 도판 2014로 싣고 있다.

세키노는 보고서에서 폐구암사의 유적에

『한국건축조사보고』에 실린 도쿄 이과대학
인류학교실 소장 한국 출토 토기

---

363 關野貞,「韓國建築調査報告」,『東京帝國大學工科大學 學術報告』第6號, 東京帝國大學
工科大學, 明治37년(1904) 7월, p.64.

미야하라 소장의 신라토기

서 한 두 개의 잔결을 획득하여 제43도로 제시하고 있으며 고려왕궁지에서 채집한 파와를 제시하고 있다. 만월대 채집 와에 대해서 세키노는 "약간의 당초와唐草瓦 2종 및 파와巴瓦 2종 잔편을 채집하였다"고 한다.[364]

세키노는 그의 보고서에서 도쿄대 이과대학 인류학교실에서 소장하고 있는 한국 고분출토 토기 모형도를 제시 있는데 이는 세키노 이전에 누군가가 대학에 기증한 것으로 보인다.

그리고 『고고계』 1902년 1월호에는 미야하라 아츠宮原敦가 자신의 소장으로 소개한 조선 전래의 토기가 게재되어 있어 그의 한국 조사 출발 전에 상당한 검토가 있었을 것으로 짐작된다.


# 1902년 7월

## 사찰 조사

국내 각 사찰의 소속 산림과 승니의 수, 사찰에 전래하는 사재寺財를 조사하

---

364  關野貞, 「高麗の舊都(開城)及王宮遺址(滿月臺)」, 『歷史地理』 제6권 제7호, 日本歷史地理學會, 1904년 7월.

기 위해 조사원을 파견함[365]

# 1902년 10월 27일

일본 승려가 남산록 왜성대 부근에 본원사교회를 창설하고 10월 27일에 개회식을 거행함[366]

# 1902년 12월 5일

도쿄국립박물관에서는 12월 5일에 청자투조상감학문침靑磁透彫象嵌鶴文枕 1점을 구입했다.[367]

---

365 『皇城新聞』1902년 6월 16일자.
366 『皇城新聞』1902년 10월 24일자.
367 『東京國立博物館圖版目錄』, 2007, 圖138.

# 같은 해

## 시오카와 이치타로(鹽川一太郞)가 반출한 서적

시오카와 이치타로鹽川一太郞는 청일전쟁 전에 한국에 건너와 일본공사관의 번역관으로 근무했는데, 일본 제국도서관에서는 시오카와에게 한국의 귀중서 수집을 의촉하였다. 이에 따라 시오카와가 한국에서 수집한 서적은 100종 이상으로 1902년에 모두 제국도서관으로 들어갔다. 그 일부는 1905년 4월 1일 일본 문고협회주최로 제국도서관 내에서 개최한 <제2회도서전람회>에 일부 진열되기도 했다. 1902년에 시오카와가 수집하여 제국도서관에 들어간 서적 중 중요한 39종의 서목은 다음과 같다.[368]

| 도서명 | 편찬자 | 수량 |
| --- | --- | --- |
| 彙纂麗史 | 洪如河 著 | 47권 21책 |
| 戡亂錄 | 宋寅明 등 편찬 | 6권 4책 |
| 海東繹史 | 韓大淵 著 寫本 | 71권 26책 |
| 東史會綱 | 林象德 寫 | 12권 보4권 |
| 小華外史 | 吳慶元 저 | 8권 6책 |
| 明義錄 | 金致仁 저 | 4권 |
| 大義源流彙考 | | 2권 2책 |
| 高麗名臣傳 | 南公轍 저 | 12권 6책 |

---

368 「朝鮮の歷史書籍」, 『史學界』 제5권 제4호, 1903년 4월.

| 도서명 | 편찬자 | 수량 |
|---|---|---|
| 御製御賢傳心錄 | | 8권 4책 |
| 海東名將傳 | 洪良浩 저 | 6권 3책 |
| 李忠武公全書 | 內閣編寫 | 14권 8책 |
| 白雲齋實記 | 權應珠 저 | 4권 4책 |
| 林忠愍公實記 | 林淳憲 編 | 8권 3책 |
| 忠烈實錄 | 崔鎭漢 편 | 2권 1책 |
| 金氏世孝圖 | | 1권 |
| 雲英傳 | | 1권 |
| 双節錄 | 金養善 저 | 2권 1책 |
| 璿源系譜記略 | 金錫胄 등 校 | 26권 8책 |
| 南亭君洪公行狀 | | 1권 |
| 南亭君洪公行狀別本 | | 1권 |
| 桐漁年譜 | 李敦 저 | 2권 1책 |
| 淸陰年譜 | 宋時烈 編 | 2권 1책 |
| 御定羹墻錄 | 李福源 校 | 8권 4책 |
| 典律通稱 | 具允明 등 編纂 | 7권 4책 |
| 謨訓輯要 | | 6권 3책 |
| 經世遺表 | 丁若鏞 編 | 11권 |
| 萬機要覽 | | |
| 御製禮疑類輯 | | 25권 15책 |
| 御製訓書 | | 1권 |
| 國婚定例 | | 6권 2책 |
| 度支五禮通攷 | | 7권 3책 |
| 牧民心鑑 | 朱逢光 저 | 2권 1책 |

| 도서명 | 편찬자 | 수량 |
|---|---|---|
| 宮園儀 | 金華鎭 편 | 3권 2책 |
| 弘文館志 | 李魯春 등 편 | 1권 |
| 四禮纂說 | 李氏 편 | 8권 4책 |
| 四禮撮要 | 尹義培 | 2권 2책 |
| 四禮便覽 | 李氏 편 | 8권 4책 |
| 磻溪遂錄 | 柳馨遠 | 16권 13책 |

시오카와 이치타로鹽川—太郞는 조선어학생 출신으로, 한국에 언제 건너온 것인 지는 정확히 알 수 없다. 청일전쟁 전에 한국에 건너와 일본영사관에서 서기관으로 번역과 통역을 담당했던 것으로 보인다.

1894년 9월 28일자로 특명전권대사 오토리 게이스케大鳥圭介가 외무대신 자작 나쓰노쿠 무네미츠陸奧宗光에게 보낸 '시오카와鹽川 서기생을 조선정부에서 고용하도록 주선하는 일에 대한 내신內申'[369] 이라는 문건이 보인다.

'시오카와鹽川 서기생을 조선정부에서 고용하도록 주선하는 일에 대한 內申'

발송일 1894년 9월 28일

문서번호 기밀 제190호 본113

이곳 영사관 서기생 시오카와 이치타로鹽川—太郞는 이 나라의 신정부가 창립되는 초기부터 매일 왕궁에 출입하면서 전적으로 개혁사무에 참여하였고 군국기무처軍國機務處 회의에서는 항상 서기관 자리를 차지하고서 의장을

---

369 출처 : 국사편찬위원회 한국사데이터베이스 http://db.history.go.kr

보좌해 회의장을 정리하게 하는 등 적지 않은 진력을 하였습니다. 그러므로 이번에 이 사람을 의정부에 고용하는 것은 피차의 이익이 될 것으로 생각하여 의논을 했던 바 그들도 동의한다고 했습니다. 그런데 이 사람은 원래 조선어학생 출신으로 다년 간 담당 사무에 숙달해 있으므로 우리 쪽으로서는 매우 놓치기 아까운 인물입니다만 현재 정세로 보아서 놓치기 아까울 정도의 인물을 빌려주지 않고서는 상대방에게 이익이 되지 않을 것이라는 생각이 듭니다. 더욱이 이 사람을 곧바로 의정부 고문관으로 충당하게 하려는 것이 아니고 의정부에서 사무를 보조하게 했다가 훗날 고문관을 초빙하게 될 때에는 이 사람을 그 고문관에 부속시켜 서기관 겸 통역의 역할을 맡게 할 예정입니다. 따라서 본성本省에서 별 지장이 없으시다면 즉시 同 서기생을 고용하게 하는 의논을 하고자 합니다. 그러니 본관이 전보 드리는 대로 곧 동 서기생에게 무보직無補職을 명해 주시기 바라며 그리고 현재 정세로는 조선 성부의 기초가 아직 공고하시 못하므로 동 서기생의 신상이 언제 바뀔지 알 수 없으므로 장래 사정에 따라 이 사람이 언제라도 다시 복직할 수 있도록 허락해 주시기 간절히 바랍니다. 이렇게 해주신다면 동 서기생으로서도 기꺼이 조선 정부의 고용에 응할 것으로 생각됩니다. 그러하오니 논의하신 뒤에 아무쪼록 전보 훈령해 주시기 바라여 이에 내신 드립니다.

이후 시오카와는 의정부의 사무 보조, 내부보좌원, 재한일본공사관 서기관 이등통역관으로 활동했다. 1908년에는 경상북도관찰사 직속 서기관으로 임명되어 근무를 하다가, 1910년에 조선총독부 취조국 사무관에 임명되었다. 1911년 4월 총독부 학무국 취조국에서는 보통학교 독본의 철자법을 정하기 위해 조선어사서朝鮮語辭書(나중에 사전으로 바뀜)의 편찬을 계획하고, 같은 해 7월 고쿠분國分 인사국장에게 조선어에 관한 조사를 명하고 시오카와 사무관 외 3명에게 이 조사를 촉탁하게 되어 그 위원으로 활동하였다. 이때 조선총독부 보관의 조선도서 및 참고할 만한 서적에서 어사語辭의 수집에 착수했으며, 1912년 4월에 관제의 개정으로 인해 그 사무가 참사관실로 이관되자 참사관실 소속으로 활동했다.[370]

개인적인 활동으로는 1902년에 다케우치竹內, 시데하라幣原, 고쿠분國分, 나카시마中島, 다나카田中, 오오에大江 등과 함께 '한국연구회'를 설립하여, 그 연구한 내용을 발표하기도 했다.[371]

1906년에는 재경성일본인들로 조직한 한국진서간행회韓國珍書刊行會를 설립하여 이후 계속 한국의 진귀한 귀중서적을 영인발간 했다.[372]

이러한 경력으로 볼 때 그는 한국 서적에 대해 많은 자료를 섭렵했으며 많은 한국 귀중서를 수집했다. 그가 수집한 서적은 모두 일본으로 반출한 것으로 추정되나 밝혀진 것이 많지 않다.

370 『官報』光武元年(1897) 7월 14일자;『皇城新聞』1900년 2월 19일자; 金允經,「朝鮮文字의 歷史的 考察[17], 한글發展과 基督敎의 貢獻」,『동광』제39호, 1932년 11월.

371 「韓國研究會」,『史學雜誌』제14편 7호, 명치36년 7월, p.98; 韓國研究會,『(韓國研究會) 談話錄』, 1902년 9월.

372 評議員은 國分象太郎鹽川一太郎, 前間恭作, 大浦茂彦, 田中玄黃, 鮎貝房之進, 菊池謙讓 等諸氏오 會長은 文學博士 幣原坦氏오 理事는 西河通徹高橋亨諸氏오 常務理事는 渡瀨當吉氏오 幹事는 松本雅太郎氏다(『皇城新聞』1906년 2월 17일자).

朝日修好條規

大日本國與

大朝鮮國素敦友誼歷有年所

沿欲重修舊好以固親睦

仝權辦理大臣陸軍中將兼

隆特命副仝樞辦理大臣議

華府朝鮮國政府簡列中樞府

承各遵所派論旨議立條款開列于左

一第一欵

朝鮮國自主之邦保有與日本國平等之權嗣後兩

# 우리 문화재 수난일지

**1903~1904년**

# 1903년 5월

공주 쌍수산성의 문루가 무너지다.

5월에 동민 50, 60명이 공주 쌍수산성의 문루에 올라가 놀다가 문루가 무게를 이기지 못하고 무너져 1명이 즉사하고 4, 5명이 부상을 당했다고 하는데,[373] 당시 남문의 진남루鎭南樓와 북문인 공북루拱北樓가 있었으나 그 중 어느 것을 지칭하는지는 알 수 없다.


# 1903년 6월

### 고려고분 도굴

일본 대판박람회大阪博覽會가 3월 1일부터 7월 31일까지 5개월간 열렸는데,[374] 이 기회를 틈타 일본인 간상배들이 고려자기를 구입하여 대판박람회에 출품한나고 선전하어 고려무딤의 도굴을 부추겼다.

『황성신문』 1903년 6월 19일자에는 다음과 같은 기사가 있다.

---

373 『皇城新聞』 1903년 5월 15일자.
374 『皇城新聞』 1903년 3월 20일자 ; 『皇城新聞』 1903년 8월 1일자.

발총수자發塚蒐磁

근일 고려자기를 니현泥峴(진고개) 일인
가에서 매입하는데 고매차로 고려자기를
가지고 오는자가 매우 많다하기로 그 이
유인즉 이 자기를 대판박람회로 수송輸送
할터인데, 고로 다수의 금액을 주고 각처
지방인에게 출급出給하고 고려총을 파괴
하고 가져온다는데 개성 등지로부터 구
입한 것이 가장 많다고 한다.

## 서책 매각 광고

『황성신문』1903년 6
월 4일자에는『미국독
립사』등의 매각 광고
를 게재하고 있는데,
이들은 후일(1910년
11월) 조선총독부경무
총감부 고시 제72호에

『황성신문』 1903년 6월 4일자

의한 불온서적으로 분류하여 압수당하게 된다.

# 1903년 8월 2일

## 부안 객사 붕괴

1903년 8월 2일의 폭우로 부안객사 서편 지붕 3칸이 무너졌다.[375]

부안 객사는 부풍관扶風館이라 하는데 1903년에 붕괴된 후 언제 중건했는 지는 알 수 없으나, 1926년에 훼철하고 그 자리에 군청을 지었다고 한다.[376]


# 1903년 12월 27일

## 영광 객사 소실

1903년 12월 27일에 실화失火로 영광군 객사客舍가 몰소沒燒되었다.[377]

---

375 『皇城新聞』1903년 8월 25일자.
376 『부안독립신문』 2009년 1월 13일자.
377 『皇城新聞』1904년 1월 11일자.

# 같은 해

## 다보탑 석사자 반출

이 탑의 보계가 마련된 갑석 위에는 원래 4구四軀의 돌사자가 안치되어 있었다. 이는 탑을 수호하는 의미에서 안치한 것으로 이러한 예는 분황사모전탑이나 의성 관덕동3층석탑에서도 볼 수 있다. 그러나 현재 다보탑에는 석사자상이 하나밖에 남아 있지 않다.

세키노 타다시關野貞가 1902년에 이 탑을 조사했을 때에는 "기단의 4우四隅에는 석사자石獅子를 앉히었다. 그 상태는 가슴이 많이 나오고 머리는 조금 위를 쳐다보아 일본 동대사東大寺 남대문의 석사石獅의 자세와 흡사하다"라고 기술하고 있다.[378] 그러나 1909년 그가 다시 왔을 때에는 비교적 형태가 완전한 2구二軀가 없어졌다.

세키노關野의 기록에,

> 명치42년(1909)에 다시 왔을 때에는 비교적 완전한 것 2구二軀가 이미 타
> 지로 반출된 것을 보았다.[379]

라고 기록하고 있으며, 1909년에 발표한 또 다른 기록에는 좀 더 구체적으로

---

378 關野貞,「韓國建築調查報告」,『東京帝國大學 工科大學學術報告』第6號, 東京帝國大學
工科大學, 1904, p.40.
379 關野貞,『朝鮮の建築と藝術』, 1941, p.537.

1902년의 모습

밝히고 있다.

기단의 4우四隅에는 석사를 안치하였는데, 그 모습은 가슴이 심하게 나오고 머리는 적고 위를 향하고 있는 실로 순연純然하여 당식唐式의 분황사 석사와 함께 당시의 양식을 대표하는 귀중한 표본標本으로, 들은 바에 의하면 그 중 비교적 완전한 2구二軀는 그 후 방인邦人(일본인) 모가 아국我國(일본)으로 가져갔다고 한다.[380]

380 關野貞,「韓國慶州に於ける新羅時代遺蹟」,『東洋協會 調査 學術報告 第 1冊』, 東洋協

라고 하여 석사자를 훔쳐간 자는 모 일본인이며, 그것이 일본으로 반출되어 갔음을 밝히고 있다.

1904년에 간행한 『기업안내 실리지조선企業案內實利之朝鮮』이란 책자를 보면 이 책자의 저자인 요시쿠라吉倉凡農란 자가 직접 한국에 건너와 전국을 돌아보면서 한국에 대한 전반적인 소개와 더불어 도한자渡韓者들이 한국에서 이익을 취할 수 있는 직종과 수단을 소개하고 있는데, 그 중에는 불국사 다보탑의 석사자의 반출에 대한 다음과 같은 내용이 수록되어 있다.

고적古蹟을 탐방探訪하면서 고기물古器物을 수집蒐集함은 또 상당한 영리사업營利事業으로 손색이 없고, 고적의 귀한 것은 신라유적에 해당한다. 신라의 고도古都는 경주에 있다.

오늘날 여기에 존재하는 유물로 동양 유일한 것이라고 칭할 수 있는 훌륭한 종, 옛날 건축의 잔적殘跡 불국사에 있는 석조의 사자상(이것은 세 개 있다), 불국사 별원에서 발견된 12신장神將의 동혈洞穴 등은 전부 신라시대의 웅대한 미술을 그대로 오늘날까지 전하는 것으로 현세세계의 일명보一名寶로 손색이 없을 것이다. 아니 수 천 만원 값이 나가는 사자상獅子像을 사승寺僧은 나의 지우知友에게 헐값 40원 정도에 매각하겠다고 했다. 한국인의 안중眼中에는 미술에 대한 지식이 바야흐로 국보가 되는 것도 쓸데없는 것이었다. 그런 까닭에 나는 팔도의 몇 곳에서 그러한 국보급을 이속삼문二束三

會, 1909, p.107.

1918년의 다보탑(『慶州紀行』)
당시에는 이같이 탑 위에까지 올라가
아무렇지도 않게 사진을 촬영하였다.

文(아주 헐값)에 매수하였다.[381]

여기에서 다보탑 석사자상을 명확히 매입하였다는 표현은 나타나 있지 않으나 정황으로 보았을 때 매입한 것으로 보여진다. 불국사의 승이 스스로 사자상을 팔겠다고 했을 리는 없었겠지만 불국사를 탐방한 이들은 다보탑에 안치되어 있는 석사자상을 발견하고 온갖 방법으로 매각할 것을 요구했을 것으로 추정되며, 가난한 사승寺僧은 몇 푼의 금전에 현혹되어 귀중한 유물을 팔아버린 것이다.

1918년 12월에 불국사를 탐방한 이중화李重華의 『경주기행慶州紀行』에 석사자와 관련한 다음과 같은 기록이 있다.

성덕, 흥덕 두 왕릉의 석사자는 능이 4우四隅에 존하얏고, 분황사의 석사자도 탑의 4우에 존하며 불국사의 석사자도 본本히 다보탑의 4우에 재하더니 그 중 완전한 것 2구는 일본에 도거渡去하얏다 하며 겨우 1구 만이 탑에서 떨어져 지금은 전정殿庭에 재한다.[382]

---

381  吉倉凡農, 『(企業案內)實利之朝鮮』, 文星堂書店, 1904, pp.136-137.
382  李重華, 『慶州紀行』, 第一商會, 1922, pp.37-38.

한국인의 기록에 이같이 일본으로 반출된 사실이 나타나 있다는 것은 이미 소문이 상당히 번져있다는 것을 시사하고 있다.

또 1930년 중반에 불국사를 방문한 나카네 간도中根環堂는 그 행방行方에 대하여 다음과 같이 밝히고 있다.

"다보탑의 4방四方의 모서리에 1필一匹의 석조石造의 사자가 있었으나, 도난을 당하여 돌고 돌아 그 중 1필一匹은 파리巴里의 박물관에 진열되어 있고, 타의 한 필은 우에노上野 서양헌西洋軒의 정원에 있다. 기타 한 필은 행위불명行衛不明이다. 유일하게 남아 있는 한 필은 얼굴이 파괴되어 불국사 중정中庭에 보존되어 있다."[383]

이 기록은 상당히 신빙성이 있는 것으로 믿어지는 바,『호남평론湖南評論』에 실려 있는 「그리운 옛터를 차져 신라고도新羅古都 경주로」라는 기행문紀行文에 다음과 같은 글이 실려 있다.

읽고 듣던 다보탑아 이제 와서 만나보니
즐겁기 한량없다 어디한번 내 보련다
영지影池에 네 몸 비쳐다오 다시 한번 내 보련다.

높이가 30척으로 화강암으로 된 것입니다. 그 정묘精妙한 수법手法 기상천

---

383　中根環堂,『鮮滿見聞記 奧付』, 東京 中央佛敎社 1936년 4월, pp.32-33.

외奇想天外의 의장意匠! 탑의 네 귀에는 석사자가 딸려 있다하나 지금은 보이지 않습니다. 두 마리는 동경 요리점에 감추어 두고 내놓지 않는 다고 하며 한 마리는 영국 대영박물관에 있는데 찾아오려면 엄청난 돈을 주어야 한답니다. 내 물건을 이렇게 내버려두고 어느 틈에 도적맞은 줄 모르는 이 얼빠진 짓이 어디 있겠습니까!384

이는 물론 전문傳聞에 의한 것이라고는 하지만 나카네 간도中根環堂의 기록을 뒷받침하는 기록이라 할 수 있다.

그런데 여기에서 한 가지 짚고 넘어가야 할 것이 있다. 현재까지 다보탑의 석사자에 관한 기록으로서 가장 앞선 것은 1902년에 불국사를 조사한 세키노의 기록인데, 그의 기록으로는 그가 방문한 시점인 1902년에 석사자가 몇 구가 있었는지 명확하지 않다. 그러나 그가 당시 촬영한 다보탑을 보면 가장 앞쪽으로 보이는 기단에는 비어 있는 것으로 나타나 있다. 이는 세키노의 방문 당시에 이미 1구는 행방불명이었음을 알 수 있다. 이를 뒷받침 하는 기록으로는 1903년에 불국사를 방문한 요시쿠라의 기록에도, "이것은 세 개 있다" 라고 하고 있으며, 1938년에 발간한 『불국사와 서굴암』에서는 "메이지明治35년 세키노 타다시關野貞 박사가 처음 불국사 조사를 했을 때는 다보탑의 기단상基壇上에 3구의 석사자가 놓여 있었으며 당나라풍의 웅건한 조각법에 극찬을 했다. 그러나 얼마 지나지 않아 2구를 실失하고 지금은 1구만 극락전極樂殿 앞에 보존되어

384 吳秉南, 「그리운 옛터를 차져 新羅古都 慶州로」, 『湖南評論』 第3卷1號, 湖南評論社, 1937, p.130.

있다"[385]라고 기술하고 있다.

따라서 이들의 기록을 종합하면, 4구의 석사 중에서 1구는 1902년 이전에 이미 사라졌다. 남아 있는 3구 중에서 비교적 완전한 1구 내지는 2구는 1903년에 요시쿠라 등에 의해 일본으로 반출되었으며, 요시쿠라 일행이 반출한 것이 1구인지 2구인지는 불분명하나 만약 1구만 반출하였다면 나머지 1구는 1909년 이전에 일본으로 무단 반출되었던 것이다. 이후 한 구는 파리의 박물관(또는 영국의 박물관)으로 팔려가고 다른 한 구(또는 두 구)는 일본 우에노上野 서양헌西洋軒의 정원에 적어도 1935년까지는 있었다고 보아야 할 것이다.

잃어버린 다보탑의 석사자는 한일회담 때도 관계 인사들은 수차에 걸쳐 회담을 가졌고, 또 다보탑의 석사자를 찾기 위해 일본의 방송과 라디오를 통해서 널리 알렸으나 아직 행방이 묘연할 뿐이다.[386]

현존하는 석사자상

## 도쿄제실박물관신전람

1903년에는 《도쿄제실박물관신전람》이라 하여 특별전람회를 개최했는데, 이

385 『佛國寺と石窟庵』, 朝鮮總督府, 1938, p.48.
386 黃壽永, 『黃壽永全集5』, 圖書出版혜안. 1997.

때 조선불화 1점이 진열되었다. "구조선 경상도 통경사通慶寺[387]에 있던 것인데 불체는 본존 2체 변재천辨才天과 같은 풍자風姿로 서로 나란히 서고, 타는 성상聖像 혹은 천부수호신과 같기도 하고 또 감오보살甘五菩薩과 같이 악기를 가지는 등 십 수 인이 위요圍繞하였고" 라고 하는데,[388] 어느 때 반출된 것인지는 불명이다.

## 도쿄국립박물관의 구입품

1903년에 도쿄국립박물관에서 구입한 유물에는 다음과 같은 것이 있다.

| 유물 명 | 출토지 | 출처 | 비고 |
|---|---|---|---|
| 把手付鉢 | 가야 | 『東博圖版目錄』 2004, 圖57 | 구입. 1903년 |

---

387 通慶寺는 어느 사찰을 지목하는 지 알 수 없으나, 혹 通度寺의 오기가 아닌가 생각된다.
388 『考古界』第2篇 第9號, 1903년 2월, p.53.

| 유물 명 | 출토지 | 출처 | 비고 |
|---|---|---|---|
| 高杯 | 신라 | 『東博圖版目錄』 2004, 圖176 | 구입. 1903년 |
| 把手付鉢 | 신라 | 『東博圖版目錄』 2004, 圖225 | 구입. 1903년 |
| 鉢 | 신라 | 『東博圖版目錄』 2004, 圖228 | 구입. 1903년 |

| 유물 명 | 출토지 | 출처 | 비고 |
|---|---|---|---|
| 把手付壺 | 신라 | 『東博圖版目錄』 2004, 圖241 | 구입. 1903년 |

# 1904년 1월 25일

## 고물상 수

1904년에 간행한 『만한대관滿韓大觀』을 보면, 1904년 1월 25일부 재경성제국 영사관 조사에 경성 재주 일본인 직업 종사자 중에 고물상에 종사하는 수는 12 명으로 나타나 있다.

1904년 1월 25일부 재부산제국영사의 일본인 직업별 보고에 의하면 고물상 및 행상의 수는 26명으로 나타나 있다.[389] 이 속에는 도굴품 등을 취급하는 자 도 포함되어 있을 것으로 짐작된다.

1904년에 발간한 『기업안내 실업지조선企業案內 實利之朝鮮』이란 책자를 보면 요시구라 본노吉倉凡農란 저자가 직접 한국 전지全地를 답사하고 각종 업종에 대 한 정보와 어떻게 하면 이익을 얻을 수 있는지에 대해 온갖 수단과 방법까지 소개하고 있는데, '고물상古物商' 조에 다음과 같이 기술하고 있다.

> 고려시대의 도기陶器 및 불상佛像이 많은데 그 값이 굉장히 싸다. 많이는 지 중地中에 또는 사원寺院에서 발견된다. 일본으로 수출하여 비싼 값으로 된 것도 적지 않다. 또 구미歐美 등으로 수송해서 이외의 이익을 얻은 것도 있 다. 이것을 매수하는데 앞잡이 역의 한국인을 이용하는데 능수능란한 수 법이 필요할 때도 있다. 또 자신이 고사古寺, 고총古塚, 고적古蹟을 심방尋訪

---

389 『滿韓大觀』 10卷 9號, 博文館, 1904.

하는 것도 필요하다. 이 業業에 정통하게 되면 상당한 사업으로 성장할 수 있다. 한편 고사古史, 고서古書를 수색搜索하는 것도 재미있다.[390]

이는 1904년 이전에 이미 한국에서 '고물상古物商'이란 직종이 일본에서 건너온 자들에게는 막대한 이익을 남기는 사업으로 정착하여 성행하였음을 말하는 것으로 도굴은 물론이거니와 온갖 악랄한 수단이 동원되었음을 알 수 있다.

# 1904년 2월 5일

## 고려 현종 선릉 도굴

고려 현종 선릉

선릉宣陵은 개풍군 중서면 곡령리에 위치한 고려 제8대 현종顯宗(992~1031 재위: 1009~1031)의 능인데, 2월 5일 밤에 도굴당했다.[391]

---

390  吉倉凡農, 『(企業案內)實利之朝鮮』, 文星堂書店, 1904, p.59.
391 『皇城新聞』 1904년 2월 12일자.

# 1904년 2월 8일

## 러일전쟁 발발

2월 8일 밤 일본군은 여순 지역을 기습 공격하였다. 또한 인천 앞바다에 있던 두 척의 러시아 군함을 격침시킨 다음날인 10일에야 선전 포고를 하였다.

러일전쟁은 향후 대한제국에 대한 독점적 지배권을 행사하려는 양국 간의 전쟁으로, 시라토리 구라키치白鳥庫吉는 러일전쟁의 '로국과 일본의 관계'를 광개토왕 당시의 '고구려-왜 관계'에 빗대어서 "일본이 조선의 남부를 지배한 것은 (광개토왕)비문을 통해 확실히 알 수 있다. 당시 일본은 삼한반도三韓半島의 남부를 지배했지만 북부의 고구려와는 반대의 지위에 서있었다. 고구려는 마치 지금의 로국처럼 일본이 반도의 남부에 세력을 얻으려는 것을 꺾으려 했다 …… 이 관계는 오늘날 조선을 충분히 통재하려면 북의 로국露國을 벌해야 하는 것과 조금두 다르지 않다"[392]고 하며 한국 지배를 노골화 하고 있다.

392  白鳥庫吉, 「滿洲地名談, 好太王の碑文について」, 1905. 黃宣喜, 「일제의 '神功神話' 解析과 歷史敎育」, 『韓日民族問題研究』 2호, 2002, p.173에서 재인용.

# 1904년 2월 23일

1904년 2월 23일에 「한일의정서韓日議定書」를 강제 조인調印하다.[393]

# 1904년 3월

## 일본인이 읍지여지도(邑誌與地圖)를 가져가다.

일본인 사카모토 시게히데阪本重英과 오다 만尾田滿 2인이 연산군에 와서 읍지여지도邑誌與地圖를 베끼고 돌려주겠다고 하면서 가져갔다.[394]

---

393  1. 제1조 한·일 양제국은 항구불역(恒久不易)할 친교를 보지(保持)하고 동양의 평화를 확립하기 위하여 대한제국정부는 대일본제국정부를 확신하고 시정(施政)의 개선에 관하여 그 충고를 들을 것.
2. 제2조 대일본제국정부는 대한제국의 황실을 확실한 친의(親誼)로써 안전·강녕(康寧)하게 할 것.
3. 제3조 대일본제국정부는 대한제국의 독립과 영토보전을 확실히 보증할 것.
4. 제4조 제3국의 침해나 혹은 내란으로 인하여 대한제국의 황실안녕과 영토보전에 위험이 있을 경우에는 대일본제국정부는 속히 임기응변의 필요한 조치를 행할 것이며, 그리고 대한제국정부는 대일본제국정부의 행동이 용이하도록 충분히 편의를 제공할 것. 대일본제국정부는 전항(前項)의 목적을 성취하기 위하여 군략상 필요한 지점을 임기수용할 수 있을 것.
5. 제5조 대한제국정부와 대일본제국정부는 상호의 승인을 경유하지 아니하고 후래(後來)에 본협정의 취지에 위반할 협약은 제3국간에 정립(訂立)할 수 없을 것.
6. 제6조 본 협약에 관련되는 미비한 세조(細條)는 대한제국외부대신과 대일본제국대표자 사이에 임기 협정할 것.
394 『皇城新聞』1904년 3월 26일자.

『황성신문』 1904년 4월 21일자에도 "경부철도원 일본인 사카모토 시게히데阪本重英 및 일행 오다 만尾田滿이 평택군에 와 평택의 인구를 조사하고 읍지를 등초膽草 후에 천안군으로 갔다"고 하는데 이들의 목적이 무엇인지 밝혀져 있지 않다.

오다 만尾田滿은 1901년부터 경성 낙연의숙洛淵義塾에서 일본어를 지도하다가. 1910년부터 경성지방재판소 통역관으로 근무한 것으로 나타나 있다.[395]

『황성신문』 1904년 3월 26일자

# 1904년 4월 14일

## 경운궁 화재

1904년 4월 14일 11시경에 황거皇居의 경운궁에 불이 났다. 함녕전의 온돌을 수리하던 중 실수로 불이 나자 거센 바람을 타고 함녕전咸寧殿, 중화전中和殿, 즉조당卽阼堂, 석어당昔御堂과 신주神主를 모셨던 경효전과 어진御眞·예진睿眞을 봉안한 흠문각欽文閣도 모두 탔다. 이 화재로 전래한 문적文籍, 보물寶物 등이 소실燒失되었다.[396] 『매천야록』 1904년 조에는, "경운궁에 큰 화재가 발생하여 8-9년 동안 토목공사를 벌

---

395 『皇城新聞』 1899년 8월 8일자, 1908년 12월 9일자; 『每日申報』 1912년 6월 28일자.
396 京城府, 『京城府史』 第3卷, 1934, pp.737~739.

렸던 건물이 모두 잿더미로 변하였다. 누조동안 모아온 보옥과 공사간의 문서가 모두 불에 타고 겨우 보존한 곳은 정부, 궁내부, 원사부 뿐이다" 라고 기술하고 있다.

경효전景孝殿의 신주를 임시로 준명전濬明殿의 서쪽 행각行閣에 모시고, 흠문각欽文閣의 황제皇帝의 어진御眞과 황태자皇太子의 화상을 준명전濬明殿에 이봉移奉했다. 화재를 면한 전각으로는 준명전, 수옥헌, 가정당嘉靖堂, 돈덕전惇德殿, 구성헌 등이 있었다.[397]

당시 화재에 대해서는 상당한 의혹이 있는데, 궁내宮內의 알현소인 함령전咸寧殿을 수리 중에 실내를 건조시키기 위해 온돌에 불을 지폈음에 불과했는데 불은 중화전에서부터 시작되었다. 이 화재는 일본인의 방화로 추정되기도 하는 바, 불이 나자 궁중의 사람들이 광명전光明門을 통해 뛰쳐나오는 것을 일본 경찰이 보고 있는 사진이 남아 있다고 한다.[398]

이 화재로 인하여 미국공사관 가까이에 있는 수옥헌嗽玉軒으로 피난해 있던 고종은 화재 다음날 바로 경운궁에 대한 중건공사를 명하여 1904년 5월부터 1906년 5월에 중건공사가 이루어져 즉조당卽祚堂, 석어당昔御堂, 경효전景孝殿, 함녕전咸寧殿 등이 중건되었다.

경운궁의 중건에 대해 당시 일본공사 하야시 곤스케林權助는 반대 의견을 제시하고 창덕궁으로 이어하기를 상주하는데, 그 상주문上奏文의 내용은 대략 다음과 같다.[399]

---

397 『고종실록』1904년 4월 14일자 기사;『황성신문』1904년 4월 16일자.
398 오소백,『한국 100년사』, 한국홍보연구소(이경미,「20세기 조선궁궐의 변천과정」, 주석 20),『향토서울』, 서울특별시사편찬위원회, 2000, p.407).
399 「慶雲宮 화재로 인한 대궐선택 卜定에 관한 件」,『駐韓日本公使館記錄 24권』한국사데이타베이스에서 옮겨옴.

상주문上奏文

궁궐 내에서 失火로 전각이 전부 타버린 일은 외신外臣이 지극히 크게 놀라 한탄하온 바이옵니다. 그런데 대궐을 선택 결정하실 필요가 있기에 외신外臣이 대한제실大韓帝室의 번영과 대한독립의 기초를 생각하여 이에 저의 비견을 말씀드립니다. <중략>

경운궁의 불탄 공지에 새로이 궁궐을 건설한다면 다음과 같은 결점을 면치 못할 터이오니 통촉하옵소서.

1. 그 궁지宮址는 각 건물에 둘러싸여 비좁고 좌우 높은 곳에서 장엄한 궁지를 외람되게 내려다보는 폐단이 있으니 독립국의 제실帝室의 위엄에 지장이 있는 일이고

2. 그 궁지宮址는 지대가 낮은 곳으로 오수가 몰려들고 음료수가 불결하니 위생에 대단히 해롭고

3. 그 궁지宮址에 궁궐을 새로 건실하러 하시면 거액이 필요할 터이오니 지금 귀국의 재정을 고려한 즉 재력이 없어서 어렵고 민력民力이 궁핍하오니 이러한 토목공사를 시작할 여력이 없으니 절대 불가합니다. 그러므로 창덕궁을 수리하셔서 이어移御하옵시게 되면 그 비용도 감소하고 그 궁지도 광대하며 모든 일이 모두 흡족하여 좋으니 이상의 이유를 폐하께오서 깊이 통촉하시고 재결하셔서 창덕궁으로 이어하옵시면 대한제실의 융성과 대한독립을 오래도록 움직이지 않는 굳건한 기초가 될 터이오니 부디 통촉하시기 바라옵니다.

1904년 4월 24일

日本公使 林權助

이 같은 궁궐의 중건은 국가의 위상에 직결되는 것인 만큼 일제는 한국강점 이후 집요하게 조선 궁궐을 훼철하기에 집요했던 점을 고려하면, 하야시 곤스케林權助의 속내를 짐작할 수 있다.

경운궁慶運宮은 원래 조선 9대 성종의 형 월산대군月山大君의 사저私邸가 있던 곳으로 선조 때 임진왜란으로 의주로 피난을 갔다가 귀환하였을 때 경복궁이 이미 전소全燒되어 월산대군의 사저였던 이곳으로 행궁行宮하여 당시에는 정릉 동행궁貞陵洞行宮 또는 시어소時御所라 했다.

선조의 환도 후 가장 급무가 종묘와 궁궐의 중건이었다. 선조36년에 중건을 의논 하여 39년에 종묘와 궁궐의 영건도감營建都監을 설치하고 41년에 기공을 하여 종묘 는 동년 7월에 준공하고, 궁궐은 광해군원년 10월에 이르러 창덕궁과 창경궁의 중 건공사를 마쳤다. 광해군은 광해군2년 4월에 창덕궁에 행했다가 3년 11월에 다시 정릉동 행궁으로 돌아왔다. 후에 다시 신하들이 주청하여 광해군7년 4월에 신궁으 로 이어하는 것을 결행하게 되었다. 이로써 정릉동행궁을 경운궁이라 개칭하였다. 제16대 인조의 즉위식卽位式도 이곳에서 했다. 이후 고종의 양위까지 부른 궁명이다.

그 후 오랫동안 황폐하고 위축되어 갔는데 고종32년 2월에 이르러 고종이 경 복궁에서 러시아 공사관으로 천행遷幸하여 궁명宮名을 경운궁慶運宮으로 개칭改稱 했다.[400] 고종이 경복궁에서 정동 러시아 공사관에 이거중 공사가 진행되어 이

400 京畿地方行政學會,『京畿地方の名勝史蹟』, 1937, pp.71~73; 岡良助『京城繁昌記』, 博文 社; 考古生,「京城이 가진 名所와 古蹟」,『별건곤』제23호, 1929년 9월;『韓國鐵道線路案 內』, 統監府鐵道管理局, 1908.

듬해(명치30) 국왕이 러시아 공사관에서 경운궁으로 환어한 후 복잡한 정치가 양위 때까지 이곳이 중심이 되어 이루어졌다. 1907년 7월 9일 고종이 양위하고 순종이 즉위하여 창덕궁으로 이행移幸하자 궁명은 덕수궁으로 개칭했다.[401]

한때 통감부를 이곳으로 옮기고자 하였다. 당시의 사실을 『공립신보』 1907년 12월 6일자에서는 "황제폐하께옵셔 동관 대궐로 이어하시게 하고 경운궁 대궐은 일본 통감부로 쓴다하니 변괴라 하겠더라" 하고, 『대한매일신보』 1907년 10월 31일자에는 "통감부를 옮긴다는 말. 창덕궁으로 이어하신 후에 경운궁을 통감부로 정하고 진고개 통감부는 통감부관인의 집으로 정한다는 말이 있다" 라는 기사가 보인다. 무슨 이유에선지 이 계획은 취소되고 말았지만, 한국에 대한 완전한 침탈을 예상하고 그 부지 선정에 있어 경복궁에 대한 야심이 이때부터 시작되지 않았나 하는 의혹을 갖게 한다.

# 1904년 4월

## 밀양 표충사 화재

밀양 표충사에서 실화하여 전각 1백여 칸이 불탔다.[402]

---

401　近藤時司의 『(史話傳說) 朝鮮名勝紀行』(1929년 博文館)에 의하면, '德壽'란 高宗의 長壽를 祈願하는 意味로 命名한 것이라고 한다.
402　『皇城新聞』 1904년 4월 8일자.

『매천야록』에는, "밀양 표충사表忠寺에 큰 화재가 발생하여 100여 칸을 모두 소각하였다. 그러나 이 사찰은 사당이 온전히 남아 있어 의병장 휴정休靜을 봉사할 수 있었다" 라고 기록하고 있다.

# 1904년 6월 18일

**고려 원종의 소릉(韶陵)이 도굴되다.**

고려 원종의 소릉이 1904년 6월 18일(음력 5월 5일) 밤에 도굴되었는데, 다음과 같은 기사가 있다.

1904년 '음력陰曆 5월 5일 밤에 어떤 놈이 고려高麗 왕조의 소릉韶陵을 훼손하였습니다. 급히 달려 나아가 적간摘奸해 보니, 너비 5척尺에 깊이 10여 척 가량을 팠고 병풍석의 치마돌과 깨진 질그릇들이 앞에 어지럽게 쌓여 있었다(『고종실록』 1904년 6월 22일 조).'

음력 5월 초2일 밤에 어떤 적한이 파괴한 소릉을 조사한 결과 광 5척, 깊이 10여척을 파내고 기명器皿을 훔쳐 달아났다(『관보』 1904년 6월 23일자, 『황성신문』 1904년 6월 27일자).

1904년 도둑이 개성 소릉韶陵을 도굴하였다(『매천야록』).

1904년에 도굴을 훼손된 능을 수리했으나, 1906년에 와서 또 다시 도굴을 당했다.

『고종실록』 1906년 6월 17일 조에는 "원종元宗의 소릉昭陵이 도굴당하는 변고가 있었다고 합니다" 라는 기사가 보이고, 『황성신문』 1906년 6월 22일자에는 "음력 정월 12일 밤에 흑의의 적한 기십명이 총을 들고 북동면 소릉에 들이닥쳐 원종 소릉을 파헤쳤다"는 『관보』를 게재하고 있다.

이후에도 계속적으로 수난을 당하였는데, 1916년 10월 7일 소릉을 조사한 이마니시 류今西龍의 보고서를 보면, 4, 5년 전에 도굴을 당하여 내부에 마편馬鞭과 같은 유품遺品이 유존遺存했는데 그 후 도적이 다시 도굴하여 가져 가버렸다고 한다.[403] 1916년의 시점으로 4, 5년 전이라면 1911-1912년경으로 이때 3차 도굴의 화를 입었던 것이다.


# **1904년 6월**


## 6월 말 대구의 일본인 수


1903년 경부철도공사가 진행됨에 따라 대구에 내왕하는 일본인의 수가 늘어나고, 1904년 2월말에 약 200인이었던 일본인이 6월 말에는 1,000명 이상이 되었다.

대구에 최초로 온 일본인은 1893년 9월, 남문 안에서 의약 및 잡화상점을 연 히자쓰키膝付, 모로室의 두 사람이었다. 그 이듬해 1894년 청일전쟁이 일어나

---

403  今西龍, 「高麗陵墓調査報告書」, 『大正5年度 古蹟調査報告』, 朝鮮總督府, 1917, p.388.

대구가 남부병첨선이 되고, 이들은 군대에 공용되어 통역 및 의무에 종사하였다. 그리고 이때 히자쓰키의 실형 히자쓰키 마스요시膝付益吉을 비롯한 일본인이 와서 점포를 여는 자가 늘어나 그 해 말에는 10여 호나 되었다.[404]

# 1904년 7월 24일

## 군사경찰 훈령 발포

1904년 7월 24일 '군사경찰 훈령'을 발포하고 같은 해 10월 9일에는 그 시행에 관한 내훈內訓을 정하여 생활 전반에 걸친 탄압을 감행하면서 일본인의 침탈행위를 감싸는데 철저하였던 것이다.[405]

한국으로 건너온 일본 도굴배들에 의해 저질러진 도굴과 유물을 수탈하는 만행은 1904년 한국주차군사령관韓國駐箚軍司令官 하세가와 요시미치長谷川好道에 의해 시행된 군정軍政 하에서 전국에 파견된 12개 헌병분대와 56개의 헌병분견소憲兵分遣所의 지원으로 가능했던 것이다. 일본 육군대장 하세가와長谷川는 우리 정부를 협박하여 한국의 경찰력으로는 치안을 유지하는데 부족할 뿐 아니라 도리어 방해가 되니 이제부터는 마땅히 전국의 경위警衛의 권한은 일본군리日本軍吏의 손으로 넘겨받겠다 하였다. 그는 일본 군사 경찰의 명령에 복종해야

404 대구부, 손필헌 역, 『개화기의 대구부사(1943)』, 도서출판 서우실, 2009.
405 吳世卓, 「日帝의 文化財 政策」, 『문화재』 29호, 문화재관리국, 1996, pp.160-161.

한다고 말하고, 19조를 반포하여 범법하는 자가 있으면 모두 일본 사령관의 손을 거쳐서 직접 형사상의 처분을 한다고 하였다. 그 가운데 제4조는 당을 만들어 일본에 반항하려 하든가 혹은 일본군에 대하여 항거하는 자, 제15조 회사를 조직하고 혹은 신문잡지 광고로서 혹은 다른 수단으로 치안을 문란 시킨 자, 제17조 군사령관의 명령을 어긴 자. 운운하였다.[406]

---

406 黃玹,『梅泉野錄』(李章熙 譯, 大洋書籍, 1973, p.288).
　　당시 그들의 威勢가 얼마나 대단했는지 육군대장 長谷川好道가 서울에 주둔하여 사령부를 세우고, 一進會가 이에 뜻을 같이하게 되자 高宗은 그것을 근심하여 뇌물을 보냄이 그치지 않았고 또한 敍勳 할 것을 命하고 李花章까지 주었다(매천야록, p.287).
　　1905년 1월 9일자 林 公使가 小村 外務 仁川領事에게 보낸 [京城 및 외곽의 치안업무 일본군에의 대체결정과 한국 政情에 관한 보고의 건](駐韓日本公使館記錄 25권, 국사편찬위원회 데이터베이스)에 의하면 '군령'과 '軍令 시행에 관한 內訓'은 다음과 같다.
　　軍令
　　다음 각 호에 해당하는 죄를 범한 자와 從犯者, 敎唆者, 未遂犯者 및 豫備隱謀者는 情狀에 따라 또는 사태의 필요에 따라 사형, 감금, 추방, 과료 또는 태형에 처함.
　　범죄용으로 제공된 물건, 범죄에 의하여 얻어진 물품과 금지품은 정상에 따라 이것을 몰수함.
　　1. 적을 위하여 간첩행동을 한 자와 이것을 유도하여 조성한 자.
　　2. 적군의 행동을 방조하거나 또는 그들의 편의를 도모한 자.
　　3. 아군에 포로 되어 있는 자를 도피시키거나 이 자를 빼앗아간 자.
　　4. 당을 결성하고 반항을 기도하거나, 기타 아군에 대하여 抗敵 행위를 한 자.
　　5. 아군의 행동을 방해한 자.
　　6. 아군에게 위해를 끼칠 행동을 한 자.
　　7. 군용 전신, 전화기관 또는 철도, 차량, 선박 등을 파괴 또는 절취하거나 그 운용을 방해한 자.
　　8. 군용 營造物, 도로, 교량 등을 파괴한 자.
　　9. 무기, 탄약, 군량과 말 먹일 꼴, 피복, 기타 군수품 및 군용 우편물을 파괴 또는 절취한 자.
　　10. 전 3호의 경우 외에 군사상의 통신 또는 수송을 방해한 자.
　　11. 아군에 불이익이 되는 통신을 하는 자.
　　12. 아군에 불이익이 되는 게시를 하는 자.
　　13. 아군의 징발, 숙박과 인부 고용 등을 방해하거나 이에 응하기를 거부하는 자.

# 1904년 7월

## 고려왕릉 도굴범 체포

고려왕릉을 도굴하여 고려자기를 일본인에게 백냥에 판 도굴범 박모가 체포

14. 우리 군인, 군속의 직무 집행을 방해하는 자.
15. 집회, 결사 또는 신문잡지, 광고, 기타의 수단을 써서 공안질서를 문란케 하는 자.
16. 일정한 지역 내에 출입 체재를 금지시킨 장소에서 그 금지사항을 범한 자.
17. 군사령관의 명령을 위반한 자.
18. 범죄자를 은닉하거나 또는 이 자를 빼앗아가거나 이 자를 도피시킨 자.
19. 범죄자를 위해 그의 증거를 인멸시킨 자.
軍令 시행에 관한 內訓
군령은 다음의 요령에 의하여 시행할 것.
1. 군령 위반자가 있을 때에는 검찰 처분을 한 후에 이를 군사령부에 아뢸 것.
단, 감금 10일 이하인 자와 과료 5圓 이하인 자 및 笞 10대 이하의 형에 해당하는 자는
임기 처분한 후 이를 군사령관에 보고할 것.
2. 한인 이외의 외국인과 기타 신분을 가진 자의 범죄에 관하여는 군사령관에 具申하여
그 지휘를 기다릴 것.
3. 군령 위반자의 처분은 지급을 요하는 자 외에는 심문판결을 거친 후에 이것을 처리함.
4. 사형 집행은 범인을 총살하는 것으로 함.
5. 감금의 집행은 범인을 일정한 장소에 유치하여 그의 신체의 자유를 구속하는 것으로
함. 단, 시의에 따라 이 자를 노역에 취역시킬 수도 있음.
감금의 판결에서는 그 기간을 지정할 것을 요함.
6. 추방형은 일정한 기간, 일정한 지역 외에 퇴거를 명하고, 판결에서 기간과 지역을 지정함.
7. 과료의 판결에는 금액을 지정하는 것을 요함. 범인이 만일 완납할 수 없을 때에는 이
자를 감금 또는 태형으로 바꿀 수 있음.
8. 태형의 집행은 질병과 창상을 입지 않을 정도에서 신체를 편달함.
태형의 판결에는 그 수를 지정하는 것을 요함.
9. 몰수한 물건의 처분은 군사령관에 구신하여 지휘에 따를 것.
10. 범인을 체포한 자와 또 유익한 밀고를 한 자에게는 범인의 처분을 언도한 후 공로
의 다소에 따라 상당한 상금을 수여할 수 있음.

되었다.[407]


# 1904년 9월 12일

## 북한산성 중흥사 화재

1904년 9월 12일 실화로 인하여 중흥사 건물 대부분이 소실되었다.[408]

중흥사는 창건연대가 명확하지 않다.『고려사절요』에는 1154년 9월에 창건했다는 기록이 보이나 북한산의 중흥사를 지칭하는지는 명확하지 않다.『북한지北漢誌』를 참고하여 만든「북한산지지초략」[409]에 의하면, "중흥사는 등안봉 아래 재하더니 지금으로부터 10년 전에 소실에 귀歸하였더라. 원래 신대사神大寺라 하는 고려 현종의 교거僑居하던 곳이오" 라고 하고 있어 고려 때부터 풍취 좋은 곳에 위치한 사찰로 남아있었을 것으로는 짐작된다. 임진왜란과 병자호란을 겪으면서 산성의 중요성을 인식하면서 북한산성이 축조되고 승병을 유지하여 산성의 수호에 맡기면서 중흥사의 번창이 함께 했을 것으로 보인다. 중흥사는 축성 당시 30여 칸의 소규모 사찰이었으나, 조선 숙종 때 136칸의 대규모 사찰로 증축되었다. 이는 임진왜란과 병자호란을 겪은 후 숙종이 도성 방어를

---

407 『皇城新聞』1904년 7월 30일자.
408 『皇城新聞』1904년 9월 14일자;『梅泉野錄』, 1904년 '중흥사 화재' 조.
409 『每日申報』1913년 7월 22일자.

위하여 벌인 대대적인 축성 사업 중 하나였다. 북한산성 내에는 11개 사찰에 승군이 주둔했는데, 승군의 총 지휘자인 승대장이 중흥사에 머물렀다고 한다.

세키노가 1902년에 한국에 건너와 조사한 후 1904년에 발표한 『한국건축조사보고』에는 아래와 같이 기록하고 있다.

중흥사는 경성에서 거리 약 4리 정도 떨어진 북한산 가운데에 있다. 창립 연대는 자세히 알 수 없으나 숙종 37년 처음으로 북산산성을 축성하였으므로 그 당시, 혹은 그 이후에 중흥한 것으로 보인다. 대웅전에는 술년에 중건하였다는 편액이 있고, 본당 후벽에는 道光8년(1828)에 그린 불화를 걸어놓았다. <중략> 현재 이 절의 가람 배치를 보면 대웅전이 중앙에 있고 남쪽으로 전면에 만세루가 있다. 그 서쪽으로 전륜전이 있고 그 동쪽으로는 극락보전이 있다. 그리고 그 앞쪽 좌우로는 여러 개의 승방이 있어 다른 지방 사찰에 비해 규모는 그다지 크지 않았지만, 그래도 경성이나 개성 부근에서는 가장 큰 가람이었다고 볼 수 있다.

1907년 5월에 발행한 『경성안내기京城案內記』에서는 1904년 이전의 중흥사 모습을 아래와 같이 서술하고 있다.

대웅전은 정말 굉장하다. 문에는 수를 놓은 듯하고 창은 문양으로 장식하였다. 기둥에는 그림을 그렸고, 서까래는 채색을 하였으며 금빛과 푸른빛이 찬연히 빛났다. 불전안에는 3위의 불상을 모셨다. 1위는 석가여래, 2위는 관세음보살, 3위는 지장보살이다. 그 좌우에 행자行者, 존자尊者의 그림을 걸었다. 불전 앞에는 2층의 큰 누각이 있는데 '만세루萬歲樓'라고 부른다. 누각 위에는 고금 명사의 시사를 새긴 판액을 걸었고, 좌우에는 행각이 있다. 불전의 북쪽에는 큰 부도를 안치하였고, 그 아래에는 나한전이 있다. 불전 안으로 들어가면 12대왕의 찰흙으로 만든 형상이 가부좌를 틀고 앉아 있다. 그 동쪽에 산신당이 있고, 동네 입구에는 돌비석을 세워 '중흥동문中興東門'이라고 4글자를 새겼다. 비석의 동쪽 산기슭에 돌탑이 있다. 이 근처는 소나무와 단풍나무가 울창하고 빽빽하다. 이것이 누각, 석탑, 나무숲 사이로 숨었다가 나타났다가 하니 무한한 운미를 느낄 수 있어 그로 인해 사계절 유객이 끊이지 않는다. 게다가 황실에서도 꼭 필요하고 중요한 약재를 조련할 때는 반드시 이 절에서 거행하도록 하였으니 그 段格 또한 대단히 높다.[410]

조선조에 북한산성 안의 사찰은 국가수호의 역을 맡았던 만큼 한국 강점의 목적을 가진 일본의 눈에는 처음부터 경계의 대상이었을 뿐[411] 더 이상 발진하지 못했다.

---

410  서울특별시 시사편찬위원회, 『국역 경성부사』 제1권, 1912.

411  1894년 11월 27일. 龍山後備步兵第6聯隊 第2大隊長 飯森則正이 井上公使에게 보낸 '고양 지방 흥도 정황과 寺院에 관한 報告'에 다음과 같은 내용이 있다.
北漢山 重興寺의 경우 작년까지는 일본인을 정중히 대하지는 않더라도 냉대는 하지 않았는데 근일에 와서는 그 냉혹함이 얼음보다 더 심합니다. 더욱이 작년까지는 그곳에 사는 승려 수가 매우 많았는데 올해에는 전에 거주하던 자의 과반이 넘지 못할 뿐 아니라 속인이 더 많이 살고 있는 것을 볼 수 있다고 한다. 전술한 사정을 歸納해 보면 각 사원은 매우 수상하오니, 이상의 사실 정황을 탐지하기 위해 조선인으로 분장한 탐정을 각 사원에 보내서 실정을 알아보려고 생각하고 있습니다.
이상 만일에 대비하여 참고하시기 바라며 말씀드립니다(국사편찬위원회 데이타베이스).

『北漢誌』에 나타난 중흥사

북한산성안의 가장 중요한 사찰이었던 만큼 사찰에는 귀중 유물이 비장되었을 것이라는 것은 추정되나 1904년 9월에 실화로 인하여 사찰건물이 대부분 소실되어, 전내殿內에는 3위의 불상을 안치하였고 백옥향로, 향합, 옥등대 등이 전한다고[412] 하지만 구체적인 내용을 알 수 없다.

1907년에 중건을 시도했으나[413] 제대로 뜻을 이루지 못했다. 1907년 이래 잠시 북한산헌병분견소를 설치하였을 때 이 사찰 주방 하나를 이용한 바 있다. 1909년에는 중흥사의 2불상을 이왕가박물관으로 옮겼다는 기사가 보이고 있으며,[414] 그나마 일부 남아 있던 건물은 1915년 7월의 대호우 때 노적봉 산사태로 이 절은 완전히 파괴되었다. 그 후 재건 논의가 있어 전방의 석단만 개수한 바 있으나 본당 건축은 경비 문제로 중단되었다.[415]

---

412 『皇城新聞』1900년 11월 5일자;『東亞日報』1927년 2월 7일자.

413 『大韓每日申報』1907년 7월 11일자.

414 『大韓每日申報』1909년 6월 24일자.

415 서울특별시 시사편찬위원회, 『국역 경성부사』 제1권, 1912.

# 1904년 9월

고려 숙종의 영릉이 도굴되다.

『고종실록』1904년 9월 20일 조에,

> 장례원 경 민병석이 고려 왕조의 영릉이 도굴되었음을 보고하다
> "장단 군수長湍郡守 윤종구尹宗求의 보고서에 의하면, '고려高麗 왕조의 영릉
> 英陵에 대해 어떤 도적놈이 능상陵上 남쪽을 둘레 2척尺 5촌寸, 깊이 1척 9촌
> 으로 파헤쳤고, 경릉景陵의 두 번째 능에 대해서는 남쪽을 둘레 2척, 깊이
> 1척 5촌으로 파헤쳤기 때문에 석장石帳이 드러났다'고 하였습니다.
> 지키고 보호해야 할 곳에 이런 변괴가 있는 것은 듣기에 지극히 놀라우니
> 변고를 일으킨 놈을 기일을 정하고 체포하고, 탈난 곳의 수리 절차는 지방
> 관리로 하여금 편리한 대로 거행하게 하는 것이 어떻겠습니까?"
> 하니, 제칙制勅을 내리기를,
> "전 왕조前王祖의 능에 이처럼 전에 없던 변고가 생겼으니 놀라움을 견딜
> 수 없다. 해당 범인을 즉시 체포하여 법조문을 적용하여 엄하게 다스리고,
> 수리하는 절차는 전례대로 지방 관리로 하여금 속히 거행하게 하되 수리
> 가 끝난 후 비서 승秘書丞을 보내어 치제致祭하게 하라"
> 하였다.

이렇게 도굴된 숙종의 영릉에서 나온 유물들은 일본학계에 소개되기도 했

다. 일본 고고학회본회 총회가 1906년 6월 16일 도쿄미술학교에서 개최되었는
데, 이 때 회원들이 수집한 유물들이 많이 출품되어 진열되었다. 그 중에서도
가장 주목되는 것은 구로다 다쿠마黑田太久馬가 출품한 동제수병銅製水缾, 운학수
정雲鶴手鼎, 운학수두雲鶴手豆, 운학수합자雲鶴手合子, 운학수향로雲鶴手香爐, 운학수
배 및 대雲鶴手盃 및 臺로 "한국숙종릉지발굴韓國肅宗陵址發掘"이라고[416] 기록하고
있어 1904년에 도굴된 고려 숙종릉에서 출토된 유물임을 알 수 있다.

『고종실록』 1904년 9월 20일조의 기사로 보면 파괴된 능은 그 해 바로 수리
를 한 것으로 짐작되는데, 그 후 2년이 지나 또 다시 도굴을 당했다.『고종실록』
1906년 11월 4일 조를 보면, "예식원 장례경禮式院掌禮卿 조정희趙定熙가, '고려
왕조 숙종肅宗 제2릉, 제3릉을 어떤 도적놈이 파헤쳤다.'라고 상주上奏하니, 제
칙制勅을 내리기를, 수개修改하는 일은 전례대로 지방관을 시켜 빨리 거행할 것
이며 수개가 끝나면 비서감 승을 보내어 치제致祭하도록 하라"는 기사가 보인
다. 또한 1910년 5월에도 도굴을 당하여 "장단군에 있는 고려 영릉英陵을 수일
전에 적한이 파굴하였다"는 신문기사가 보인다.[417]

1916년경에 작성한『고적대장古蹟臺帳』을 기초로 하여 만든『조선보물고적조
사자료朝鮮寶物古蹟調査資料』의 기록을 보면, 경기도 장단군 소남면 유덕리 왕릉
동王陵洞에는 어느 왕의 릉인지는 불명이나 주민들이 왕릉이라 부르고 있는 거
대한 릉이 있는데 직경 3칸 반이나 파여져 무참히 도굴을 당하였으며, "경기도

416 「考古學會記事」,『考古界』第6篇 第1號, 1906년 11월.
417 『皇城新聞』 1910년 5월 13일;『大韓每日申報』 1910년 5월 13일자.

진서면 납목리 고려 숙종왕肅宗王 영릉英陵도 7, 8년 전에 도굴을 당했다"[418]고 기록하고 있는데, 바로 1910년 5월의 도굴을 지적하는 것으로 보인다.

1916년 이마니시 류今西龍의 조사 때에는 그간에 또 다른 도굴이 있었는지 심하게 황폐해 있었다.[419] 이같이 수차의 도굴과 수선공사가 반복되었다.

영릉

418 『朝鮮寶物古蹟調査資料』, 朝鮮總督府, 1942, p.57, p.61.
　　이 외에도 津西面 納木里의 高麗 名妓 黃眞의 묘를 비롯한 津西面 田齋里의 調査된 80
　　여 기의 고분도 완전히 도굴을 당하였다.
419 今西龍, 「高麗陵墓調査報告書」, 『大正5年度 古蹟調査報告』, 朝鮮總督府, 1917, p.364.

# 1904년 10월 5일

## 황실제도정리국(皇室制度整理局) 설치

1904년 8월 22일에 고문용빙협정顧問傭聘協定에 따라 1904년 가을에 재정고문財政顧問으로 취임한 메가다 다네다로目賀田種太郎은 한국을 식민지하기 위한 기초 작업으로 재정정리에 착수하였다. 그 중 황실재산정리를 위해 먼저 1904년 10월 5일에 황실제도정리국皇室制度整理局을 설치하였다.[420]

# 1904년 11월

## 의궤 봉안

각 도감 의궤를 강릉 오대산과 봉화 태백산과 무주 적상산성으로 지난 23일에 봉안차로 비서원랑 이하가 배종하는데, 내부에서는 각 군에 통첩하여 도중에 도적의 염려가 있으니 연로 각읍에서 호송하여 막중한 통행에 소홀함이 없도록 하라고 하였다.[421]

---

420  1904년 10월 5일 詔勅;『高宗實錄』44卷, 高宗41년 10월 5일자.
421  『大韓每日申報』1904년 11월 26일자;『皇城新聞』1904년 11월 23일자.

# 같은 해

## 곤도 사고로(近藤佐吾郞)가 골동상점을 열다.

　일본인들의 골동 수집붐이 가열되면서 골동 매매를 전문으로 하는 골동상들이 생기기 시작하였다. 실제로 그 이름은 나타나 있지 않지만 행상이나 노점상은 일찍부터 시작되었으며, 한 곳에 정착하여 간판을 내걸고 전문 골동상점을 운영한 것은 곤도 사고로近藤佐五郞가 처음인 것으로 보인다.

　곤도 사고로近藤佐吾郞는 1910년에 발간한 『경성京城과 내지인內地人』에 의하면, 원래는 약제상藥劑師으로 1892년 부산공립병원에 초빙되어 약국장으로 근무하다가 그만 두고 1904년에 서울에 올라와 박고당博古堂이라는 골동가게를 열었다고 한다.

　그런데 그의 형적을 보면 약제상이란 이름으로 부정한 방법으로 돈을 벌었던 것 같다. 1899년 1월 20일자 재원산 이등영사 오가와 모리시게小川盛重가 특명전권공사 가토加藤增雄에게 보낸 「원산 기류민의 폭약 제조원료 수입금지 일건」에 의하면, "거류민들이 폭약 제조 원료인 화학약을 수입하여 한국민의 들짐승 포획용에 공급한 일이 있어 판매 금지시켜 달라"는 내용이 보이고 있다.

　그리고 1899년 1월 4일자 재원산 이등영사 오가와小川盛重가 외무차관 쓰즈키都筑馨六에게 보낸 「독약극약 판매에 관한 청훈의 건」을 보면 이 같은 폭약 제조원료가 약제사 곤도 사고로近藤佐吾郞에 의해 판매되고 있어 이를 단속해 달라는 내용이 들어 있는데 다음과 같다.

　소관은 한편으로는 이들 한국민의 행위에 대하여 이곳 항구 감리관에게

이에 대한 단속을 촉구하는 조회를 냈고, 또 한편으로는 이 폭발약의 원료인 류화비소硫化砒素, 격로아산格魯兒酸을 어디서 수입해 오는지를 이곳 항구 해관 및 거류상에 대하여 조사하였는데, 지난 해 10월부터 12월 사이에 부산항 변천정 약제사 곤도 사고로近藤佐五郎라는 자로부터 2,400병을 원산항에서 수입하여 이것을 자신 또는 타인에게 위탁하여 이곳 한국민에게 각각 판매한 사실이 있음을 확인하였습니다.

생각하건대, 약제사, 약제상, 제약자 등의 영업을 영위하는 자는 1889년 법률 제10호의 규정을 엄수해야 하는 것은 물론이고 만일에 범법하는 자가 있을 때에는 동법 제5장의 벌칙의 제재를 받게 되어 있습니다. 또 듣는 바에 의하면 본국 내지 또는 동경에서는 독극약 매매에는 한층 더 단속을 엄중하게 하기 위하여 매매자 쌍방이 경시청에 신고하여 그 인가를 얻은 후에 매매를 하고, 그렇지 않으면 매매를 할 수 없도록 규정하고 있다고 합니다. 그렇다면 본 거류지에서도 전건과 같은 위험을 예방하려면 아래의 안과 같이 단속할 필요가 있을 것이라고 생각됩니다. <중략>

항구 및 경성의 영사에게도 속히 훈시하여 주시기 바라며 이 점에 대하여 훈시를 바랍니다.[422]

『조선재주 내지인실업가 인명사전』에 의하면, 약제사 면장을 받은 후 동경의과대학 제일모범약국에 재직하다가 1892년 부산공립병원 약국장으로 근무했다고 하는데, 약제상 등의 특권으로 폭약 제조원료 등을 수입하여 부당 이득을 취했던

422 「毒藥劇藥 販賣에 관한 請訓의 件」 『駐韓日本公使館記錄』 제13권, 국사편찬위원회, 1990.

것이다. 그는 돈이 되는 것이면 무엇이든 할 수 있다는 그의 면모를 볼 수 있다.

그가 골동에 관심을 가진 것은 1900년으로, 1900년에 의화단 사건(북청 사변)이 일어나자 상황 시찰을 위해 상해, 북경, 천진, 우장 각지를 돌아보던 중에 골동품 쪽에 취미를 가지게 되었다고 한다. 그가 정식적으로는 1904년에 골동 상점을 열었다고 하나 골동에 관여한 것은 이미 1900년부터 임을 알 수 있다.

곤도는 장사수완이 아주 뛰어났을 뿐 아니라 당시로서는 서울 한복판에서 버젓이 간판을 내걸고 상점을 운영한 것으로는 유일했기 때문에 지방에서 서울로 올라온 고미술품이나 개성 일대에서 무차별 도굴하여 올라오는 우수한 고려자기는 그의 가게에 흘러 들어갔다.

1907년에는 경성상업회의소의원, 1908년에는 일본인거류민단의원으로 활약하였다.[423] 1905년경에 개성방면에서 무차별 도굴되어 서울로 올라온 무수한 고려자기가 그의 가게로 흘러 들어갔음을 짐작할 수 있다.

당시 일화逸話로, 골동상 아가오赤尾라는 자는 밤이 되면 고려자기 경매를 시작하였는데[424] 아가와 시게로阿川重郎, 아유카이 후사노신鮎貝房之進, 야마구치山口 등이 단골로 거의 매일 밤 나타났으며, 곤도 사고로近藤佐吾郎도 자주 나타났는데 그는 아가오赤尾의 경매장에서 거의 무더기로 사가곤 했다고 한다.

경성미술구락부 설립자 사사키 쵸지佐佐木兆治 1906년도의 경성의 골동 거래 상황을 다음과 같이 회고하고 있다.

---

423 『朝鮮在住 內地人 實業家人名士辭』, 朝鮮實業新聞社, 1913, p.191.
424 『朝鮮在住 內地人 實業家人名士辭』(朝鮮實業新聞社, 1913)에 의하면, 赤星佐吉은 1904년에 한국에 건너와 개성에서 과자상, 잡화상을 하다가 1907년에 고물상을 시작하여 서울에 들어와 赤星商店이라는 雜貨商 및 古物商을 하였다.

1906년에는 개성지역에서 고려도기가 다수 출토되었다. 초대 통감 이토 히로부미가 현지 토산물로 고려도기를 사 모았으며, 이왕직에서는 박물관을 설립함에 따라 고미야小宮 차관이 고려도기 및 옛 그릇에 주목하게 되는 등 유물이 왕성하게 발굴되는 시대가 드디어 막을 열었다. 이 무렵 아카오赤尾라는 자가 경매를 시작했다. 필자는 낮에는 노점을 운영했으며, 밤에는 그 경매의 장부 기록을 담당했었다. 경매에는 아가와阿川, 아유카이鮎貝, 야마구치山口, 파성관巴城館 등 여러 인사들이 매일 같이 몰려들었다. 아무튼 도기가 담긴 조선추朝鮮萩로 마늘어진 가늘고 긴 상자들이 끊임없이 개성에서 경성으로 보내졌다. 그러나 그 대부분은 이미 파손된 것으로, 이들 다섯 개씩을 한 조로 10원에서 15원의 가격에 경매에 부쳐졌다. 마침 이 때 대담하게도 본정 4정목에 골동가계를 차린 곤도 사고로 씨도 경매에 참가했었다. 당시 열렸던 아카오 씨의 매립회에서는 다음과 같은 광경이 벌어졌다. 어느 날 밤 인천에서 경성으로 이사를 와 직물점을 개점한 모 씨가 조선추 상자를 뒤적이고는 마음에 든 청자 사발을 골라내어 경매대에 올려놓았다. 그리고 그가 10원이라고 말하자 곤도 씨는 확인도 않은 채 15원이라고 외쳤다. 직물점 주인이 18원이라고 말하니 곤도 씨는 25원을 부르며 맞받아쳤다. 직물점 주인은 경매에 부쳐진 물품들의 대부분을 고도 씨에게 내어주어 소심한 사람처럼 보이기까지 했다. 다음날 곤도 씨의 가게를 찾아가 보았는데 곤도 씨는 경매에서 구입한 것들 중 두 유물을 50원과 70원이라는 가격에 모 재판관에게 판매했다.[425]

---

425 佐佐木兆治, 『京城美術俱樂部創業20年記念誌』, 株式會社京城美術俱樂部, 1942,

장사수완이 뛰어난 그의 상점에는 늘 우수한 고려자기가 진열되었기에, 그런 그의 골동가게에서 이토 히로부미伊藤博文는 많은 고려자기를 구입하였다. 이토는 일본의 고관대작들에게 선물하기 위하여 고려자기를 무더기로 사갔는데, 곤도에게 보이는 대로 다 사모으라고 했다고 한다.

이 자는 도자기 쪽만 전문적으로 한 것이 아니라 돈이 되는 것이면 무엇이든 거침없이 행했던 것으로 산간벽지에 있던 석조물들까지 손을 대었다. 1907년에 궁내대신 다나카 미스야키田中光顯가 유명한 경천사탑을 일본으로 반출할 때 곤도에게 반출을 맡겨, 수하들을 거느리고 경천사탑을 직접 반출한 담당자이기도 하다. 『대한매일신보』1907년 6월 4일자에는 다음과 같은 기사가 있다.

다나카田中 궁상이 백옥탑을 재래齎來한 순서를 기記하건대 본년 2월 4일 경성에 재류하는 고물상 후쿠오카현福岡縣 인 곤도 사고로近藤佐五郞라 하는 자가 헌병 약간 명을 솔率하고 전기 풍덕군에 출장하여 보탑을 취거하려한 즉 군수 등이 동의同意치 아니하고 한민 중에 항거抗拒하려는 폭한暴漢이 유有하기로 불득이하여 다소 무력을 사용한 후에 인천으로 운출運出하여 3월 15일 신바시新橋에 도착하고 동 19일 우에노上野 제실박물관으로 운송하다.

당시 곤도는 총을 든 헌병과 순사를 비롯하여 무기를 가진 일본인 40, 50명을 동원하고 수십의 달구지에 탑재를 실어 운반하였는데, 주민들이 항거를 하였으나 무장한 이들이 달구지를 에워싸고 있어서 어떻게 할 수가 없었다고 한다.

pp.11-12.

뿐만 아니라 1911년에 세키노가 작성한 「조선고적 사진목록」을 보면 '염거화상탑'과 '고려묘탑'이 '近藤佐五郞 所管'으로 나타나 있다. '염거화상탑'은 현재 명확한 제작연대가 나타나 있는 부도 중에서 그 연대가 가장 올라가는 것으로 중요한 사료적 가치가 있는 것이지만 원지로부터 반출하는 과정에서 출처를 은폐하여 지금도 원지가 미상으로 남아 있다.[426]

곤도는 1923년에 수정상업회의소에서 서화 골동의 대경매회를 가졌다고 한다.[427] 그러나 당시 어떤 것이 얼마나 나왔는지는 구체적으로 알려진 것이 없다.

곤도는 서화 골동뿐 아니라 '고서간행회'를 운영하기도 하였으며 목판 등에

출처를 잃어버린 '염거화상탑'
현재 국립중앙박물관 소재

까지 손을 뻗쳐 『대동야승大東野乘』등 많은 고전을 사본하여 재미를 보기도 하였다고 한다.[428]

한국에서 활동한 골동상들 중에는 상당수가 한국에서 사망하여 생전에 소장하고 있던 유품들이 그의 유가족들에 의해 한국에서 경매에 붙여진 경우가 많았는데, 곤도의 경우에는 생전에 일본으로 귀국하였기 때문에 그가 오래 동안 모아 온 많은 고미술품들을 품에 안고 일본으

426  징규홍, 『석조문화재, 그 수난의 역사』, 학연문화사, 2007.
427  佐佐木兆治, 『京城美術俱樂部創業20年記念誌』, 京城美術俱樂部, 1942, p.39.
428  申基漢, 「돌이킬 수 없는 誤診史를 감내하며」, 『古美術』, 1984년 봄호.

로 귀국하였다.


일본인이 숭례문에서 한강에 이르기까지 스스로 구역을 점령하고 말하되 군용지軍用地라 하고 푯말을 세워 경계를 정하고 우리나라 사람들을 금하고 범치 못하도록 하였다. 이로부터 하고자하는 바가 있으면 문득 말하되 군용지라 하여 빼앗아 갔다.[429]


## 김해패총 조사


야기 쇼자부로八木奘三郎와 시다 죠케이施田常惠가 김해패총을 조사했다.[430]

북한 사회과학원 역사연구소, 『일제조선침략일지』에는 "고고학자 야기가 인종학적, 고고학적 및 민속학적 자료의 수집명령을 받고 또 다시 한국에 들어와 침략군대의 뒤를 따라 다니면서 경부, 경인선 철도부설공사에서 들어난 유적유물을 약탈하고, 야기와 함께 들어온 시다는 김해지방 조개무지를 파헤치고 유물을 약탈" 했다고 한다.[431]

429  黃玹,『梅泉野錄』李章熙 譯, 大洋書籍, 1973.
430  申叔靜,「우리나라 新石器文化 研究 傾向」,『韓國上古史學報』제12호, 韓國上古史學會, 1993년, p.152.
431  사회과학원 역사연구소, 『일제조선침략일지』, 사회과학출판사, 1973.

朝日修好條規

大日本國與

大朝鮮國素敦友誼歷有年所
今欲重修舊好以固親睦互以同
治欲重修舊好以同親睦互以
全權辦理大臣陸軍中將兼象
隆特命副全權辦理大臣議
華府朝鮮國政府簡列中樞府
承各遵所添論旨議立條欵慨列于左
、第一欵
朝鮮國自主之邦保有與日本國平等之權嗣後兩

# 우리 문화재
# 수난일지

# 1905년 2월 15일

## 고려 신종(神宗) 양릉(陽陵)이 도굴되다.

『고종실록』 1905년 3월 2일 조에 다음과 같은 도굴 기사가 있다.

장례원 경掌禮院卿 조병필趙秉弼이 아뢰기를,
지금 고려 현릉高麗顯陵의 영승 장익방張翼邦의 공문에 의하면, 고려 신종神宗 양릉陽陵의 수호군守護軍 전동호全東浩가 와서 알리기를, '음력 정월 12일(양력 2월 15일) 밤에 능에서 어떤 사람들이 떠들어대기에 알아보기 위해 나가 보았더니 많은 사람들이 문을 에워싸고 칼을 번쩍번쩍 휘둘러대고 있었습니다. 목소리를 가려보니 한인과 일본 사람이 모두 해서 수십여 명이었습니다' 라고 하였습니다. 적은 수로는 큰 수를 대적해 낼 수가 없어 변고가 생기는 지경에 이르렀습니다. 그래서 본 참봉이 즉시 달려가 봉심奉審하니 능이 허물어 진 것이 3분의 1이나 되고, 앞에 한 개의 구멍을 뚫었는데 넓이가 1자이고, 깊이가 5, 6자 가량 되었습니다. 라고 하였습니다.

양릉을 도굴한 자들은 일본인과 한인으로 조직한 수십여 명의 도굴단으로, 수호군이 보는 앞에서 칼로 위협을 가하면서 도굴을 자행한 것이다. 이 같은 악행이 있은 후 개성부에서는 탐문 조사를 하여 도굴범 고한이高漢伊와 박영진朴永鎭만을 겨우 체포하여 "이미 붙잡은 해당 범인은 법부로 하여금 형률에 따라 죄를 주게 하고 아직 붙잡지 못한 자에 대해서는 며칠 내로 탐문 체포하여 또한 엄하게 다스리게 하라"는 기사는 보이나, 이들을 고용하여 도굴한 일본인에 대한 기사는 보이지 않는다.

신종神宗의 양릉陽陵은 1916년에 이마니시 류今西龍가 조사한 기록을 보면, 석인石人, 능비陵碑 등 석재들까지도 도난당한 상태였다.[432] 1986년 북한 사회과학원 고고학 연구소에서 발굴하였는데 막음 돌 윗면이 깨어져 무덤 칸으로 통하는 도굴구멍이 있었다. 문턱에는 도굴구멍으로 흘러든 흙이 30cm 두께로 쌓여있었고 관대의 좌우에는 파헤쳐진 자리들이 있었다. 또 흙을 처리하는 과정에서 금동자물쇠, 꽃무늬가 있는 둥근 금동판, 고려자기편, 깨어진 거울조각 등이흙 속에 널려져 있었다. 무덤의 천정에는 직경 1.23m의 원안에 해, 북두칠성을비롯한 27개의 별자리가 표시되어 있는 별그림이 그려져 있었다.[433]


# 1905년 2월 17일


## 고려 현종(顯宗) 선릉(宣陵)이 도굴되다.


『고종실록』1905년 3월 2일 조에는 다음과 같은 기사가 보인다.

---

432  今西龍,「高麗陵墓調査報告書」,『大正5年度 古蹟調査報告』, 朝鮮總督府, 1917.
433  김종혁,「개성 일대의 고려왕릉 발굴 보고」,『조선 고고연구』제2호, 북한 사회과학원 고
     고학연구소, 1986.

현종 선릉(『조선고적도보』)

고려 현릉의 영 장익방의 공문에 의하면, 고려 현종顯宗 선릉宣陵의 산지기가 보고하기를, '음력 정월 14일(양력 2월 17일) 밤에 알지 못할 어떤 놈이 능을 허물었습니다 라고 하기에 즉시 달려가 봉심하니 능이 허물어 진 곳이 3분의 1이나 되고 앞면의 판 곳은 깊이가 3, 4자 가량 되었습니다' 라고 하였습니다. 더없이 중요한 능침에 연이어 변고가 일어난 것은 듣기에 놀랍고도 두려움을 이길 수 없는 일이므로 본 부의 윤尹이 달려가 살펴본 다음 산지기와 능 밑에 사는 백성을 잡아다 공초를 받아보니 과연 능의 관리의 공문 내용과 같았습니다. 그래서 한편으로 기찰하는 군교를 엄하게 신칙하여 기어이 범인을 염탐하여 잡아내도록 하였는데 능을 수리하는 일이 한시가 급합니다' 라고 하였습니다.

제칙制勅을 내리기를,

"전 왕조의 능침에 이처럼 전에 없던 변고가 생긴 것은 놀랍기 그지없는 일이니 수리하는 절차는 전례대로 지방의 부府로 하여금 속히 거행하게 하며 수리가 끝난 다음에는 비서원 승秘書院丞을 파견하여 치제致祭하도록 하라"
하였다.

이에 앞서 『황성신문』 1904년 4월 23일자 '궁정록사宮廷錄事'란에는 "음력 1903년 12월 20일 밤에 적한이 선릉宣陵을 훼파毁破하였다"는 기사가 보이고 있다. 따라서 1905년 이전에 이미 1차 도굴이 있었던 것으로 보인다. 『고종실록』 1905년 3월 2일 조에 나타난 도굴범에 대해서는 『국권회복운동 판결문집』(총무처 기록보존소)에는 일본 전문 도굴꾼 4명과 한국인 3명이 선릉宣陵을 도굴하다가 미수에 그치고 이튿날 다른 고분을 도굴하여 매매한 사실이 발각되어 형사처벌을 받았다는 재판 기록이 보이고 있다.[434] 그러나 도굴품을 찾았는지에 대해서는 알려져 있지 않다.

그 이후 다시 도굴을 당했는데 1906년 3월 4일자 『관보』에는 "장례원경 조병필이 고려 신종神宗의 양릉과 고려 현종顯宗의 선릉宣陵을 일본인이 도굴하였음을 상주하다"는 기록이 보인다.

# 1905년 2월 23일

2월 23일에 제천군 객사에서 실화하여 불탔다.[435]

---

434 『國權回復運動 判決文集』, 총무처 기록보존소, 1995.
435 『皇城新聞』 1905년 3월 4일자.

# 1905년 2월 25일

## 《제2회 도쿄제국대학 부속도서관 고서전람회》

《제2회 도쿄제국대학 부속도서관 고서전람회》가 2월 25일부터 27일까지 3일간 개최되었다.

조선본으로는 사본寫本으로 연려실기술燃藜室記述 40책, 고려사高麗史 70책, 조선국지朝鮮國志 4책, 이상국일기李相國日記 4책, 어초문답魚樵問答 1책이 진열되었다.

조선판본朝鮮板本으로는 대학연의大學衍義 43권 15책, 용감수감龍龕手鑑 8책, 소학집설小學集說 4책, 소학집주小學集註 5책, 소학언해小學諺解 2책, 맹자언해孟子諺解 7책, 대전통편大典通編 6권 5책, 대전회통大典會通 6권 6책, 동국문헌비고東國文獻備考 40책, 려사제강麗史提綱 25권 20책, 계곡집谿谷集 34권 16책, 퇴계집退溪集 34책, 이충무공전서李忠武公全書 15권 8책, 일봉집一峰集 7책, 일송선생문집一松先生文集 4책, 운석유고雲石遺稿 10책, 강한집江漢集 15책, 규재유고圭齋遺藁 3책, 수촌집水村集 6책, 동주선생집東州先生集 13책, 백담선생문집柏潭先生文集 6책, 동포유고東浦遺稿 4책, 고시선古詩選 3책, 당시시음唐詩始音 1책, 소대풍요昭代風謠 2책, 전운옥편全韻玉篇 2책, 조선시운朝鮮詩韻 1책, 주자실기朱子實紀 12책, 동의보감東醫寶鑑 25책 등이 진열되었다.[436]

---

436 「東京帝國大學圖書館古書展覽會」, 『史學雜誌』 제16편 제3호, 1905년 3월.

# 1905년 2월 26일

고려 제3릉과 서구릉(西龜陵), 충목왕(忠穆王) 명릉(明陵), 서구릉 등이 도굴되다.

『고종실록』과 『황성신문』에는 다음과 같은 기사가 있다.

예식원 장례경禮式院掌禮卿 이재현李載現이 아뢰기를,

"방금 개성 부윤開城府尹 권태익權泰益의 보고를 받아보니, 고려 현릉高麗顯陵 참봉參奉 왕용준王用濬의 조회照會에, '음력 1월 23일에 알지 못할 어떤 흉악한 도적놈이 고려 제3릉과 서구릉西龜陵을 파헤쳤다고 하기 때문에 즉시 달려가 살펴보았습니다. 제3릉은 병풍석屛風石 3개를 허물고 구멍을 뚫었는데 깊이가 3, 4자 가량 되고 넓이가 6, 7자 가량 되었습니다. 서구릉은 왼쪽에 구멍을 뚫었는데 깊이가 1자 가량 되고 넓이가 1자 가량 되었습니다. 그래서 부근 동洞의 주민들에게 각별히 신칙하여 지키도록 하는 한편 기찰 포교들을 엄히 신칙하여 범인을 기어이 붙잡게 하였습니다만, 개수하는 일은 한시가 급합니다' 라고 하였습니다. 또한 고려 충목왕忠穆王 명릉明陵의 산지기가 보고하기를, '지난 밤에 알지 못할 어떤 놈이 능의 북쪽 봉토를 파헤쳤다고 하기 때문에 즉시 달려가 살펴보았는데 길이와 너비가 3, 4자 가량 되고 깊이도 4자 가량 되었습니다. 그 범인을 기어이 붙잡아 법대로 하도록 하였습니다' 라고 하였습니다. 각 능에 이처럼 연속적으로 변고가 생긴 것은 두렵기 그지없는 일이므로 기찰포교를 엄히 신칙하여 해당 범인을 기어

이 붙잡게 하였습니다만 개수하는 일은 시일이 급합니다' 하였습니다.

지키는 곳에서 이렇듯 연이어 변괴가 생긴 것은 듣기에 놀라운 일이니, 변고를 일으킨 놈을 기한을 정해놓고 기어이 붙잡아 법에 준하여 처벌해야 합니다. 탈이 생긴 곳을 개수하는 일은 지방 관리를 시켜 편리한 대로 거행하는 것이 전례이니, 이번에도 이대로 거행하도록 명하는 것이 어떻겠습니까?"

하니, 제칙制勅을 내리기를,

"전 왕조의 능침에 이처럼 전에 없던 변고가 생긴 것은 놀랍기 그지없는 일이다. 그 범인을 수일 내로 잡아들여 법조항에 따라 엄하게 처벌하라. 고치는 일은 전례대로 지방관을 시켜 속히 거행하게 하라. 개수하는 일이 끝난 다음에는 비서감승秘書監丞을 보내서 치제致祭하도록 하라"

하였다(『고종실록』 1905년 4월 12일 조).


음력 정월 23일 어떤 적한賊漢이 고려조 제3릉 및 서구릉西龜陵을 파괴했다는 고로 살펴본 즉 병풍석 3개를 파괴하고 구멍을 깊이 3, 4척 넓이 및 길이 6척을 팠다.

충목왕忠穆王 명릉明陵을 야음을 틈타 모르는 어떤 놈이 몰래 릉의 위 부분을 팠는데 길이 및 폭이 3, 4척 깊이 역시 4척을 파고 도굴했다(『황성신문』 1905년 4월 17일자).


서구릉은 1994년에 개성 고려박물관 연구원들에 의해 발굴 조사가 이루어졌는데, 무덤입구의 윗부분에 도굴구가 있었다. 내부의 벽면과 천정에는 벽화가 있었으나 훼손이 심하였다. 부장품으로는 금동제품 파편, 청자파편이 일부

발견되었다.[437]

# 1905년 4월 1일

## 일본문고협회 주최《제2회도서전람회》

일본문고협회 주최로《제2회도서전람회》가 1905년 4월 1일 제국도서관 내에서 개최되었다. 이때 진열한 조선본은 다음과 같다.

*일본문고협회 주최 도서전람회 조선본 목록[438]

| 도서명 | 편찬자 | 수량 | 간년 | 소장처(자) |
|---|---|---|---|---|
| 阿毗達磨大毗婆沙論 | | 1卷 | 元至止年中刊 | 제국도서관 |
| 天運紹統 | | 2册 | 明永樂4年刊 | 木村正辭 |
| 大學衍義 | 宋 眞德秀 撰 | 15책 | 明宣德9年活版 | 동경제대부속도서관 |
| 二綱行實忠臣圖 | | 1책 | 明宣德9年刊 | 林泰輔 |
| 小學集成 | | 6책 | 明正統年刊 | 제국도서관 |
| 樊川外集來註 | | 1책 | 明正統5年刊 | 大橋도서관 |
| 龍飛御天歌 | 鄭麟趾 等 撰 | 2책 | 正統10年刊 | 金澤庄三郎 |
| 高麗史 | 鄭麟趾 等 奉敎撰 | 73책 | 明景泰元年刊 | 三兼浦助 |
| 重修政和經史證類備用本草 | | 2책 | 明成化4年重刊 | 木村正辭 |
| 佛祖通載 | 宋釋念常撰 | 10책 | 明成化8年刊 | 今泉雄作 |

---

437 김인철,『고려무덤 발굴보고』, 사회과학출판사(백산자료원), 2003.
438 「日本文庫協會主催圖書展覽會」,『考古界』第4篇 第11號, 1905년 5월.

| 도서명 | 편찬자 | 수량 | 간년 | 소장처(자) |
|---|---|---|---|---|
| 陶淵明集 | | 1책 | 明成化19年刊 | 大槻文彦 |
| 黃檗山斷際禪師傳心法要 | | 1책 | 明成化19年刊 | 早稻田大學圖書館 |
| 妙法蓮華經 | | 1책 | 明成化年中刊 | 제국도서관 |
| 李太白詩文集 | | 10책 | 明正德元年刊 | 제국도서관 |
| 藝文類聚 | | | 明正德10年活版 | 木村正辭 |
| 二倫行實圖 | 金安國 撰 | 1책 | 明正德13年刊 | 林泰輔 |
| 近世錄 | | 4책 | 明正德14年刊 | 제국도서관 |
| 異端辭正 | | 3책 | 嘉靖自5年至30年刊 | 菊池三九郎 |
| 儷語類編 | 明趙仁奎 撰 | 20책 | 嘉靖12年刊 | 제국도서관 |
| 佛頂心多羅尼經 | | 1책 | 嘉靖20年刊 | 제국도서관 |
| 求仁錄 | 李彦迪 撰 | 4책 | 嘉靖29年刊 | 狩野亨吉 |
| 禮記集說 | 元 陳澔 撰 | 8책 | 嘉靖39年刊 | 제국도서관 |
| 家禮大全 | | 1책 | 嘉靖42年刊 | 제국도서관 |
| 程氏分類 | | 16책 | 嘉靖43年刊 | 狩野亨吉 |
| 延平問答 | 宋 朱熹 編 | 2책 | 嘉靖45年刊 | 제국도서관 |
| 資治通鑑綱目 | | 81책 | 嘉靖年中刊 | 島田鈞一 |
| 文章軌範 | | 2책 | 嘉靖年中刊 | 제국도서관 |
| 醫家必用 | 孫應奎 撰 | 1책 | 嘉靖年中刊 | 大野豊太 |
| 新增類合 | | 1책 | 明 萬歷4年刊 | 木村正辭 |
| 新增類合 | | 3책 | 明 萬歷4年刊 | 黑川眞道 |
| 新增類合 | | 2책 | 明 萬歷4年刊 | 白鳥庫吉 |
| 松齋詩集 | | 1책 | 萬歷11年刊 | 龜谷行 |
| 五音集韻 | 韓道昭 撰 | 10책 | 萬歷17年刊 | 제국도서관 |
| 己卯錄 | 申翌敬 撰 | 1책 | 萬歷11年刊 | 林泰輔 |
| 御製禮疑類輯 | 朴聖源 編 | 15책 | 明 崇禎3年刊 | 제국도서관 |
| 同春堂先生集 | 宋浚吉 撰 | 18책 | 崇禎3年刊 | 제국도서관 |

| 도서명 | 편찬자 | 수량 | 간년 | 소장처(자) |
|---|---|---|---|---|
| 玉溪集 | | 6책 | 崇禎6年刊 | 학습원도서관 |
| 東州先生集 | 李敏求 撰 | 13책 | 崇禎12年刊 | 동경제국대학부속도서관 |
| 坡谷遺稿 | 忠簡公 撰 | 1책 | 崇禎12年刊 | 大野豊太 |
| 麗史提綱 | | | 崇禎年刊 | 동경제국대학부속도서관 |
| 一松先生文集 | 沈喜壽 撰 | 4책 | 明永3年刊 | 동경제국대학부속도서관 |
| 妙法蓮華經 卷第1 | | 1책 | 淸 康熙7年刊 | 山中笑 |
| 柏潭先生文集 | 具鳳齡 撰 | 6책 | 淸 康熙9年刊 | 동경제국대학부속도서관 |
| 東國文獻備考 | 洪鳳漢 等 奉敎 編 | 40책 | 淸 乾隆35年刊 | 동경제국대학부속도서관 |
| 八歲兒 | | 1책 | 淸 乾隆42年刊 | 金澤庄三郞 |
| 一峯集 | 趙顯期 撰 | 7책 | 淸 乾隆48年刊 | 동경제국대학부속도서관 |
| 弘文館志 | 李魯春 等 奉敎編 | 1책 | 淸 乾隆49年活版 | 동경제국대학부속도서관 |
| 大典會通 | 金致仁 等 奉敎 撰 | 1책 | 淸 乾隆51年刊 | 林泰輔 |
| 林忠愍公實記 | | 2책 | 淸 乾隆56年刊 | 林泰輔 |
| 李忠武公全書 | 李舜臣 撰 | 8책 | 乾隆60年活版 | 市村瓚次郞 |
| 李忠武公全書 | 李舜臣 撰 | 8책 | 乾隆60年活版 | 동경제국대학부속도서관 |
| 東醫寶鑑 | 許浚 奉敎 撰 | 25책 | 淸 嘉靖19年重刊 | 동경제국대학부속도서관 |
| 國朝寶鑑 | 金尙喆 等 撰 | 26책 | 淸 道光28年刊 | 白鳥庫吉 |
| 圭齋遺稿 | 南秉哲 撰 | 3책 | 淸 同治3年刊 | 동경제국대학부속도서관 |
| 六典條例 | 洪鐘序 等 撰 | 8책 | 同治5年刊 | 岡田正之 |
| 雲石遺稿 | 趙雲石 撰 | 10책 | 同治7年刊 | 三浦兼助 |
| 兩銓便攷 | | 2책 | 同治9年刊 | 동경제국대학부속도서관 |
| 雲石遺稿 | 趙雲石 撰 | 10책 | 同治7年刊 | 동경제국대학부속도서관 |
| 古歡堂收草 | 姜瑋 撰 | 3책 | 청 光緖元年刊 | 龜谷行 |
| 二十一都懷古詩 | | 1책 | 光緖3年補刻 | 조도전대학도서관 |

| 도서명 | 편찬자 | 수량 | 간년 | 소장처(자) |
|---|---|---|---|---|
| 關聖帝君明聖經 | | 1책 | 光緒12年刊 | 谷森善臣 |
| 世界年契 | 學部編輯局 撰 | 1책 | 光緒19年刊 | 山中笑 |
| 朝鮮歷代史略 | 學部編輯局 撰 | 3책 | 光緒21年刊 | 제국도서관 |
| 冬郞集 | 韓致元 撰 | | 韓 光武3年刊 | 荒浪市平 |
| (이하 간년불명) | | | | |
| 彙纂麗史 | 洪如河 撰 | 22책 | | 제국도서관 |
| 伊洛淵源錄新增 | | 4책 | | 제국도서관 |
| 이齋集 | | | | 학습원도서관 |
| 茵陳丸方 | | | | 富士川游 |
| 雲石遺稿 | 趙寅永 撰 | 10책 | | 제국도서관 |
| 宛丘遺集 | | 2책 | | 根本通明 |
| 歐蘇手簡 | | 1책 | | 제국도서관 |
| 誠初心學人文 | 元曉 撰 | 1책 | | 제국도서관 |
| 海東辭賦 | 李奎報 等 撰 | 2책 | | 제국도서관 |
| 海東名將傳 | 洪良浩 撰 | 3책 | | 제국도서관 |
| 海東名臣錄 | | 9책 | | 杉山令吉 |
| 江漢集 | 黃景源 撰 | 15책 | | 동경제국대학부속도서관 |
| 江華府志 | 金魯鎭 撰 | 1책 | | 제국도서관 |
| 泉齋集 | | 4책 | | 三浦兼助 |
| 攷事撮要 | 魚叔權 撰 | 3책 | | 제국도서관 |
| 御定羹墻錄 | 李福原 | 4책 | | 제국도서관 |
| 高峰和尙禪要 | | 1책 | | 제국도서관 |
| 高麗古都徵 | | 3책 | | 關野貞 |
| 高麗史 | 鄭麟趾 | 70책 | | 제국도서관 |
| 高麗名臣傳 | 南公轍 | 6책 | | 제국도서관 |

| 도서명 | 편찬자 | 수량 | 간년 | 소장처(자) |
|---|---|---|---|---|
| 學圃先生遺集 | 梁彭孫 | 2책 | | 제국도서관 |
| 葛川先生文集 | 林薰 | 2책 | | 제국도서관 |
| 稼亭先生文集 | 李穀 | 4책 | | 제국도서관 |
| 家禮 | | 2책 | | 黑川眞道 |
| 簡易堂集 | 崔笠 | 6책 | | 제국도서관 |
| 簡齋集 | | 3책 | | 내각문고 |
| 簡牘精要 | | 1책 | | 谷森善臣 |
| 韓文正宗 | | 2책 | | 내각문고 |
| 韓文正宗(活版) | | 2책 | | 조도전대학도서관 |
| 魂鄭公諫錄 | | 2책 | | 제국도서관 |
| 鄕藥集成方 | | 4책 | | 제국도서관 |
| 御製訓書 | | 1책 | | 제국도서관 |
| 御定奎章全韻 | | 1책 | | 黑川眞道 |
| 虛白堂集 | 成俔 | 8책 | | 제국도서관 |
| 儀禮註疏 | | 17책 | | 제국도서관 |
| 金石錄 | | 1책 | | 제국도서관 |
| 皇華集 | 李荇 등 | 2책 | | 제국도서관 |
| 光武五年明時曆 | | 1책 | | 山中笑 |
| 皇明臣言行錄 | | 2책 | | 山縣昌臧 |
| 果齋集 | 金鼎鉉 | 4책 | | 제국도서관 |
| 華東史略 | | 8책 | | 제국도서관 |
| 群書治要(活版) | | 1책 | | 南葵文庫 |
| 谿谷集 | 張維 | 16책 | | 동경제국대학부속도서관 |
| 啓蒙篇 | | 1책 | | 松本愛重 |
| 景濂亭集 | 卓光茂 | 2책 | | 제국도서관 |
| 決訟指南 | | 1책 | | 제국도서관 |

| 도서명 | 편찬자 | 수량 | 간년 | 소장처(자) |
|---|---|---|---|---|
| 月汀別集 | 李根壽 | 1책 | | 제국도서관 |
| 丘山詩註 | | 2책 | | 제국도서관 |
| 孔子家語 | | 3책 | | 제국도서관 |
| 後漢書志 | | 50책 | | 南葵文庫 |
| 五經大全 | | 98책 | | 제국도서관 |
| 國朝寶鑑 | 金尙喆 等 | 22책 | | 三浦兼助 |
| 古文眞寶 | | 3책 | | 내각문고 |
| 古文眞寶大全前集 | | 3책 | | 제국도서관 |
| 金剛山記 | 趙成夏 | 1책 | | 제국도서관 |
| 滄洲集 | 沈思漢 | 2책 | | 제국도서관 |
| 左傳節要 | | 11책 | | 남규문고 |
| 三韻通考 | | 1책 | | 제국도서관 |
| 三韻通考(別本) | | 1책 | | 제국도서관 |
| 三綱行實 | | 3책 | | 德川達孝 |
| 山谷全集 | | 18책 | | 제국도서관 |
| 三峰集 | 釋 慧昭 編 | 1책 | | 제국도서관 |
| 爾雅注疏 | | 4책 | | 제국도서관 |
| 耳溪稿 | 洪良漢 | 22책 | | 제국도서관 |
| 自警編 | | 1책 | | 조도전대학도서관 |
| 十九史略通考 | | 7책 | | 제국도서관 |
| 詩書大全圖 | | 1책 | | 제국도서관 |
| 四溟集 | 釋 性一 校 | 1책 | | 제국도서관 |
| 詳明算法 | | 1책 | | 제국도서관 |
| 壽齋遺稿 | 李星瑞 | 3책 | | 제국도서관 |
| 朱子增損呂氏鄕約 | | 1책 | | 松本愛重 |

여기에는 1902년에 제국도서관에서 한국공사관 번역관 시오카와 이치타로 鹽川一太郎에게 수집을 의촉하여 반출해간 것도 포함되어 있다.

총 600여 점을 진열하였는데, 이 중 조선본은 약 320점이 출품되었다. 조선본 중에 동국문헌비고 230권 101책은 "조선을 연구하는데 가장 유용한 전적이다"는 설명을 붙이고 있다. 그리고 복약집성방服藥集成方은 양안원養安院의 주인朱印이 있다고 하며 양안원의 주인이 있는 것은 모두 임진왜란 때 조선으로부터 약탈한 것으로, 이 같은 것이 상당수 출품되었다.[439]

## * 양안원본(養安院本)

양안원본은 도요토미 히데요시豊臣秀吉와 우키다 히데이에宇喜多秀家가 곡직뢰정림曲直瀨正琳에게 상으로 내려 준 것으로 그 사정事情에 대해서는 여러 기록[440]에 전한다고 한다.

곡직뢰정림曲直瀨正琳는 1584년에 도요토미 히데요시豊臣秀吉를 알현하고, 도요토미 히데쓰구豊臣秀次를 섬겼다. 1595년 봄에 중납언中納言 우키다 히데이에宇喜多秀家의 아내가 괴질怪疾에 걸려 여러 사람에게 진료를 받았으나 효험이 없었다. 이에 도요토미 히데요시豊臣秀吉는 정림正琳을 보내게 되었으며, 우키다 히데이에宇喜多秀家의 아내는 정림正琳에게 진맥을 받고 치료하여 조속히 완쾌되었다. 도요토미 히데요시豊臣秀吉가 사례로 금의錦衣와 금은金銀을 주고, 또 우

---

439 「東京帝國圖書館珍書展覽會」,『史學界』第7卷 第5號, 明治38년 5월.
440 三木榮에 의하면,「鹿門隨筆」,「先哲叢談」,「皇國名醫傳」,「官醫家譜」등에 전한다고 한다.

키다 히데이에宇喜多秀家가 조선에서 가지고 온 수차數車의 서적을 주었다. 이 서적들은 주로 의약서醫藥書와 그 관계서關係書가 주를 이루고 있고 일부는 사서류史書類도 있는데, 이는 조선에서 가지고 올 때 그 양이 수 척의 배 혹은 수십 상자 혹은 수 차車 혹은 수천 권에 이르는 양이었다고 한다. 이 서적들은 곡직뢰정림曲直瀬正琳의 증손인 곡직뢰정규曲直瀬正珪(養安院이라고도 稱한다)에 이르러 증조曾祖 전래의 조선본 매부每部에 「양양원장서養安院藏書」라는 장서인藏書印을 찍었기 때문에 세간世間에서 양안원본養安院本이라 한다. 양안원가에 있는 서적은 정림正琳 소장본을 기본으로 하여 후에 증가하였으나 일부는 1717년에 소실燒失되고 그 나머지는 가이센가구懷仙閣에 수장되었다가 메이지明治년대에 들어와 각처各處로 분산分散되었다.[441]

# 1905년 4월

## 달성공원의 시발

대구는 신라시대에 달구화현達勾火縣으로 일명 달불성達弗城또는 달벌성達伐城이라 불렸는데 경덕왕 때 대구大丘로 개칭하였다. 개칭한 후 수창군에 속하게 하였으며 고려 현종 때는 경산부에 속했다. 다시 고려 인종 때는 대구에 현령

441 三木榮, 「養安院藏書中の朝鮮醫書」, 『朝鮮學報』第1輯, 1951, pp.263~269.
　　中山久四郎, 『史學及東洋史の研究』, 賢文館, 1934, p.325-326.

을 두었다. 조선 세종 때는 승격시켜 군으로, 세조 때는 처음으로 진을 두고 다시 승격시켜 도호부를 두었다. 이후 부사를 두기도 하고 어떤 때는 판관을 두기를 누차 개폐를 거듭하다가 1895년에 다시 군수를 두었다.

조선 영조 때에는 '丘'를 '邱'로 고쳐 표기를 하였는데, 이는 공자의 휘諱를 피하기 위하여 丘 를 邱로 고치었다고 한다.

현재의 달성공원은 大丘시대 현의 청사가 있던 곳이었다고 한다. 이곳이 공원으로 만들어진 데에는 일본인과 깊은 연관을 가지고 있다.

일본인이 대구에 처음 이주한 것은 1893년 9월에 히자스키藤付와 무로室란 두 사람이 정착하여 의약 및 잡화상을 시작한 것이 처음이다. 이듬해 1894년에 청일전쟁이 발발하자 이들은 군을 따라 통역을 담당하였다. 이래 청일전쟁을 기화로 대거 군인들이 밀려오고 러일전쟁과 경부철도 공사 시에 일본인이 급속이 증가하자 1900년 11월 부산이사관 서기 이쿠다生田端正平가 대구에 와서 일본인들과 상의하여 일본인회를 창립하니 히자스기藤付가 회장이 되었다. 이떄까지만 하여도 거주자 중 가정을 꾸린 자는 20여 가구뿐이었다. 그러다가 1904년 러일전쟁이 일어나자 대구재주 일본인의 수는 급속도로 증가하게 되는데『개화기의 대구부사』에서는 다음과 같이 기술하고 있다.

1904년 일본의 운명을 건 러일전쟁이 일어났다. 경부철도 부설공사는 속성이 요구되어 대구에 건축사무소가 설치되고 일본인의 대구 내왕이 날로 격증되어 남문 밖에서 달성산하에 이르는 도로변에는 일본 상점으로 채워지는 성황을 이루어 1904년 2월말에 약 200인이었던 것이 4월말에는 7, 8백인, 6월말에는 1천인 이상에 달하였다. 그러나 그들 일본인은 경부철도

1914년의 대구 달성(국립중앙박물관 소장 유리건판)

청원순사의 호의적인 보호를 받을 뿐 행로병자나 전염병자가 있어도 이들
을 구호할 방법이 없어 심할 때는 한국인에게 협조를 얻어 겨우 생명을 건
진 중병자도 있었다. 그러한 상황이었으므로 1904년 6월 초순 아리요시有
吉 부산영사는 마쓰무라松村 서기생을 파견하여 대구에 상당한 기관을 둘
것을 권장함에 이어 도쿠히사德久美藏, 스다須田三平 등 10여 명이 발기인이
되어 '대구일본동포회'를 조직하게 된다. 그러나 이는 얼마 지나지 않아 해
체하고 1904년 9월 27일에 '대구일본인거류민회'의 성립을 보게 되었다.[442]

달성공원 일대는 원래 대구의 호족 달성 서가의 소유로 옛날에는 달성서가의
웅대한 저택까지 있었다고 한다. 1904년경에 관찰사 이용익은 일본인의 거점

---

442  大邱府, 『開化期의 大邱府史』, 1943(손필헌 역, 2009).

확대를 계획적으로 막기 위하여 대구부호 서徐 모에게 명하여 달성일대를 뽕나무밭으로 만들기 위해 개간을 시작하였다.[443] 이용익 관찰사의 전전임은 이완용의 형인 이윤용이었고, 그 앞서의 관찰사는 장길상의 부친인 장승원이었다. 이윤용 관찰사는 친러파로 일본인에게는 땅을 팔지 못하도록 했다. 그의 뒤를 이은 이용익 관찰사는 이윤용 보다 더한 배일파로 유명하다. 이 관찰사는 일본인에게 토지를 팔지 못하게 하고 그 금령을 어기면 옥에 가두기도 했다.

『개화기의 대구부사』에서는 다음과 같이 기록하고 있다.


경상도 관찰사로 부임한 자 중에는 친청파, 친로파가 많았기 때문에 일본 거류민은 많은 압박을 받았다. 특히 1903년부터 1905년경에 걸쳐 관찰사 이윤용 및 이용익 2인의 압제는 특히 심하여 일본인과는 가옥 토지의 매매 또는 대여를 엄금하고, 이 금령을 범한 한국인은 모두 체포 투옥되었다. 한국 정부도 역시 이를 장려하는 경향이 있었다. 1905년 2월 친로파의 관찰사 이용익일 때는 그러한 압박이 한층 더 노골화 하였다. <중략> 1905년 4월 상순, 일본인을 위해 일하는 한인 20여 명을 잡아 옥에 가두었다. 이에 이르자 4월 28일 전승의 기분도 다분히 있었겠지만 마침내 거류민이 궐기하여 도쿠라戸倉十六, 미와三輪如鐵, 오구라小倉武之助 등 수 십 인이 발기인이 되어 일대 시위운동을 일으켰다.


1905년 4월에 일본거류민회 부회장 도쿠라 지유로쿠戸倉十六와 히기츠키 마

---

443 『朝鮮民報』1939년 4월 5일자, 1930년 6월 26일자.

스키치膝付益吉, 기타 일본인 유지들이 일본 수비대장을 대동하고 관찰사 이용익을 찾아가 담판을 하여 뽕나무밭의 개간을 중지하고 이 일대를 한일공동의 공원지로 만들기로 하였다.[444] 이때만 하여도 한국 관리는 이미 그 힘을 거의 상실하고 있던 참이고 군대의 힘을 등에 업고 일본인들이 활개를 치던 시기였다. 때문에 군대의 힘을 빌린 이들의 행위는 교섭이 아니라 공갈 협박이었다고 보는 것이 타당할 것이다. 이것이 오늘날 달성공원의 시발이다.

대구재주 일본인들은 그들의 사업에 장래에도 계속 걸림돌이 될 이용익 관찰사를 배격하여 아예 몰아내기로 음모를 꾸몄다. 이용익을 배격하기 위해 1905년 4월 26일 궐기대회를 발기했다. 이 때 그 발기인의 명단을 보면 오구라 다케노스케 포함되어 있다. 그 격문에는 "오는 28일 오후 1시에 동문 밖 달성관에서 임시 대회를 열어 단호한 우리들의 목적 수행을 위한 서막을 올리려고 한다. 대구에 있는 우리 동포(대구 재주 일본인)가 대거 참여하여 우리 일본 대제국을 위하고 우리 동포를 위해 분발하자. 건투하자!" 라고 하는 격문과 함께 28일에는 대구재주 일본인들이 총출동하다시피 하여 대구 감영 선화당에서 함성을 높였다. 이용익은 그 이튿날 4월 30일 창황한 마음으로 대구를 떠나야만 했다.[445]

1905년 12월에는 수비대장 야마다山田, 아리마有馬 경부, 다도코로田所 일본거류민회장이 공원부지에 그네들의 황조요배전皇祖遙拜殿 건설의 표목을 세우고 요배식을 거행했다. 친일 관찰사서리 박중양은 이를 승인하였으며 곧바로 요배전 건설이 이루어졌다. 1906년에는 일본 거류민이 중심이 되어 달성공원기

444  大邱府, 『大邱民團史』, 1915, pp.178~180.
445  河井朝雄, (손필헌 역) 『大邱物語』(1931), 대구중구문화원, 1998.

성회가 조직되고 이여 기금을 조성하여 공원부지에 각종 나무를 심고 운동장을 만들었다. 1908년에는 이토 통감이 공원을 방문하고 조경에 감탄하고 달성공원기성회에 500원을 내놓았다. 이를 계기로 각 단체 등에서 기부금이 줄을 이어 공원 꾸미기에 더욱 박차를 가했다.[446]

이후 이곳에서 각종 축하제반의 의식, 기타 운동회 등이 행하여지고 휴게소 요리점 등이 가설되면서 일반인들의 휴식소로 그 명성을 갖게 되었다.

봄에는 사쿠라의 명소요 여름에는 녹음이 우거져 사시로 유람객이 끊이지 않는 명소가 되었다.

일본인들이 달성을 공원으로 만든 가장 큰 이유는 청일전쟁 때 이 성지城址가 일본병사의 야진지가 되었던 것을 기념하기 위한 것이라 한다. 그들이 설치한 황조요배전은 1916년

대구신사(1920년대)

에 대구신사로 개칭하였는데 이는 공원이 일본의 것이라는 암묵적 표현에 가까웠던 것으로 보인다. 1925년 12월에 발간한 『개벽』지에 실린 이원근의 「영남지방 순회편감」이란 글에 다음과 같은 내용이 있다.

일찍이 영남의 대구—대구의 달성공원이라는 말을 자주 들었다. 그러나 내가 본 달성공원은 승경의 공원, 유람지의 공원이라는 것 보담 저들의 신사

446  大邱敎育會, 『大邱讀本』, 1937, p.11.

의 공원이오, '취거取居(신사 입구에 세운 석주문)'의 공원이었다. 공원 내
에 들어가는 첫 감상은 신선한 공기를 마시며 유연한 기분으로 산보를 한
다기보다 마치 '신사참배'나 하려 들어가는 듯한 첫 기분이 생기고 만일
그렇지 않으면 그 신사 집 구경이나 들어가는 것같이도 생각된다. 이는 까
닭이 아니다. 누구나 달성공원에만 발길을 들어놓으면 바로 정면 입구에
굉장한 신사건물이 서 있는 것을 볼 수 있는 까닭이다.

하는 것으로 보아 공원의 입구에 신사[447]가 위압적으로 세워져 있고 공원 내에
도 온통 일본 색 위주로 꾸며졌을 것으로 짐작된다.

## * 망경루와 관풍루의 이건

『동아일보』 1926년 11월 19일자의 「순회탐방」란을 보면 다음과 같은 기사가
있다.

달성공원. 신라시대 달불성 유적이라 한다. 지금으로부터 20년 전(광무11
년)에 이를 공원으로 만들고는 사쿠라, 단풍, 소나무 등 화목을 많이 심고
길을 내고 운동장을 닦고 해서 아려번화雅麗繁華한 풍취가 배나 새롭게 되

---

447 미군정청기록을 보면 1945년 11월에 38도 이남의 각도지사에게 통보하기를 "신사에
속한 제반서류와 재산은 압수하여 보관하고 신사의 본전은 일본인의 묵인 하에 태워버
려도 무방하며, 신사소재지의 10마일 이내에 주둔하고 있는 미군부대장에게 보고하라"
한 것을 보면, 본당의 주요물은 1945년 11월경까지는 있었던 것으로 추정된다.

었는데, <중략> 그 중에 남록에 망경루(구 서북성루)와 동각東角에는 관풍
루(전 감영문루)의 창연한 고색이 신사의 새집과 대조도 야릇하여 구적신
취舊蹟新聚가 있고 운운

달성공원은 자연적 조건을 최대한 활용하면서 인공을 가하고, 일본인들이
대구신사를 건축하고 대구의 고건축물 망경루望京樓와 관풍루觀風樓를 옮겨 놓
았던 것이다.

망경루望京樓는 대구읍성의 북쪽에 세운 누각인데 언제 달성공원으로 이건했
는지 명확하게 나타나 있지 않다.

가와이 아사오가 쓴『대구물어大邱物語』의 '성벽' 조를 보면 다음과 같이 기술
하고 있다.

달성공원으로 이건한 망경루

그 이듬해 1907년 중에도 도로를 완전히 개통하지 못하였다. 1907년 3월 민단은 5,000원을 기채起債하여 도로공사에 착수하였다. 스기하라杉原 상점 앞의 망경루와 남문 등은 당분간 그대로 남아 있었다. <중략> 성벽 파괴와 함께 동서북의 3문과 동장대, 남장대, 북장대, 망경루도 헐었다. 망경루는 저 멀리 왕성을 바라본다는 뜻인데 지금 달성공원 내로 옮겨지고 망경루가 있던 자리는 스기하라 합명회사의 건너편이었다.[448]

이를 보면 1907년 3월에 도로공사를 할 때도 망경루가 헐리지 않고 스기하라의 상점 앞에 그대로 존속을 했었다. 그 후 언젠가 달성공원으로 옮겼다는 이야기다.

1909년 1월 7일 순종황제가 이토 히로부미 등 고관들을 대동하고 대구를 순행했다. 이에 앞서 대구는 온갖 환영 준비를 위해 대구 시가지를 청소하고 홍

이건 전의 경상감영 외삼문(관풍루, 『대구물어』)

448 河井朝雄,(손필헌 역), 『大邱物語』(1931), 대구중구문화원, 1998.

백의 막으로 낡아빠진 집들을 감추는 등 대소동이 있었다. 2007년에 발간한 『(대구의 재발견) 대구신택리지』란 책자를 보면 1909년 1월에 순종의 대구 행차 사진에는 망경루가 달성공원에 옮겨지지 않고 그대로 남아 있었다고 한다. 따라서 망경루가 달성공원으로 이건된 시기는 『(대구의 재발견) 대구신택리지』에서 기술하고 있는 바와 같이 최소한 1909년 1월 이후라야 맞는 것이다.

관풍루는 대구에 감영이 설치되면서 선화당의 남쪽에 정문인 포정문을 세우고 그 위에 문루를 만들어 관풍루라 하였다. 조선시대 관찰사가 근무하던 감영 출입문으로 보통 '포정사'라 불렀는데, 대구포정사문루는 '관찰사가 문루에서 세속을 살핀다'는 뜻으로 관풍루라는 이름을 붙이고 있다. 문루 안쪽에는 '영남포정사'라고 적힌 현판이 걸려 있다. 이곳에서 육각六角을 불어 6문(동서남북문 및 동야 서야문)의 개폐를 알리기도 했기 때문에 일명 폐문루閉門樓라 하기도 했다.

『대구물어』에는 "경상북도 관찰부는 남쪽에 정문이 있고 동서로 통용문이, 북쪽으로 두 개의 뒷문이 있었다. 정문을 관풍루라 하는데 달성공원으로 옮겨 가까스로 보존되고 있다"라고 하며, 이건 시기는 밝히지 않고 있다.

『매일신보』1917년 9월 29일자 대구소식란에는 다음과 같은 기사가 있다.

관풍루觀風樓 이건. 대구시내 상정 경무부 전에 있는 관풍루는 구경상감사의 정당政堂 즉 선화당 정면 문루인데 그 건축연수는 지금으로부터 3백 년 전으로서 현재 대구시내 최고最古한

『매일신보』1917년 10월 27일자

건물이기로 당국에서는 이를 보존할 입안으로 지난 21일 부협의회에 대하여
이 누문을 달성공원 입구로 이건할 뜻로 ○○한바 일동의 찬성이 있었으므
로 이 누문을 불원간에 이건하기로 결정하였다더라.

『매일신보』 1917년 10월 27일자 대구소식란에도 관풍루를 달성공원으로 이
건할 계획으로 대구부청에서 설계 중에 있다는 기사를 싣고 있다. 따라서 관풍
루가 달성공원으로 이건된 것은 최소한 1917년 11월 이후가 된다.

# 1905년 5월 15일

**고려 정종(定宗)의 안릉(安陵)이 도굴되다.**

『고종실록』1905년 6월 2일조에, "고려 정종定宗 안릉安陵에 지난 음력 4월 12
일 어떤 놈이 능을 팠고 13일 밤에는 또 능현陵峴의 제2릉에 침범하였습니다"
라는 기사가 보이고 있다. 이 같은 1차 도굴 후 1년이 지나 또 다시 도굴을 당
하였다. 『고종실록』 1906년 6월 17일 조에도 안릉安陵이 도굴되었다는 기사가
보이고 있으며, 1906년 6월 21일자 『관보』에는 "음력 정월 10일 밤에 청교면 양
릉리 소재 고려 정종 안릉安陵을 훼파毀破했는데 길이와 폭이 각 6, 7척, 깊이 2
장여나 되었다"는 기록이 보인다.

고려 3대왕 정종定宗의 안릉安陵은 1978년 북한 사회과학원 고고학연구소에
서 발굴하였는데 역시 완전히 도굴되어 있었다. 무덤 안에는 유물 받침대를 따

정종(定宗)의 안릉(安陵)

로 만들어 놓았을 뿐 아니라 네 벽 모서리와 네 벽의 윗면 중심에는 유물을 걸어 놓기 위한 긴 쇠못이 박혀 있었다. 무덤 바닥에 널려져 있는 금은 부스러기들과 관대 위에는 도굴자들에 의해 부스러진 뼈 조각들이 널려 있었다. 깨어진 두개골 조각에는 녹색물이 들어서 파랗게 되어 있었다. 이것은 왕의 머리에 금동관金銅冠이 씌어져 있었던 것으로 보인다. 이곳에서 고려자기 수 점, 금동자물쇠, 은장식품, 청동제품 등이 출토되었다.[449] 이 능의 발굴은 도굴 후의 발굴이지만 일제가 물러간 후 정식 발굴한 고려 능묘의 발굴인 바, 이곳에서 출토된 고려자기 등은 초기의 고려자기 편년編年의 중요한 자료가 되고 있다.

449 김종혁, 「개성 일대의 고려왕릉 발굴 보고」, 『조선 고고연구』, 제1호, 북한 사회과학원 고고학연구소, 1986 參照.

# 1905년 5월

## 조선실업협회 발족과 활동

1905년 5월에 발족한 조선실업협회에서는 일본 국내에서 일본인을 더 많이 이주시키기 위한 선전활동으로 한국을 일제가 병탄倂呑하기 위해서는 인구수가 너무 열세여서는 아니 된다고 하며, 한국 무역에서 일확천금을 노리고 있던 자에게는 한국에서의 토지약탈의 유리함과 약탈무역에 관한 정보를 제공하는 등의 선전활동에 주력하였다.[450]

그리하여 각 지방의 큰 도시나 개항장이나 철도연변 등에는 일본인들이 침투浸透하여 거주하지 않는 곳이 없었다. 이렇듯 대거 조선에로 침투浸透하게 된 일본인들은 주로 일본 서부 특히 구슈지방九州地方 사람들이 대다수이며 그 중에서도 몰락 사류士類 무뢰지도無賴之徒가 많았다. 일본의 여론은 이들의 한국도래韓國渡來를 지지 장려하여 일본정부로서도 이를 막지 못하였을 뿐 아니라 더욱 더 무제한 방치하였던 것이다.[451] 이것은 일본의 대한이민정책對韓移民政策의 일환으로 침략과 식민을 위한 포석작업으로 보여지며 그들 거주자 내지 도항자渡航者들은 그들 군대의 힘만 믿고 온갖 비행을 저질렀다.

미국인 헐버트는 『대한제국 멸망사』에서,

---

450 강동진, 『한국을 장악하라』, 반민족연구소 엮음, 1995, pp.300-301.
451 韓㳓劤, 「開港後 日本人의 韓國浸透」, 『東亞文化』 第1輯, 서울대학교동아문화연구소, 1963.

하층계급에 속하는 일본인들이 대량으로 들어와서 일본군대의 용맹스러움만 믿고 한인들을 이 세상에서 형편없는 찌꺼기처럼 취급하면서 온갖 비행을 저지르게 되자 이에 대하여 강력한 반동이 일어났다는 것은 불가피한 일이었다. 그렇다면 일본 당국에서는 왜 전쟁이 끝나고 그러한 불량배들을 조처하기에 충분한 법적제도를 확립하기 위하여 적절한 조처를 취할 수 있었으면서도 불구하고 그와 같은 무리들의 조선입국을 억제하지 않았는가 하는 데에는 아무도 답변을 하지 못했다.

<중략> 일본인들은 한인들을 합법적인 놀이개감으로 생각하며 한인들은 그들의 권리를 구제할 수 있는 적절한 법이 없기 때문에 보복한다는 것은 생각할 수도 없다.

<중략> 1905년 동안에는 국민들은 일본인들로부터 또는 조선의 관리들로부터 보호하여 줄 수 있는 정의란 존재하지 않았다.[452]

이처럼 러일전쟁 후 한국에 건너온 일본인들은 군용관계軍用關係나 상무관계商易關係 등 전반적인 면에서 온갖 비행을 저질렀으나 한국 자체로는 통제할 수조차 없었다.

1906년 통감부에서 간행한 『한국시정일반韓國施政一斑』의 '한국경찰韓國警察' 조에 의하면, "재류방인在留邦人(일본인)의 증가增加에 반伴하여 부랑浮浪, 무뢰도無賴徒도 따라 도항하여 한국 관민官民에 대해 조폭粗暴의 언행言行을 하고 또 종종 비행非行을 감행하여 이러한 등의 부랑자浮浪者를 취체取締하기 위해 한국 사

---

452 헐버트, 『대한제국 멸망사』(신복룡 옮김), 평민사, 1984.

정에 적응適應하는 방법을 강구講究하여 1906년 3월에 보안규칙保安規則을 발포하기에 이른다”라고 하고 있다. 그러나 이는 명분만 일본 불량배의 통제이지 일본경찰의 수를 대폭 늘린 점을 보면, 그 이면에는 한국인에 대한 통제의 수단이었기 때문에 오히려 한국에서의 일본인의 횡포는 더 심해만 갔다. 여기에는 조선실업협회의 활동과 무관하지 않다고 보여진다.

# 1905년 6월

## 공민왕의 현릉과 노국공주의 정릉이 도굴되다

공민왕恭愍王 현릉玄陵과 노국공주魯國公主 정릉正陵은 여릉리 봉명산鳳鳴山의 지맥支脈인 무선봉舞仙峰기슭에 있다. 공민왕은 초년에는 원의 기반에서 벗어나려는 자주적인 정책을 과감히 펼쳐 나갔으며 그림과 글씨에도 뛰어난 예술가였다. 그러나 1365년에 왕비 노국공주가 죽자 그 비통이 지나쳐 그 후 왕은 정치적으로 혼란을 가져오고 인간적으로 완전히 이성을 잃은 상태에 이르렀다. 죽은 비를 위하여 왕 자신이 직접 무덤을 경영하였으며, 자신의 사후를 위하여 공민왕 21년 6월에 정릉 곁에 자신의 무덤을 경영해 두었다가 1374년 10월에 자신이 그곳에 묻혔다. 이와 같이 현릉, 정릉은 공민왕이 죽은 처에 대한 애절한 추모의 정으로 전후 7년간에 걸쳐 만든 것으로 유례없는 규모와 장식, 시설을 완비하였다.

대체로 고려시대에 있어서는 국왕과 왕비와의 능은 각각 딴 곳에 이를 쌓았던 것인데 공민왕에 이르러 비로소 그 능과 왕비의 능을 한 곳에 나란히 쌓기

공민왕릉과 노국공주릉(『조선고적도보』)

로 하고 먼저 왕비의 능을 만들고 그 다음에 그 옆에 왕자신의 능을 만들어 놓아 종래從來의 형型을 깨뜨리고 능제陵制의 전기轉機를 만듦으로써 조선릉제朝鮮陵制의 표본이 된 것이다.[453] 『동사강목東史綱目』에,

4일에 정릉에 장사를 지내기로 하였는데 왕은 장례의 의장 행렬의 차례와 산릉제도山陵制度를 그리도록 하여 이것을 보며 눈물을 흘렸다. 상사喪事는 제국장주齊國長主: 忠烈王妃의 전례前例에 의거하였는데 사치를 극해 부고府庫가 텅 비게 되었다. 왕이 불교의 설에 미혹되어 화장을 하려 했으나 유탁이 불가함을 주장하여 이에 그쳤다. 왕은 손수 공주의 초상화를 그리고 밤낮으로 음식상을 대하여 슬피 흐느껴 울며 3년 동안 육식을 하지 않았다. ........ 수호守戶 1백14호, 전토 2천2백40결, 노비 46구口, 포布 1만 5천2백여 필을 두어 명복을 비는 재원으로 하고서 왕은 군신과 함께 맹세하기를, '후대에 침탈 도용하는 자는 반드시 신이 죽이리라'하였다. 운암사雲巖

453 崔石泉,「松都의 古蹟」,『開城』, 藝術春秋社, 1970,

寺를 정릉의 원찰願刹로 삼고 절의 중들에게 매월 쌀 30석씩 지급하여 무릇 공급이 이르지 않는 데가 없었다.[454]

이 두 능은 공민왕이 전력을 다하여 호화롭기 그지없게 만들었으며[455] 그 속에 부장품副葬品도 엄청나리라는 것을 짐작할 수 있다.

이마니시 류今西龍의 기록에,

이태왕李太王시대에 청병淸兵이 발굴發掘하여 금물金物을 얻었다는 풍설風說이 있다. 그 후 1, 2회 도굴의 화를 입었다고 한다. ·········정릉正陵 광광의 벽화는 '채색彩色이 새 것 같다'한다.[456]

하는 것으로 보아 이미 여러 차례 도굴의 화를 당했음을 알 수 있다.[457] 『고종실록』 42년(1905) 6월 30일자에는 공민왕릉과 노국공주릉에 대한 다음과 같은 기사가 있다.

궁내부 대신 겸 예식원 장례경宮內府大臣兼禮式院掌禮卿 이재극李載克이 아뢰기를, "개성 부윤開城府尹 권태익權泰益, 장단 군수長湍郡守 윤종구尹宗求의 보고를

---

454 安鼎福,『東史綱目』, 恭愍王14년(1365) 4월 條.
455 『高麗史』卷41, 恭愍王15년 5월 條, 恭愍王 21년 6월 條.
456 今西龍,「高麗陵墓調査報告書」,『大正5年度 古蹟調査報告』, 朝鮮總督府, 1917, p.408.
　　"本陵은 旣掘한 痕이 明白."
457 川口卯橋 編,『開城郡 高麗王陵志』, 開城圖書館, 1927, p.34.
　　"내부에 예부터 귀중품이 매장되었다는 說이 있어 3, 4회 도굴을 당하였다고 한다."

받아보니, '고려 왕조의 제1릉 경릉景陵, 제3릉 공민왕비恭愍王妃 노국공주

릉魯國公主陵, 제4릉 예종릉睿宗陵, 공민왕恭愍王 현릉玄陵에 모두 파헤치는 변

고가 있었습니다' 하였습니다. 더없이 중하여 수호守護하는 곳에 이처럼 파

헤치는 변고가 있는 것은 듣기에 매우 놀라운 일입니다. 범인은 기한을 정

해놓고 붙잡아 조법엄처照法嚴處하고, 수개修改하는 일은 지방관에게 시급

히 편리할 대로 거행하라고 분부하는 것이 어떻습니까?"

하니, 제칙制勅을 내리기를,

"이전 왕조의 능침陵寢들에 이처럼 전에 없던 변고가 생겼으므로 두려움을

금할 수 없다. 해당 범인은 시급히 잡아서 의율依律하여 엄하게 다스리고

수개하는 일은 지방관에게 속히 거행하게 하며 수개가 끝난 다음에는 비

서감祕書監의 승丞을 보내어 제사를 지내주라."

하였다.


1905년에 일본 도굴꾼들이 집요하게 도굴을 감행하였는데, 당시 그들은 무

장한 군병들로 삼엄한 경계망을 치고 야만적인 도굴을 하였는데 그때마다 지

방 주민들과 포수 그리고 현릉의 수비병들이 화승총으로 무장하고 완강히 대

항하여 내쫓곤 하였다. 그러나 13번째는 폭우가 쏟아지는 틈을 타서 대노한 지

방민들을 막고는 깡그리 도굴을 하여[458] 10대의 달구지에 실어 갔다. 이들은 도

굴의 합법성을 표방하기 위하여 매수한 친일 관료들을 앞세워 주민들을 강제

---

458 전주농, 「고려 공민왕 현릉 발굴 개요」, 『문화유산』, 북한 고고학 및 민속연구소, 1960.

동원하여 도굴했다.[459]

그 후 1920년 초에 또 다시 일본 도굴꾼들에 의하여 도굴을 당하였다.[460] 이렇게 약탈해간 수많은 유물들은 그 출처가 은폐된 채 완전히 흩어졌다. 흩어진 유물 중에는 대구의 이치다 지로市田次郎의 손에 일부가 들어간 것으로 짐작되는데, 그의 소장품 중에는 공민왕의 도인陶印이 있었다고 한다. 1939년에 고야마 후지오小山富士夫가 이치다의 저택을 방문 했을 때 그의 비대한 수집품들을 보고 "특히 고려청자류는 뛰어난 우품優品으로 그 중에 '투각당초화장함입透刻唐草化粧函入', '흑백상감포도당초문호로병黑白象嵌葡萄唐草紋胡蘆瓶', '예수주猊水注', '원앙향로鴛鴦香爐', 공민왕릉 출토의 '청자인靑磁印' 등은 만나기 힘든 절품"이라고 하고 있다.[461] 이치다의 소장품 중에 공민왕릉에서 나온 도인陶印이 들어 있다는 것은 놀라운 일이 아닐 수 없다. 약탈당한 유물들은 그 출처가 은폐된 채 그 행방이 전혀 알려지지 않았는데, 이치다의 소장품 속에 공민왕릉에서 나온 도인陶印이 숨어 있었던 것이다. 이것으로 보아 공민왕릉에서 나온 도굴품들은 일단 국내에서 매매되어 재한 일본인 수장가들의 손에 들어간 것으로 추정된다.

1922년에는 큰비로 후방이 붕괴崩壞되고 봉토의 일부가 함몰陷沒하였다고 하는데 이 능에는 고래古來로 많은 귀중품이 장藏하여 있다고 전해져 누차屢次 도굴의 화를 입었기 때문에 붕괴되었을 것으로 짐작된다.[462] 이로 인하여 1927년 가을에는 총독부 고적조사과장 오다 세이고小田省吾의 시찰이 있었는데, 정자각지丁字閣址

459 송경록, 『북한 향토 사학자가 쓴 개성 이야기』, 도서출판 푸른 숲, p.106.
460 김인철, 「공민왕릉 발굴보고」, 『고려무덤 발굴보고』, 사회과학출판사, 2002, p.98.
461 小山富士夫, 「朝鮮の旅」, 『陶磁』 11-2, 東洋陶磁研究會, 1939년 7월, pp.35-36.
462 『京畿地方の名勝史蹟』, 朝鮮地方行政學會, 1937.

앞의 전지畑地에서 '正陵'으로 추정되는 문자가 있는 청자 파편을 습득하여 총독부박물관에 보관했다. 1928년 6월에는 총독부 박물관의 노모리 겐野守健과 오가와 게이키치小川敬吉가 전라남도 강진군 대구면의 도요지 조사를 하다가 대구면 수동리의 아동으로부터 '正陵'이란 문자가 상감된 청자파편을 구하기도 했다.[463]

1929년에는 수차의 도굴로 인하여 붕괴된 공민왕릉을 수축했다. 1928년에 정릉의 봉토가 붕괴되고 석곽石槨이 노출되어 1929년 2월에 조사위원 후지타 료사쿠藤田亮策, 와다나베 아키라渡邊彰, 오가와 게이키치小川敬吉가 파견되어 조사를 한 후 다시 수축修築을 하였다.[464]

1956년에 북한에서 공민왕의 현릉에 대한 수리 공사를 하였다. 현릉 내부에 대한 발굴 조사는 바로 이러한 수리 공사를 계기로 이루어졌다. 그 결과 일제 때 팠던 도굴구를 확인할 수 있었다. 도굴구는 우선 밖에서 묘광 뒷벽까지는 여러 사람이 자유로

도굴당한 공민왕의 현릉과 노국공주 정릉을
1927년에 수리할 계획이란 기사
(동아일보 1927년 3월 6일자)
그러나 실제 수리공사는 1931년에 와서야
이루어진 것으로 『광복이전 박물관자료 목록집』에
수리에 관한 건이 보인다.

463 小川敬吉,「大口面 窯址의 青瓷二顆」,『陶瓷』第6卷 6號, 東洋陶瓷研究所, 1934년 12월, pp.48-49.
464 「昭和3年度 古蹟調査 事務概要」,『朝鮮』, 朝鮮總督府, 1929년 7월, p.5.

이 드나들 수 있을 정도로 대대적인 것이었다. 이 도굴구에 메워진 흙 사이에는 화강암편들과 유리병 조각이 섞여 있었다. 또 묘실에는 누차에 걸친 도굴로 북벽 상단의 벽석 북단에 길이 70센치의 도굴 구멍이 있었는데 구멍을 내기 위하여 도굴자들은 착암기로 구멍을 뚫고 폭약으로 무참히 폭파시켜 현실 천정부는 폭파 순간에 튄 무수한 석편들에 의해 생긴 상처가 허다하다고 한다. 그리고 유물 잔존 상태는 엽전 84매를 비롯한 약간의 못 파편을 출토한 외에는 아무것도 없었다. 또 관대석 위에는 공민왕의 유해가 무참히 짓밟혀서 완전한 것은 하나도 볼 수 없었다.[465] 당시 발굴조사에서 벽화가 발견되었는데 벽화는 동, 서, 북벽과 천정에 있었으며 내용은 12지신으로서 비교적 선명하게 남아 있었다.

# 1905년 7월 28일

### 북관대첩비(北關大捷碑) 반출

북관대첩비北關大捷碑는 임진왜란 당시 왜장 가토 기요마사加藤淸正이 이끄는 왜군이 이 지역에까지 진출하여 여러 군을 함락시켰다. 이때 이붕수李鵬壽, 최배천崔配天, 지달원池達源, 강문우姜文佑, 허진許珍, 금국신金國信, 허대성許大成 등 7인의 창의로 일어난 함경도 의병이 정문부鄭文孚를 대장으로 추대하고 왜군을

---

465 전주농, 「고려 공민왕 현릉 발굴 개요」, 『문화유산』, 북한 고고학 및 민속연구소, 1960, pp.73~87.

크게 무찔렀다. 임진왜란이 끝난 뒤 함경도 북평사로 부임한 최창대崔昌大가 이런 사실을 비석에 새겨 임명 쌍포에 세운 것이다.[466]

---

466 비문은 다음과 같이 임진왜란 당시의 상황을 기록하고 있다.

임진왜란 당시 우리의 선조들이 적을 무찌른 용맹스런 이야기는 세상에 명성이 높다. 바다에서는 이충무공이 한산도에서 커다란 승리를 거두었으며, 육지에서는 권율 원수가 행주에서 대첩을 거두었다. 또한 李月川 장군도 연안에서 대승을 거두어 적에게 커다란 타격을 가하였다. 이와 관련한 내용들은 이미 사책에 널리 기록되어 어린아이까지도 익히 알고 있는 내용이다. 그러나 이상은 모두 무장의 지위에 있던 이들이 상비군을 거느리고 거둔 전과이다. 오합지졸들을 모아 큰 승리를 거두고 나라를 지켜낸 위업에 대해서는 아는 이가 많지 않은데, 관북 의병의 승리가 아마 그 첫 번째 사례일 것이다.

중국을 침략하기 위해 길을 빌려줄 것을 청하였으나 거절당하자 앙심을 품은 왜국의 추장 豊臣秀吉은, 대규모 병력을 동원하여 일거에 우리나라를 집어삼킬 기세로 전쟁을 도발하였다. 갑작스런 전화에 미처 대처할 방법을 찾지 못한 선조는 서쪽으로 도망가고, 파죽지세로 북진한 왜적에 의해 수도가 함락되는 지경에 이르렀다. 한양을 점령한 왜적들은 두 갈래로 병사를 나누어 진격을 계속하였다. 小西行長이 이끄는 한 무리는 선조와 대신들을 추격하기 위해 서쪽으로 향하고, 加藤淸正이 이끄는 또 다른 무리는 곧장 북쪽으로 향하였다.

임진년 가을 북도에까지 도달한 가등청정의 부대에 의해 철령 이북의 모든 땅이 왜적의 손에 들어가고 말았다. 사태가 이 지경에 이르자 당시 會寧府使의 자리에 있던 鞠景仁은 일신의 부귀를 위해 왜적이 富寧에 당도하자 두 왕자와 대신들을 포박하여 왜군에게 넘기는 반역행위를 저지르고 말았다. 또한 국경인의 숙부인 鞠世必과 明川 출신의 末守, 木男이란 자가 왜적에게 투항하여 관북의 여러 성을 장악하고 잔학한 행위를 일삼았다.

나라가 위기에 처한 상황에서 반역자 무리가 날뛰는 것을 보다 못한 鏡城 출신의 李鵬壽는 암암리에 崔配天, 池達源, 姜文佑 등과 의병을 일으킬 궁리를 하였다. 한편 이무렵 북평사 鄭文孚는 싸우고 싶어도 싸울 병사가 없음을 안타까워하며 산중에 숨어 기회를 엿보고 있었다. 이붕수 등이 의병을 일으켰다는 소식을 듣고 크게 기뻐한 정문부는, 곧 관북 의병의 주장으로 추대되었다. 이어 鍾城府使 鄭見龍, 慶源府使 吳應台가 차장으로 추대되어 의병들과 합세하였다. 나라를 위해 목숨을 바칠 것을 서약한 이들을 따르는 의병은 처음에는 백여 명에 불과하였다.

이무렵 왜적의 침입으로 시끄러운 기회를 틈타 북쪽 오랑캐도 북변을 침략하였다. 정문부를 비롯한 의병장들은 사람을 세필에게 보내어 함께 힘을 합쳐 북변을 침범한 오랑캐를 물리치자고 제안하였다. 세필이 이 제안을 수락하여 의병들은 성내로 진입할 수 있었다. 다음날 정문부는 남쪽 성루에 올라 세필을 기다리고, 세필이 나타나자 강문우가 그를 붙잡아 참수하였다. 이어 明川에 다다른 의병들은 말수를 참하고, 뒤이어 회 녕으로 가 경인을 주살하였다.

의병의 세력이 커지자 스스로 의진에 합류하는 백성들이 날이 갈수록 늘어났다. 吉州 에서는 許珍, 金國信, 許大成이 의병을 모아 정문부 의진을 성원하였다. 이 무렵 가등 청정은 정예병 수천을 길주에 배치하고, 자신은 대군을 이끌고 南關에 주둔하고 있었 다. 11월 의병들은 加坡에서 왜적들과 일전을 준비하였다. 정문부는 정견룡을 중위장 으로 삼아 白塔에 주둔시키고, 應台와 元忠怒를 복병장으로 삼아 石城과 毛會에 주둔 하도록 하였다. 또한 韓仁濟를 좌위장으로 삼아 木柵에 주둔하도록 하고, 柳擎天을 우 위장으로 삼아 滔河에 주둔하도록 하였다. 김국신과 허진은 좌우 척후장으로 臨溟에 주둔하여 만반의 준비를 갖추도록 하였다.

당시 승리에 도취되어 있던 왜적들은 군기가 상당히 해이해진 상태였고 평소 방비도 게을리 하였다. 이 기회를 틈타 각지에 포진하고 있던 의병이 일거에 대대적인 공격을 감행함으로써 적에게 큰 타격을 가하였다. 퇴각하는 적을 추격한 의병들은 적장 5명을 비롯하여 무수히 많은 적을 죽이고 마필과 병기를 비롯한 많은 전리품을 노획하는 대 단한 전과를 거두었다. 정문부 의진의 위세가 원근에 떨치면서 호응하는 사람들이 늘 어나 의병의 숫자가 7천여 명에 달하였다.

큰 타격을 입은 왜적들은 길주성 안으로 도망하여 성문을 걸어 잠그고 감히 성문 밖으 로는 한 발짝도 얼씬하지 못하였다. 간혹 정세를 살피느라 성문 밖으로 나온 왜적들은 잠복하고 있던 의병의 공격을 받아 살아남는 자가 없었다. 城津에 근거지를 두고 있던 왜적들이 임명을 공격한 뒤 길주성에 포위된 왜적을 구하기 위해 나섰으나, 산길에 잠 복하고 있던 의병의 기습공격을 받아 대패하였다. 왜군 수백 명을 참하는 전과를 거둔 의병들의 기세는 하늘을 찌를 듯하고, 그 명성이 날로 높아갔다.

11월 쌍포에서 또 한 차례 왜군과 격전을 벌인 의병은 역시 커다란 승리를 거두었다. 다음해 정월에는 端川에서 왜적과 세 차례 전투를 벌여 모두 승리하였다. 길주성을 수 복한 의병들은 이곳에 근거지를 정하고 휴식과 훈련을 병행하였다. 여러 차례의 패배 로 심기가 상한 가등청정은 길주성을 공격하기 위해 대규모 병력을 파견하였다. 그러 나 의병들은 백탑에서 왜군을 공격하여 역시 큰 승리를 거두었다. 불행히도 이 전투에 서 李鵬壽, 許大成, 李希唐이 전사하였다. 그러나 백탑전투에서 대패를 당한 뒤 왜군은 더 이상 감히 북쪽으로 진군할 생각을 갖지 못하였다.

당시 명나라 장수 李如松 또한 평양에서 소서행장의 부대를 격파하였다. 정문부는 이 무렵 崔配天을 보내어 첩보를 조정에 전하도록 하였다. 첩보를 접한 임금께서는 기뻐 눈물을 흘리며 이붕수에게 사헌부감찰을 추증하고, 최배천에게도 벼슬을 내리고자 하 였다. 그러나 정문부의 공을 시기한 관찰사 尹卓然은, 정문부가 직속상관인 절도사에 게 보고하지 않은 채 의병을 일으켰다고 무고하여 논공행상은 이루어지지 못하였다.

현종대에 이르러 관찰사 閔鼎重, 북평사 李端夏 등이 지방 부로들의 의견을 수렴하여 이 비를 발견하고 처음 일본으로 반출을 감행한 자는 러일전쟁 당시 북한군 사령관후비 제2사단장 육군중장 미요시 나루유키三好成行의 통솔 하에 있던 후비 제17여단장 육군소장 이케다 마사스케池田正介이다.[467] 함경북도 임명역 근처에서 이 비를 발견한 이케다 마사스케池田正介는 역사상 참고를 제공하는 좋은 자료라 생각하여 이를 가지고 일본제실에 헌상하고자 했던 것이다.[468]

이 비를 처음 발견한 것이 언제인지는 정확히 알 수 없으나 이케다 마사스케 池田正介가 1905년 3월31일로 일본 육군대신 데라우치 마사다케寺内正毅에게 보낸 편지와 그에 대한 답신으로 되어 있다고 하니[469] 그 발견 시기는 1905년 3월 이

조정에 상주한 결과 정문부에게는 贊成을, 이붕수에게는 持平이 추증되는 한편 여타 관북 의병장들에게도 관직이 차등 추증되었다. 아울러 조정에서는 경성 漁郞里에 의병들을 모신 사당을 세우고 彰烈이라는 편액을 내렸다.

지금 임금에 의해 경진년에 북평사에 임명된 창대는, 임진왜란 당시 관북에서 의병활동을 벌였던 선열의 후손이다. 임진년 의병들이 활동했던 장소를 직접 방문하기 전부터 그분들의 사적을 상세히 알고 있던 터에, 직접 임명과 쌍포를 둘러보고 그분들이 쌓았던 보루와 진지를 확인하니 감개가 무량하여 발길을 돌리지 못하였다. 관북의 부로들은 "섬나라 오랑캐의 침입으로 삼경이 함락되고 팔도가 폐허가 되었을 때, 여러 선열들이 들고 일어나 죽음을 무릅쓴 투쟁 끝에 오랑캐로부터 나라를 지킬 수 있었다. 비록 우리가 변경에 살고 있지만 충의의 정신만은 어느 지역사람들에 비해서도 뒤떨어지지 않는다. 행주와 연안에는 모두 임진왜란 당시 그곳에서 대첩이 이루어졌음을 기록한 비석이 세워져 있다. 그러나 유독 관북에는 선열의 공적을 기록한 비석이 없다"며 임진왜란 때 관북인이 나라를 위해 희생된 사실을 기억해 줄 것을 청하였다. 이에 창대가 사람을 시켜 돌을 캐고 글을 새겨 이 비석을 세운다(국사편찬위원회, 『대한민국임시정부자료집 32』, 2009).

467 中村久四郎, 「韓國회령부の顯忠祠비명について」, 『歷史地理』 제9권 5호, 歷史地理學會, 1907년 5월.

468 「北關大捷碑」, 『考古界』 제6편 제2호, 1906년 12월, pp.46-47.

469 이 비가 한국에 귀환한 뒤 2005년 10월 21일 국립중앙박물관에서 북관대첩비의 고유제(告由祭)를 마친 뒤이 비가 1905년 일본에 반출된 과정을 담은 일본군 공문서를 공개했다. 공개한 문서에 따르면 이케다 마사스케(池田正介)가 1905년 3월31일 일본 육군대신 데

야스쿠니신사에 있을 때의 모습
(『한겨레신문』 2005년 10월 11일자)

전의 시기로 볼 수 있다.

일본으로의 반출은 귀국하는 육군중장 미요시 나루유키三好成行을 통해 이루어졌다. 이 공사는 1905년 5월에 착수하여 5월 27일 해안으로 운반하고, 히로시마廣島에 도착한 것은 1905년 7월 28일이다.[470] 히로시마에 옮겨진 대첩비는 청일전쟁의 전리품 기념관인 일본궁성 내의 '진천부振天府'에 진열했다가[471] 야스쿠니신사로 옮겨 세워 두었다.

북관대첩비가 일본으로 옮겨지자 일본학계에서는 고구려 광개토대왕비까지 일본으로 반출하려 했다.[472]

라우치 마사다케(寺內正毅)에게 보낸 편지와 답신으로 된 문서에서 이케다는 임란 때 의병장 정문부의 승전을 기념해 세운 북관대첩비로 인해 일본군 병참선이 한국인들에게 방해 받을 우려가 있다는 이유 등을 들어 비를 일본에 가져갈 것을 건의했다.

데라우치는 답신에서 "이 비는 전리품이 아니므로 유취관에 두는 것이 좋겠다"며 "이케다가 건립자의 자손에게 승낙을 받아 가져왔다는 내용을 기술해 놓도록 할 것"이라고 밝혔다. 유홍준 청장은 "일본이 비의 이전을 후손에게 승낙 받았다는 공문까지 만들었을 만큼 치밀하게 북관대첩비 강탈의 정당성을 확보하려 들었다는 증거"라고 말했다(『한국일보』 2005년 10월 22일자).

470 「北關大捷碑の輸送」, 『考古界』 第5篇 第2號, 1905년 9월, p.48; 中村久四郎, 「韓國회령부의 顯忠祠비명에 대하여」, 『歷史地理』 제9권 5호, 歷史地理學會, 1907년 5월.

471 申瓚均, 「귀국길 기다리는 海外文化財」, 『政經文化』 3월호, 1983년 3월.

472 『考古界』 第5篇 第2號(1905년 9월)에 "우리들은 이 거사를 찬양하며, 계속해서 저 만주 회인현 통구에 있는 고구려고비도 이와 같이 본방(일본)에 수송하여 지기를 희망한다"

야스쿠니신사에 옮겨져 있는 북관대첩비를 국내에 처음 소개한 사람은 조소앙趙素昻이다. 당시 유학 중이던 조소앙은 야스쿠니신사에서 이 비를 발견하고 『대한흥학보』 1909년 7월호에 소해생嘯海生이란 필명으로 소개를 하고, 그 부당한 행위를 다음과 같이 나무라고 있다.

이 비는 지금으로부터 6년 전에 일본인 池田○○이 암자투래暗自偸來하여 저 나라의 야스쿠니신사靖國神社(我韓獎忠壇과 如홈)후원에 이치移置한 고로 이를 본 소감이 있어 이에 등재謄載함.

<중략> 북관대첩비 사건에 대한 나의 소감

<중략> 대저 일본은 동양의 평화유지를 창도唱道하는 나라가 아니며 저 池田은 즉 일본의 신자臣子가 안인가. 무슨 이유로 인방의 중기重器를 감히 천이遷移하여 타인의 국수國粹를 마멸磨滅코자 하여 저 나라의 창도唱道하는 바 동양 평화주의를 파괴하는고, 말하되 양국의 화의和意를 손상損傷할까 우려하여 옮겨갔다고 하였다. 이는 한인의 숙원을 야기惹起하고 신한新恨을 최진催進케 함이 아니리요. 그러한 즉 저 池田은 우리 한국의 공적公賊일뿐 아니라 또한 저 나라의 죄인 됨을 면치 못할 지로다. 일편의 석石은 능히 옮겼으나 그 혁혁한 사실은 이천만 두뇌에 기각己刻하였으며 국수적國粹的 사필史筆은 만고불투萬古不渝하는 원칙이 자재自在하니 역시 무슨 이득이 있으리요.[473]

하고 있다.

473 嘯海生謄,「咸鏡道 壬辰義兵 大捷碑文」,『大韓興學報』 제5호, 1909년 7월.

1911년에 도리이 류조(鳥居龍藏)가 제1회 사료조사 때 촬영한
성진 임명동 북관대첩비가 있던 비각(국립중앙박물관 유리건판 )

일본 야스쿠니신사의 정원 한 곳에 이 비를 세워 두고는 비의 전래에 대해 그들의 악행을 은폐하고, 또 이 비문의 내용을 왜곡하여 그들의 부끄러운 역사를 감추려 하였던 것이다.

일본 야스쿠니신사를 관람한 이생李生이란 사람이 그 관람기를 『동아일보』 1926년 6월 19일자에 게재한 내용은 다음과 같다.

일본 동경에 정국신사라 하는 신사가 있으니 이는 국가 전사 장졸의 초혼 제를 매년 춘추로 거행하는 곳이다. 그 내부에는 조선고대의 갑주甲冑, 기 旗, 창槍, 총銃, 대포 등과 청로촉전쟁 시에 획득한 것을 다수로 진열하여 일반에게 관람시킨다. 필자는 구경차로 입거한 즉 그 후면 정원에 고가 5 척, 광이 2척, 두께가 5촌 가량되는 장엄한 비석이 서있으므로 그 비석 정면에 서서 본즉 액호額號를 북관대첩비北關大捷碑라 하였기에 그 비문을 자세히 보려하다가 헌병에게 금지를 당하여 부득이 중지하였다(그 비석도 일반에게 관람을 허하나 지금 공사 중임으로 금지하는 듯).

그 비석 좌측에 목패木牌를 세웠는데 그 의意가 대략 좌(아래)와 같다.

「북관대첩비 이 비는 함경도 명천군 임명진臨溟津에 재함 조선과 전쟁 시에 리붕수 등이 근왕勤王의 병을 기起하여 전쟁한 사실을 기재하였는데 이 비문에는 대첩大捷이라 하였지만은 그 때의 사실과는 전연상위全然相違가 되니 세인은 이 비문을 믿지 말라」하였다. 그러하지만은 우리 조선인은 고래古來로 패하고서 승勝하였다고 입비자찬立碑自讚하는 누습陋習이 없는 것이 사실인 이상에 이 비문의 당당한 정신을 우리가 충분히 추측할 것이다.

그러한데 여하한 곡절로 인하여 이 비석이 이곳에 이전되었는지는 알 수 없으나 고물古物의 전례로 추측하여 보면 물론 개인적으로나 단체적으로 은폐하여 온 것이 사실일 것이다. 여하간 우리는 우리의 사적이 기재된 비석이 임명진에 있다가 이성일우異城—隅에 안치를 당하고 있는 것만 깊이 기억하여 두자.[474]

이 비는 이후 한국인의 기억에서 멀어져 갔다.

해방 이후에도 오랫동안 잊혀 있다가 1978년 재일 사학자 최서면崔書勉 국제한국연구원 이사장이 야스쿠니신사에서 북관대첩비를 발견한 이후 정부와 민간단체는 줄곧 일본 측에 반환을 요구해 왔다. 그 결실을 가져온 것이 2005년 10월로, 1905년 7월 28일에 일본 땅에 반출된 후 100년 만에 귀국했다.


# 1905년 7월

**고려 태조 현릉(顯陵)과 충정왕(忠定王) 총릉(聰陵)이 도굴되다.**

『고종실록』1905년 7월 24일자에 고려 태조 현릉顯陵에 대한 다음과 같은 기사가 보인다.

예식원 장례경禮式院掌禮卿 남정철南廷哲이 아뢰기를,
"개성부開城府의 고려 왕조高麗王朝 현릉顯陵, 충정왕忠定王 총릉聰陵을 어떤

---

474  李生, 「北關大捷碑」, 『동아일보』 1926년 6월 19일자.

놈이 파헤쳤는지 모르겠는데 더없이 중요한 곳에 연속 변괴가 일어나니 두려움을 금할 수 없습니다. 막된 짓을 한 놈을 법부法部에서 기한을 정하여 체포하며 수개修改하는 일은 지방관이 거행하는 것이 전례로 되어 있는 만큼 그대로 거행하게 하는 것이 어떻겠습니까?"

하니, 제칙制勅을 내리기를,

"전대前代의 능침陵寢에 연이어 이런 변괴가 있으니 놀라움과 한탄을 금할 수 없다. 해당 범인을 당장 체포하여 조율照律해서 엄하게 다스리고, 수개하는 일은 전례대로 지방관에게 속히 거행하게 하며 수개가 끝나면 비서 감승祕書監丞을 보내어 제사를 지내줘라"

하였다.

## 평양의 관사와 성첩을 군용지로 수용

러일전쟁이 발발하자 일본군 평양병참사령부에서는 평양의 관사와 성첩 등을 군용지로 수용한다 하고 정양문 함구문 등에 포를 배치했다.[475] 1905년 7월에 이르자 일본군 병참사령부에서 도로를 확장하면서 통행에 불편하다고 하여 평양 함구문을 훼파毁破했다.[476] 『매천야록』에는 다음과 같이 기술하고 있다.

475 『皇城新聞』1904년 9월 8일자.
476 『皇城新聞』1905년 7월 25일자.

일본인들이 평양의 함구문含毬門을 훼철毀撤하였다.

갑오경장 이후 10년 사이에 평양은 조금 안정되었는데 러일 전쟁이 시작
되면서부터 그곳을 요충지로 생각하여 무참히 짓밟았으므로 그곳 관리와
주민들은 뿔뿔이 흩어지고, 관사와 성첩도 훼손된 채로 있어 보이는 곳마
다 쓸쓸하기 그지없었으며 옛날 경관이라곤 다시 찾아볼 수 없었다.


# 1905년 8월 12일


한일약정서韓日約定書가 체결되다.[477]


---

477 『高宗實錄』1905년 9월 12일자 기사.
　〈약정서(約定書)〉
　한일 양국 정부는 한국의 산업을 발전시키고 무역을 증진시키기 위하여 한국의 연해 및 내
　하(內河)에 일본 선박이 항행(航行)하게 할 필요를 인정하여 대한제국 외부 대신(大韓帝國
　外部大臣) 이하영(李夏榮)과 대일본국제국 특명전권공사(大日本帝國特命全權公使) 하야
　시 곤노스께(林權助)는 각기 해당한 위임을 받아가지고 아래에 열거한 조항을 약정한다.
　제1조
　일본 선박은 본 약정의 규정에 따라 무역을 목적으로 한국의 연해 및 내하를 항행할 수
　있다. 단 개항장(開港場) 사이의 항행은 본 약정에 의한 제한에 속하지 않는다.
　제2조
　연해 및 내하 항행에 종사하고자 하는 일본국 선박은 일본국 영사관을 거쳐 선박 소유
　자의 성명과 주소, 선박의 명칭, 종류 및 적재량과 함께 그 항행 구역을 한국의 해관(海
　關)에 보고하여 허가 증명서증명서는 받은 날부터 1년 동안 효력을 가진다.
　제3조
　일본 선박은 허가 증명서를 받은 그 때에 아래에 열거한 금액을 한국 해관에 바쳐야 한다.
　100톤 이하의 서양식 선박 15원(圓), 일본식 선박 15원, 100톤 이상 500톤 이하 서양식 선박
　50원, 500톤 이상 1,000톤 이하 서양식 선박 100원, 1,000톤 이상 서양식 선박 150원이다.

# 1905년 8월

어란진(於蘭鎭)과 이진진(梨津鎭)의 목재와 기와를 학교 건축에 사용하다.

무안항사상회사務安港士商會社에서 자금을 모아 학교를 건축하는데 필요한 재와材瓦를 구하는데, 전남 해남의 어란진於蘭鎭과 영암의 이진진梨津鎭의 관아가

---

제4조
일본 선박은 그 항행 구역 내를 자유로 항행할 수 있다. 단, 자연재해나 사변을 당했을 경우와 한국 해관의 특별 허가를 받은 경우 외에는 한국 영토 밖에 나갈 수 없다.
제5조
일본국 선박은 항행 중에 반드시 허가 증명서를 휴대하여 한국 해관 지방관 또는 지방관이 위임한 동장(洞長) 또는 촌장(村長)의 요구가 있을 때에는 어느 때라도 제시해야 한다.
제6조
일본국 선박 소유자는 선착하는 곳에서 창고를 짓기 위해서만 토지를 빌려 쓸 수 있다. 또 당해 선박소유자는 한국 해관의 인가를 받아 연안에서 부두를 건설할 수 있다.
제7조
일본국 선박으로서 본 약정을 위반하는 때에는 한국 해관은 사실을 조사하여 그 정상이 엄중한 것에 대해서는 허가 증명서를 도로 바치게 하며 또 그 교부를 거절 또는 중지할 수 있다.
제8조
일본국 선박으로서 만약 그 선원이 본 약정과 기타 조약의 규정을 위반하거나 죄를 범하는 때에는 일본국 영사관은 조약 및 일본 국법으로 처리한다.
제9조
본 약정의 유효기한은 조인한 날부터 계산하여 만 15년으로 정하되 기한이 만료된 뒤에는 상의협정(商議協定)할 수 있다. 단 앞으로 한국의 항해업이 발달할 때에는 양국 정부는 위의 기한 안에도 협의한 후 다시 약정할 수 있다.
광무9년 8월 13일.
외부 대신(外部大臣) 이하영(李夏榮).
명치(明治) 38년 8월 13일.
특명전권공사(特命全權公使) 하야시 곤노스께(林權助).

폐기廢棄하여, 이 관아건물의 목재와 기와를 가져다 사용하라고 이 지역 관리 한영원韓永源이 허락을 했다.[478]


# 1905년 9월 20일


### 고려 숙종 제2릉, 제3릉이 도굴되다.


9월 20일(음력 8월 22일) 밤에 고려 숙종 제2릉과 제3릉이 도굴되었다.[479]

1916년경에 작성한『고적대장』을 기초로 하여 만든『조선보물고적조사자료』의 기록을 보면, 경기도 장단군 소남면 유덕리 왕릉동에는 어느 왕의 능인지는 불명이나 주민들이 왕릉이라 부르고 있는 거대한 능이 있는데 직경 3칸 반이나 파여져 무참히 도굴을 당하였으며, "경기도 진서면 납목리 고려 숙종왕肅宗王 영릉英陵도 7, 8년 전에 도굴을 당했다"[480]고 기록하고 있다. 이같이 도굴한 영릉英陵의 출토물이 구로다 다쿠마黑田太久馬의 손에 들어간 것이다. 통감부 설치 후 이토 히로부미가 도굴을 부추기고 있던 시기에 도굴된 것으로 보인다.

478 『皇城新聞』1905년 8월 19일자.
479 『大韓每日申報』1905년 11월 9일자;『高宗實錄』1905년 11월 4일자.
480 朝鮮總督府,『朝鮮寶物古蹟調査資料』, 1942, p.57, p.61.
　　이 외에도 津西面 納木里의 高麗 名妓 黃眞의 묘를 비롯한 津西面 田齋里의 調査된 80여 기의 고분도 완전히 도굴을 당하였다.

# 1905년 9월

평안남도 안주군의 평안문루平安門樓를 일본군 병참사령부에서 훼철毀撤했다.[481]

일본인에 의해『신증동국여지승람』이 간행되다.

『황성신문』1906년 3월 29일자 광고

1905년 9월에 후치가미 테이스케淵上貞助는『신증동국여지승람』을 간행하였
으며, 1912년에 다시 재판을 간행하였다.

일본인에 의해『신증동국여지승람』이 간행되자,『대한매일신보』1906년 3월
11일자에는 다음과 같은 글을 싣고 있다.

---

481 『皇城新聞』1905년 9월 23일자.

한국여지승람韓國輿地勝覽을 한인韓人이 인출印出을 할 수 없음은 고사하고
이 서책의 유무有無도 알지 못하며 이 서책을 한 번도 보지 못했지만 일본
인은 다수 인출하여 국중國中에 광매廣賣하는 권權을 선득先得하니 매사를
질족자선득疾足者先得함을 수원수우誰怨誰尤하리오

『황성신문』 8월 4일자에는 다음과 같은 광고를 게재하고 있다.

신증 동국여지승람 상등上等 양제洋製 상하 2권 3천항 12원 중등 양제 상중
하 3권 8원
차서는 한국 도서 중에 진적珍籍이오 차且 최대한 저술이니 자금自今으로
태시太始 4백년 전 이조 제9대 성종조에서 명유신命儒臣하샤 사지찬술使之撰述케
하신 자者이니 기후其後에 누차 경정 증보하야 55권지호대서질55卷之浩大書
秩를 편찬 완성하야 한국 13도의 각 지방
연혁과 산천 고적과 토산 인물지 풍속과
건축 등물을 실위논저悉爲論著하고 개중個
中 명승지지는 고인지명금가구古人之名吟佳
句로 이석기취以釋其趣한고로 독자지풍아
讀者之風雅를 일조一助하야 유김옥장장지치
有金玉鏘鏘之致하니 기불가재豈不佳哉아 구
이한국지민苟以韓國之民으로 경영생업어한
토자經營生業於韓土者ㅣ 기其 지리 물산 통
토를 불가불식不可不識이오 욕지차欲知此

후치가미 테이스케(『경성발달사』)

인데 막여차서자莫如此書者ㅣ라 연이나 차서지두소산실此書之蠹消散失이 미구심彌久甚하야 금세에 태무전파殆無傳播하고 유유비장일질唯有祕藏一秩 고로 행득이등사幸得而謄寫하야 장욕이將欲以 본년 9월 중순으로 위기발간爲期發刊하야 광포세간廣布世間할세 자茲에 한정학정참여관韓廷學政參與官 문학박사 폐원탄씨지 서문을 청저請著하야 이명본서지의以明本書之意한 자者ㅣ라 물론 모씨하고 3전 우표를 기송하면 차설명서를 복정卜呈하오니 차서지가치여하此書之價値如何를 상시후嘗試後에 육속陸續 구독하심을 위망하오. 한국 경성 나동 26호 지 연상 상점. 연상정조 근백.

후치가미 테이스케淵上貞助는 개항(1876) 직후에 그의 부친이 일족을 데리고 함께 이주해 왔다. 후치가미淵上의 부친은 충무로에서 무역상점을 운영하였다. 후치가미淵上는 용산민단장에 추등되기도 하였다.


# 1905년 10월 2일


## 「유제실박물관기(游帝室博物舘記)」


『황성신문』에 1905년 10월 2일부터 10월 6일까지 5회에 걸쳐 「유제실박물관기游帝室博物舘記」라는 제하의 글을 게재했다. 이는 일본 도쿄제실박물관 진열품을 관람하고 그 소감과 함께 유물을 소개하고 있는데 이 속에는 도쿄제실박물관에 진열한 한국 유물을 일부 소개하고 있는데 다음과 같다.

유제실박물관<2>

제1호관 제9실 즉 아국과 남인도, 중국, 희람 등의 풍속으로 우리 한국의 군기 군용품 一通 및 신라고악기, 가야금 등과 화문석 일반一般, 석장錫杖이 있다.

제10실, 제11실은 모두 고유물古遺物로, 조선품이라고 하는 것은 모두 고묘 중 굴취물堀取物로 와감瓦坩, 와완瓦盌, 와배瓦盃 등 89종 즉 선산 지방에서 파낸 것, 기타 도검刀劍, 많은 옥속玉屬은 김해에서 파낸 것이고 기타 도기 15종은 경주 반월성에서 취한 것이라고 한다(『황성신문』 1905년 10월 3일자).

유제실박물관기<3>

제12실은 모두 고불상古佛像으로, 우리나라 백제시대 고목불주식태반古木佛蛀蝕太半있고 또 고도관古陶棺 2구二具가 있다.

제14실은 고전적문서도화古典籍文書圖畵 및 금석문판金石文版 진열로, 고구려 광개상왕비명 이본一本, 이 비는 성경성 회인현 통구 지방에 있는데, 토인土人의 말에 이 비는 오랫동안 흙 속에 묻혀 있다가 3백 년 전부터 점차 나타나 명치15년에 이르러 성경장군 좌종상左宗常이 사람을 고용하여 광개토왕비를 처음 발굴했다. 비의 높이는 1장8척, 북남 양면 5척6, 7촌, 동서 4척4, 5촌, 남면 정면 사면에 문자를 각했는데 남면 41행, 서면 10행, 북면 13행, 동면 9행, 매행 41자 합계 43행 1759자 명치17년 일본 보병대위 사코酒勾 씨가 청국에 갔을 때 1本을 탑취搨取해 온 것이다(『황성신문』 1905년 10월 4일자).

유제실박물관기<4>

제21, 22, 23실은 모두 미술공예품으로 아국我國 고기명古器皿이 있다. 제25실은 무기 무구를 진열했는데 아국 병기兵器 등이 있다(『황성신문』 1905년

10월 5일자).

유제실박물관기<5>
제2호관 제2실에는 소제품燒製品이 많으며 고려자기는 극히 정미精美하
다.(『황성신문』1905년 10월 6일자)

이 같은 내용은 진열실의 설명서를 기초한 것으로 보인다.


# 1905년 10월 26일

## 평양 관아에 일본군이 주둔

1905년 10월 26일에 일본군 2천여 명이 평양에 들어와 사단장은 대동관, 연
대장은 평양군아, 군의장은 평양경무서에 거접하고 기타 병사들은 각 민가에
나누어 주둔했다. 일본군대는 관찰사에게 선화당까지 사용하겠다 했으나 선화
당만은 내어주지 않고 나머지 모든 관아는 일본군이 주둔했다.[482]

---

482 『皇城新聞』1905년 10월 26일자, 11월 1일자.

# 1905년 10월 31일

## 광개토대왕비문이 최초로 국내에 소개되다.

광개토대왕비문이 1905년 10월 31일 최초로 국내에 소개되었다.

『황성신문』 10월 31일자에『고구려광개토대왕비명서기高句麗廣開土大王碑銘敍記』와 11월 1일~6일자에『고구려광개토대왕비명 부주해高句麗廣開土大王碑銘 附註解』가 소개되었다.

『황성신문』에 게재한「광개토대왕비명廣開土大王碑銘」의 유래는「고구려광개토대왕비명서기高句麗廣開土大王碑銘叙記」에 의하면, 입수 경위는 일본 동경에서 유학중인 박용희朴用禧가 초사抄寫 1본을 구하여 황성신문사에 기증한 것이라고 밝히고 있다. 여기에서는 놀랍게도 "일본 보병대위 사고酒句 씨가 1본一本을 탑취搨取하여 왔다"라고 하고 있다.

그 후 1909년 1월 6일자 황성신문『독고구려영락대왕묘비담본讀高句麗永樂大王墓碑膽本』에, 일본세계잡지에 기재되어 있는 내용을 인용하여, "종내終乃에 일본 사가와佐川 씨가 발견이탑사지發見而搨寫之하고"라고 하고 있다. 1909년 2월 26일자『대한매일신보』「한국의 제일호걸대왕第一豪傑大王」이라는 논설에는 "일인 사가와佐川 씨가 발견하고 청유淸儒 영희가 판독"이라 하였다. 1909년 2월에 간행한『서북학회월보西北學會月報』에도 "일본 사가와佐川 소좌가 우연히 이곳을 지나다가 발견"이라고 한결같이 '사가와佐川'로 기록하고 있다.

## ✻ 황성본『고구려광개토왕비명』에 대한 약간의 견해

광개토대왕릉비가 재발견된 이후 이에 대한 연구는 일본인들에 의해 독점적으로 이루어 졌으며 그 뒤를 이어 중국학자들의 연구가 뒤따랐다. 그러나 정작 비의 주인인 한국은 초기 능비의 연구에 함께 하지 못하고 자료 소개 정도에 그치고 말았다. 그러나 이는 한국에 있어서의 광개토대왕릉비의 연구사의 시점으로 볼 수 있다는 점에서는 대단히 중요한 의의를 가지고 있다.

우리나라에서 1908년에 간행된『증보문헌비고增補文獻備考』제35권『여지고與地考』24에는「광개토대왕비명」이 수록되어 있다.『증보문헌비고』는 1903년에 편찬을 착수하여 1907년에 완성하여 1908년에 간행한 것이기 때문에 이곳에 수록된「광개토대왕비명」은 1903년~1907년 사이에 완성된 것으로 볼 수 있다.[483]

「高句麗廣開土大王碑銘叙記」

---

483 이에 대한 연구는 김영만의「增補文獻備考本廣開土大王碑銘에 대하여(광개토대왕비문의 신연구Ⅱ)」이 있다.

「廣開土大王碑銘 附註解」

그러나 『증보문헌비고』(이하 略稱 備考本)에는 그 어느 부분에도 비명이 무엇을 저본底本으로 하였으며 그것을 어떤 경로로 입수되었는지 누가 소장하고 있었는지에 대해서는 언급이 없다.

그런데 황성신문에 수록된 「광개토대왕비명」(이하 略稱 皇城本)과 비고본의 「광개토대왕비명」은 그 유사점이 많다.

## 「皇城本」과 「備考本」의 비교

황성본 「광개토대왕비명」은 「고구려광개토대왕비명서기」(1905년 10월 31일자)와 「광개토대왕비명 부주해」(1905년 11월 1, 2, 3, 4, 6일자)로 이루어져 있으며, 「고구려광개토대왕비명서기」에는 먼저 삼국사에 나타난 광개토왕의 전공을 기술하고 비의 위치 및 재발견기. 황성본의 비문입수 경위를 수록하고 있다.

황성본과 비고본의 「광개토대왕비명」배열을 살펴보면 면과 행의 구분이 없이 처음부터 끝까지 계속되며 문자가 거의 일치한다.

문자를 다르게 한 것은 다음과 같다.

1. 완전히 다르게 된 경우

제1면 1행11자 '火'(황성본)→ '大'(비고본), 제2행 36자 '淳'(황성본)→'浮'(비고본)

2. 약자나 속자로 바꾸거나 그 반대인 경우

제1면5행 5자 '号'(황성본)→'號'(비고본), 제1면 5행 36자 '豊'(황성

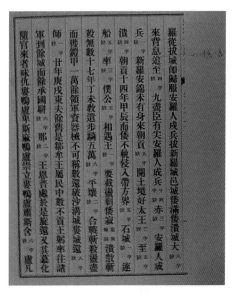

『增補文獻備考』 제35권 『與地考』 24 「廣開土大王碑銘」

본) → '豐'(비고본), 제1면 7행 27자 '염'(황성본)→'鹽'(비고본), 제2면 2행 9자 '岩'(황성본) →'巖'(비고본), 제4면 6행 17자 '畧'(황성본) → '略'(비고본), 제4면 2행 23자- 제4면 8행 11자까지의 15개의 '煙'(황성본) →'烟'(비고본)

3. 판독할 수 없거나 글자나 결자에 대해서 비고본은 작은 글씨 두 줄로 '一缺字', '二缺字' 등으로 표시하고 있지만, 황성본皇城本 제1면, 제2면에서는 '○', '○○' 등으로 표시하고 있으며 제3면, 제4면에서는 이외에도 '△', '△△' 등의 표시도 있다 그러나 '○'와 '△'의 구분에 대한 언급이 없다.

4. 비고본에서는 주석이 필요한 글자나 낱말에 대해서는 작은 글씨 두 줄로 夾註를 붙이고 있으나 황성본에는 '( )'를 하고 한 줄로 협주夾註를 붙이고 있다.

5. 비고본에는 본문碑銘이 끝난 다음 편찬자가 비문에 대한 약간의 고증과 함께 릉비가 서간도에 있음으로 해서 이곳이 옛날 우리의 땅이라는 명백한 증거

라고 강조하고 있다. 그러나 황성본에서는 본문을 6단으로 나누고 그 중간에 주해註解를 붙이고 있다.

여기에서 황성본과 비고본의 동일점을 살펴보면 다음과 같다.

1. 비문의 문자가 거의 동일하다.

제1면 1행11자 '火'(황성본)→ '大'(비고본), 제2행 36자 '淳'(황성본) → '浮'(비고본)

이에 대해서는 황성신문 1905년 11월 2일자에,

정오正誤

작昨 일본지 논설란 내 광개토왕비명廣開土王碑銘 중 나모왕지나자那牟王之那字 논 추자鄒字로 〈下亦同〉 엄리화수지화자奄利火水之火字 논 대자大字로 연가순구응지순자連葭淳龜應之淳字 논 부자浮字로 병개정幷改正홈

비고본

이라고 하고 있기 때문에 동일하게 비고본은

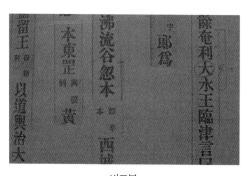

비고본

황성본

이를 바로잡은 것으로 하고 있다.

2. 또 뜻이 같은 동음同音으로 바꾼 것은 오히려 황성본이 비고본의 저본임을 더욱 확실히 하고 있다.

3. 비문이 각 면과 행의 구분이 없이 처음부터 끝까지 배열한 점이 동일하다.

4. 협주夾註가 동일하다.

5. 능비의 재발견 내용이 동일하다.

이상으로 보아 비고본은 황성본을 저본으로 하고 있으며 황성본과 비고본은 동일인에 의해 편찬된 것으로 추정할 수 있다.


## 편찬자의 추구


우선 1905년에 황성신문에 관여했던 사람 중에서 유력한 사람으로 박은식, 남궁억, 신채호, 장지연 등 4인으로 압축해 볼 수 있다.

먼저 남궁억은 1898년부터 『황성신문』과 함께 하였으나 1903년에 사임하였으며, 신채호는 1905년 성균관 박사가 되었으나 그 해 을사조약(1905년 11월 18일)이 체결되자 『황성신문』에 논설을 쓰기 시작하여 이듬해 대한매일신보 주필로 활약했다.

그 다음으로 박은식은 남궁억 장지연 등과 함께 『황성신문』을 창간하여 주필로 활약하다가 『대한매일신보』으로 옮긴 다음 『서북학회월보西北學會月報』의 회장직을 맡아 활약을 하였다. 1909년 2월에 간행한 『서북학회월보』 제9호에 '황성자皇城子'의 이름으로 「고구려영락대왕묘비등본高句麗永樂大王墓碑謄本」을 수록하고 약간의 논평을 한 것이 있는데, "일본 『세계잡지』 편자의 보고에 의한다"

고 하면서 비문에 대해,

일본 명치15년경은 실로 청국대신淸國大臣 좌종당佐宗棠 씨가 요동을 치治할 시
時라 그 시에 일본 좌천佐川 소좌가 우遇히 기지其地를 과過하다가 견이진지見
而珍之ᄒᆞ야 석탑石搨으로써 휴귀携歸하니 즉 금 박물관에 비치備置한 자者라.[484]

라고 기록하고 있다. 그런데 이에 앞서 발표된 1909년 1월 6일자 『황성신문』에
「독고구려영락대왕묘비등본讀高句麗永樂大王墓碑謄本」이란 제목의 논설란을 보면,

...... 오호라 기 묘비일편墓碑一片이 압록강 북 회인현에 재하니 차실아한만
세此實我韓萬世에 최유력最有力한 사료史料오 무無한 보품寶品이어늘 천여 년
을 토중에 매몰하야 사학가의 불식마장拂拭摩掌을 견우遣遇치못ᄒᆞ고 전부
목자田夫牧子의 고격소훼敲擊燒毁를 피被ᄒᆞ다가 종내終乃 일본 좌천佐川 씨가
발견이탑사지發見而搨寫之ᄒᆞ고 청유淸儒 영희榮禧 씨가 참고이주명지參攷而注
明之ᄒᆞ야 동경박물관에 치置하고 세계잡지에 기재記載ᄒᆞ얏스니 시是로 유由
ᄒᆞ야 왕의 혁혁혼 왕업王業이 세계에 발표되앗스나 아한我韓 사학가는 촉
무괴언矚無愧焉라 기其 발견한 사실은 증어曾於 본보에 게재홈이 유有ᄒᆞ거니
와 금 기 등본謄本을 봉독奉讀홈이 요동 대륙을 향ᄒᆞ야 일장대규一場大叫를
자불능기自不能己ᄒᆞ노라

---

484 皇城子 編者識, 「高句麗永樂大王墓碑謄本」, 『西北學會月報』 제9호, 1909년 2월.

라고 기록하고 있어『서북학회월보』에는 일본의 세계잡지에 실린 내용을 인용하였을 뿐이며, 위의『황성신문』에 "曾於本報에 揭載홈이 有ㅎ거니와" 했음에도 불구하고 일찍이『황성신문』에 게재되었던 내용에 대한 언급이 없음을 보아 박은식과 1905년의 황성본「광개토대왕비명」은 관계없음을 알 수 있다.

다음은『증보문헌비고』의「칙찬집제신勅纂輯諸臣」조를 살펴보면 33인 중에 신채호나 박은식은 보이지 않고 '正三品通政大夫前中樞院參書官臣 金澤榮'과 '六品承訓郞前內部主事臣 張志淵' 이란 명단이 보인다.

『증보문헌비고』에 나오는 김택영과 장지연에 대한 김영만의「증보문헌비고본 광개토왕비명에 대하여」(『신라가야문화』12)의 조사에 의하면,

창강 김택영의『한국역사소사』를 보았더니 비고본 비명에 대한 언급은 없는 대신, 일본으로부터 전래된 영희의 석문을 전재해 놓고 있다. 그는 문헌비고의 속찬위원續撰委員이었으나 1905년에 관직을 사임하고 을사 이후 나라 일이 그릇됨을 통탄하다가 1908년에 중국으로 망명하였는데, 이듬해(1909)에 잠시 고국에 왔다가 이 비문(영희본)을 입수하였다고 한다. 한편 윤희구尹喜求의 유고를 정리한『우당문초于堂文鈔』와『우당시초于堂詩鈔』를 보았으나 비문에 관한 이야기는 전혀 없고 문헌비고 속찬위원들의 회식 이야기만 있었다. 장지연의 문집에서는 서간도에 있는 한국인 학교에 보낸 격려문에서 그 지방에는 광개토왕비가 있으니 때때로 돌아보고 대왕의 위대한 정신을 이어받아야 한다는 내용이 들어 있을 뿐이다.

라고 하고 있다. 따라서 가장 가능성이 있는 사람은 장지연 뿐인데, 장지연은

『황성신문』 창간부터 1905년 11월 20일 '시일야 방성대곡'을 발표할 때까지『황성신문』에 관여했으며, 동시에『증보문헌비고』찬집에 관여한 유일한 사람이기 때문에 가장 유력한 사람이라 할 수 있다.

그렇다면 장지연(1864~1921)을 살펴보면, 1903년 4월 15일부터 1903년 5월 8일까지(『황성신문』제1339호부터 1356호까지 18회, 이후 4회에 걸친 속편)『아한강역고我韓疆域考』를 집필하였다. 그는『아한강역고』의 집필에 대한 그의 뜻을 다음과 같이 기록하고 있다.

『아한강역고』로 말하면 내가 아무 뜻도 없이 내놓은 것이 아니라 사실 역사를 배우는데 있어서 다만 널리 읽어 고증을 하거나 주워 모으는 필요에만 쓸 뿐이라고 한다면 그것은 한낱 케케한 학자와 같을 뿐이겠으니, 어떻게 정술政術로 채용하고 어떻게 세교世教에 보탬이 될 수 있단 말인가. 그러므로 역사를 배우는 사람은 반드시 고금 치난治亂의 기지機智를 널리 궁구窮究하고 성패成敗, 흥망의 발자취를 자세히 더듬어서 그 득실을 거울로 삼고, 내 식견을 넓혀 여러 사업을 실행해 나가려고 하는 것이니, 따라서 이것이 바로 사학이 정치에 도움을 주는 까닭이 된다(『황성신문』1903년 5월 5일자).

후세의 역사를 논하는 학자들이 제각기 자기의 설을 내세웠으나 끝내 귀착하는 점이 없었다. 그런데 오직 근세에 와서는 여러 선배들의 설이 고거考據가 비교적 상세한데 정다산 선생이 저술한『아방강역고』는 특히 제가諸家를 참작하고 전사前史를 널리 고증하여 지지地志를 잘 집성해 놓았다. 그러나 한 가지 한스러운 것은 그때에는 산야의 비지碑誌가 아직 다 세상에 나오지 않았고 일본 전사戰史도 또 대한에는 들어오지 않아 아직도 충분히 참고하지 못한 곳들이 있어서 완벽하지 못한 결점이 없지 않다고 하는 점이다. 그래서 나는 항상 이점을 아프게 생각해 왔는데 지난번 이 강역고에 감히 손을 대어 간략하게 고쳐 보기로 했다. 그래서 대강을 따져 적고 근세에 새로 얻은 것을 비교 정정하여 그 미비한 점을 증보하고 간간히 관견管見을 붙여 보았다(『황성신문』 1903년 5월 6일자).

특히 14회부터 17회까지는 「서북연혁西北沿革」이란 소제목까지 붙이고 있어 이 부분에 있어 그가 얼마나 역점을 두고 집필하였는지를 짐작케 하고 있다. 「서북연혁」에서는 이 지역에 대한 역사적 사실을 기술하고, 그 속편에서는 이를 보충하고 있다. 이 기록과 『증보문헌비고』 권36 「여지고輿地考」 24 「속부 북간도강계續附 北間島疆界」의 내용을 비교해 보면, 「속부 북간도강계」는 『아한강역고 속편』(황성신문 1903년 5월 6일자, 5월 7일자, 5월8일자)에 실려 있는 내용의 일부를 요약하여 실은 것으로 보인다.

『증보문헌비고』 권36 「여지고」 24 중 「북간도강계」와 「서간도강계」에는 '속續'이라고 표한 것으로 보아 그 전본에는 없던 것으로 마지막 증보 때 새로 넣은 것이다.

장지연은 『아한강역고 속편』에서

가원계가 우리의 감계사 이중하 씨와 같이 호상 지계를 조사했는데 같은 토문을 두만과 음이 비슷하다하여 억지로 두만강을 경계로 지정해 버렸다. 이것은 그때 시세에 눌리어 옛날 그대로 따랐을 뿐 해결을 보지 못한 것이다.

<중략> 그런데 간도 하나만은 그래도 자그마한 일이다. 더욱 큰 근심이
되는 일은 지금 서북에 연한 땅들이다. 이곳은 만주 요동과 가까이 붙어
있어서 양국 사이에 많은 문제들이 생길 수 있겠으니 가장 주시하여 조심
해야 할 것이다(『황성신문』 1903년 5월 7일자).

지금의 성경, 길림, 양성의 땅은 원래가 다 부여 고구려의 옛 강토인데 고구려
이후로 발해, 거란, 여진, 몽고 등과 같은 무리들이 이곳에서 일어났고 우리와
강토를 다툰 것이 비단 빈번했던 것은 앞의 고찰에서 이미 소상히 기술했다.

<중략> 이야말로 변계邊界에 대한 계책을 세우는 자의 미리 강구하지 않
으면 아니 될 문제이니 본 기자는 따라서 우리 대한의 강역의 문제를 늘
생각하여 말지 않을 바이며, 더욱 서북연안의 고찰을 거듭 설명하여 나의

『증보문헌비고』 권36 「여지고」

뜻을 보여 주려고 한 것은 바로 이 까
닭인 것이다. 만약 원대한 사려를 가
진 사람이라면 의당 깨닫는 것이 있
을 것이고 깊이 탄식하게 되리라(『황
성신문』 1903년 5월 8일자).

『증보문헌비고』에 새로 넣은 「북간도
강계」와 「서간도강계」는 이러한 장지연
의 뜻이 담긴 것으로 장지연에 의해 찬
집撰集된 것으로 보인다.

또한 「고구려광개토왕비명부주해」 제

1면 1행 '惟昔始祖'과 제1면 3행 '上而建都焉'의 주해에서, "又按茶山丁氏說에 云 ……… 則東明王者는 恐是漢魏史夫餘始祖之說이 爲是也니 茶山之辨이 固 當也라" 한 점은 일찍이 광문사廣文社를 설립하여 정다산의 『목민심서』,『흠흠신 서』 등을 최초로 간행하고 다산의 『아방강역고我邦疆域考』를 증보하여 『조선강역 지朝鮮疆域誌』 전9권을 저술한 사실과 무관하지 않은 것으로 보인다.


# 1905년 11월 4일

고려왕릉이 훼손되었다는 보고에 대해 수리하고 치제하도록 하다.[485]


# 1905년 11월 17일

한일협상조약(을사조약, 제2차한일협약)을 강제 체결하다.
『경성부사』 제2권에는 당시의 국내 사정을 다음과 같이 기록하고 있다.

1905년 11월 '제2차한일협약' 체결 무렵부터 정치적 결사가 곳곳에서 조 직되었다. 일진회 외에도 윤치호가 이끄는 대한자강회, 정운복, 김명준 등 이 이끄는 서우학회, 오상규, 주우 등이 이끄는 한북흥학회와 청년회 등

---

485 『高宗實錄』1905년 11월 4일자.

이 조직되었다. 이들은 대개 신조약 체결 당사자인 박제순 내각을 경격하였다. 박제순, 이완용, 이지용, 권중현, 이근택을 오적이라 칭하며 극한 비방을 일삼았다. 전 참정대신 이용태, 전 중추원 의장 김가진, 전 경무사 구완희, 그리고 권종석, 현영운, 민병한, 조남승, 민호식 등도 이들과 합세해 박내각을 공격하였다. 뿐만 아니라 제국신문, 황성신문, 만세보 등의 신문도 일제히 내각을 공격 하였으며 배일 기세를 올렸다. 영국인 베델도 자신이 발행하는 '코리안뉴스', '대한매일신보' 등의 지면을 통해 일본의 정책을 공격하고 중상하는 글을 실어 많은 구독자를 끌어 모았다. 미국인 헐버트 역시 자신이 발행하는 한국평론잡지 '코리안리뷰'와 자신의 저서를 통해 일본을 공격하며 양구 사이를 이간질 하느라 여념이 없었다. 끊임없이 계속된 베델의 주장은 교만하기 이를 데 없었기 때문에 후에 그는 고등재판소에 고발되어 유죄 판결을 받았으며 1908년 7월에 한국을 떠났다.

또한 미국에서 이제 막 입국한 평안남도 강서 사람 안창호도 매일같이 배일을 선전하였다.[486]

# 1905년 11월 20일

한일협상조약 체결을 반대하여 매국죄행을 폭로한 글 '시일야방성대곡'을 실

---

486  서울특별시 시사편찬위원회, 『국역 경성부사』 제2권, 2013.

『황성신문』 1905년 11월 20일자

었다는 이유로 황성신문을 정간하고 그 사장을 체포했다.[487]

『매천야록』에는 다음과 같이 기록하고 있다.

> 황성신문사를 폐지했다. 일본은 러시아와 전쟁을 벌인 이래 패전할 때가
> 있으면 신문에 바로 실려 민중을 선동할까 근심하고 사장 장지연을 얽어
> 매당 간행할 때마다 반드시 먼저 그 공관을 거치게 하여 허가를 받은 후에
> 발행하도록 하였다. 이에 이르러 장지연은 분통하여 을사5조약의 시말을
> 검열받지 않고 바로 실어 그대로 박아서 발행하니 이등박문은 크게 노하
> 여 장지연을 구속하고 그 신문을 헐었다.[488]

『황성신문』 1905년 11월 20일자의 논설 중에는 "슬프도다. 저 개돼지만도 못한
소위 우리 정부의 대신이란 자들은 자기 일신의 영달과 이익이나 바라면서 위협에
겁먹어 머뭇대거나 벌벌 떨며 나라를 팔아먹는 도적이 되기를 감수했던 것이다."

---

487  사회과학원 역사연구소, 『일제조선침략일지』, 사회과학출판사, 1973.
488  黃玹, 『梅泉野錄』李章熙 譯, 大洋書籍, 1973.

"아! 원통한지고, 아! 분한지고. 우리 2천만 동포여, 노예된 동포여! 살았는가, 죽었는가? 단군.기자 이래 4천년 국민정신이 하룻밤 사이에 홀연 망하고 말 것인가. 원통하고 원통하다. 동포여! 동포여!" 등의 분통을 터트리는 문장이 포함되어 있다.

# 1905년 11월 30일

민충정공閔忠正公이 자결하다.

민영환은 1905년 을사늑약의 폐기를 주장하는 상소를 수차 올렸으나 무위로 끝나자 1905년 11월 30일 자결로 일제에 항거했다.

### 민영환閔泳煥의 고국민유서告國民遺書

아! 나라와 국민이 이와 같은 치욕을 당하고 있으니 우리 인민들은 곧 생존경쟁 속에서 죽게 될 것입니다. 반드시 살려고 하면 죽고, 죽으려고 하면 살게 되는 것이니 제공諸公들이 어찌 이것을 모르겠습니까? 이 영환은 한 번의 죽음으로써 황제의 은혜에 보답하고, 또 우리 2천만 동포형제들에게 사죄를 하고자 합니다 이 영환은 죽어도 죽지 않습니다. 기어이 구천 지하에서 제군들을 도울 것입니다.

그리고 다행히 우리 동포들이 천만 배나 더 분발하여 지기를 굳게 갖고 학문에 힘을 쓰고, 서로 죽을 힘을 다하기로 결심하여 우리의 자유와 독립을 회복한다면 이렇게 죽는 사람도 당연히 지하에서 웃음을 지을 수 있을 것입니다. 아! 조금도 실망하지 마시기 바랍니다. 그럼 이것으로 우리 대한

제국 2천만 동포에게 고별인사를 올립니다(『梅泉野錄』에서 옮겨옴).

# 1905년 11월

1905년 11월에 일본 병참사령부에서 평양 대동문부터 남문까지의 성벽 위에 도로를 만들면서 성과 일반 가옥이 많이 파괴되었다.[489]

## 영변 관아에 일본군이 주둔

영변에 일본수비대가 들어와 관덕당觀德堂과 순교청巡校廳에 입처入處하고 있는데, 일본 기마병 20명이 또 도착하여 관찰사가 집무하는 선화당宣化堂을 내놓으라 하여 영변관찰사 이근풍이 수차 교섭하여 재판과실裁判課室을 내놓는 것으로 했다.[490]

---

489 『大韓每日申報』1905년 10월 3일자; 『皇城新聞』1905년 11월 14일자; 『皇城新聞』1905 년 11월 16일자.
490 『皇城新聞』1905년 11월 17일자.

# 1905년 12월 4일

고려 공민왕릉이 도굴되다.

12월 4일(음력 11월 8일) 밤에 흑의의 적한 수십여 명이 고려 현릉을 도굴한 고로 능령陵令 장익방이 4, 5인을 지휘하여 나아가니 흑의의 적한들이 총칼을 휘두르며 도굴을 했다. 도굴 흔적은 길이 7척, 폭이 5척이라 한다.[491]


# 1905년 12월 20일

## 통감부 및 이사청관제 발표

1905년 11월 17일 제2차 한일협약의 결과 한국인이 모든 외교사무를 일본 정부에 위임하게 됨으로써 재경성 일본공사관을 철폐하고 통감부와 통감직을 설치하였다.

1905년 12월 20일 칙령 제267호로서 '통감부 및 이사청관제'를 발표하였다. 통감부관제를 발표한 다음날인 12월 21일에 추밀원 의장 후작 이토 히로부미가 통감에 임명되었다.

---

491  사회과학원 역사연구소, 『일제조선침략일지』, 사회과학출판사, 1973; 『大韓每日申報』
    1906년 1월 21일자.

이사청관제에 따라 각  영사관은 모두 이사청으로 바꾸어 보호정치의 지방 기관으로 삼았다. 처음에 이사청은 부산, 마산, 군산, 목포, 경성, 인천, 평양, 진남포, 원산, 성진 등 10곳에 두었으나, 나중에는 대구, 신의주, 청진 등 3곳을 증설하여 총 13개를 두었다.

한국외교권은 이미 일본의 감리 아래 들어갔기 때문에 재한외국공사관은 전부 철거하였고 담당 사무를 일본공사관에 인계하고 1906년 3월까지 한국을 떠났다.[492]

# 1905년 12월 23일

## 고려 태조 현릉(顯陵)이 또 도굴되다.

고려 태조의 현릉顯陵은 개성에서 조금 떨어진 여릉리麗陵里 태조동太祖洞에 있는데[493] 태조동은 옛날에는 파시도巴只洞라 불렀다. 이 능은 국가에 변란이 있을 때마다 이동하였으니 제8대 현종원년顯宗元年에는 거란이 침입하자 재궁梓宮을 서울 북한산 향림사香林寺에 이봉移奉하였고, 현종7년 정월에 복장復葬하고, 동9년 11월에 재차 향림사로 이안移安하고, 그 다음 해 11월에 복장復葬하였으며, 문

---

492 서울특별시 시사편찬위원회, 『국역 경성부사』 제2권, 2013; 조선총독부 편, 『증보 조선총독부30년사』, 1999.
493 이곳은 현재 개성시 개풍군 해선리라 부르고 있으며, 능은 만수산산줄기에서 완만하게 뻗은 릉선에 만들어졌다. 이 릉선의 도, 서, 북쪽의 3면은 만수산에서 뻗어 내린 나지막한 언덕에 의하여 막혀 있으며 남쪽에는 평지가 펼쳐 있다.
(김인철, 『고려무덤 발굴보고』, 사회과학출판사, 2002)

현릉

종13년 5월에는 도적이 현릉의 묘실廟室에까지 침입하였으며, 23대 고종高宗4년 3월 몽고군의 침입으로 그 재궁梓宮은 강화도의 봉은사에 봉천奉遷하였다가 고종 19년 강화에 이장移葬, 제25대 충렬왕忠烈王2년 9월에 이르러 지금의 현릉에 복장 復葬하였던 것이다. 그 뒤 제31대 공민왕 때 홍건적紅巾賊의 침입이 있었고, 조선 때에는 청병淸兵의 침입이 있었으나 다행히 도굴을 모면하였다. 세종世宗 때에는 이곳에 '고려시조현릉高麗始祖顯陵'이라는 표석標石을 세우고 보호를 하였다.[494]

유호인俞好仁의 『유송도록遊松都錄』에,

서쪽으로 돌아서 파지동巴只洞으로 들어가 고려의 능침陵寢이 있는 곳을 물 으니 마을 할멈이 가까이 끊어진 잔등 밖을 가르킨다. 과연 보니 하나의

---

494 『世宗實錄 卷59』, 世宗15년 2월 12일 條.

구릉이 덤불속에 있고 곁에는 한 자쯤 되는 비가 섰는데 표하기를, '고려 시조 현릉顯陵' 이라 하였다. 풀이 엉킨 돌상을 깔았던 자리가 쌓여 궤를 올린 형상이 있다. 능을 지키는 몇 명이 와서 고하기를 '저희들은 소인으로 이곳에서 소래 살았는데, 명절 때는 반드시 술, 고기를 조촐하게 장만하여 올려야 합니다. 그렇지 않으면 음침한 황혼이나 비 오는 밤에 반드시 북을 치고 나팔을 불며 군왕이 행차하는 것 같은 소리가 들리고 그렇게 되면 사람이 병을 앓게 되어 열 명에 한 명도 낫지 못합니다' 한다.[495]

하는 것으로 보아 이후에도 상당히 보존이 잘 되었음을 알 수 있다. 1902년 세키노 타다시關野貞가 한국에 왔을 때 현릉에 대해 비교적 자세히 조사한 적이 있었는데, 당시의 조사에는 도굴 흔적 등은 전혀 나타나 있지 않았다.[496]

『고종실록』 1905년 7월 24일자에 의하면 고려 태조 현릉顯陵이 이미 1차 도굴을 당했다.

그 후 6개월도 지나지 않아 1905년 12월 23일에 또 다시 불법자들이 현릉을 도굴했는데『고종실록』 1906년 1월 16일자에는 다음과 같은 도굴 기사가 있다.

예식원 장례경禮式院掌禮卿 남정철南廷哲이 음력 11월 8일 밤에 머리를 깎고 검은 옷을 입은 도적 수십여 명이 고려 왕조의 현릉을 파헤친 문제를 아뢰

---

495 『續 東文選 第21卷』.
496 關野貞,「韓國建築調査報告」,『東京帝國大學 工科大學 學術報告』第6號, 東京帝國大學 工科大學, pp.96~99.

니, 제칙制勅을 내리기를,

"전대의 능침에 이런 전에 없던 변고가 있으니, 듣기에 너무도 놀랍다. 해당 범인을 즉시 탐문하여 체포한 다음 조율하여 엄하게 다스리고, 해당 입직 재관은 우선 본관을 면직하고 수복守僕과 산지기들은 각별히 엄하게 다스리라. 개수하는 일은 지방관으로 하여금 속히 거행하게 하고, 개수하는 일이 끝난 후에는 비서감 승祕書監丞을 파견하여 치제致祭하도록 하라"

하였다.

이 같이 수십 명이 도굴단을 만들어 도굴을 했는데 이 도굴단은 능을 수호하는 관리가 보는 앞에서 관리를 총칼로 위협을 가하면서 도굴을 자행했다. 『대한매일신보』 1906년 1월 21일자에는 다음과 같은 기사가 있다.

음력 11월 8일(양력 12월 23일) 밤에 삭발을 한 흑의의 적한 수십여 명이 고려 현릉顯陵을 무난범굴無難犯掘하는 고로 이 능령陵令 장익방이 수복守僕 등 4,5인을 지휘하여 그곳으로 나아가 막으려 하니 흑의의 적이 총칼을 휘둘러 접근을 할 수 없는 즉 중과부적衆寡不敵하여 당해 낼 수가 없어, 경지범훼竟至犯毁하야 길이가 7척여요 광이 5척여라 하는데 능령陵令이 수호하는 곳에 이 같은 작변作變이 있으니 문극경해聞極驚駭라 범인은 각기형착刻期調捉하여 조법감처照法勘處하고 장익방은 면본관免本官하고 릉의 수개는 해당 지방관으로 하게하고 례식원에서 상주하야 수개하며 마친 후에는 비서승을 보내어 치제致祭한다더라.

賊犯麗陵　陰曆十一月初八日俄卒剃髮黑衣賊數十餘名이挺至于高顯陵하야無難犯掘故로該陵令張邦氏가守僕等四九人을即爲指揮하야納賊進夫喜令黑衣賊이放銃揮劍하야使不得近前則衆寡不敵하야難以抵當키로竟犯毀하야長迷七尺요廣爲六尺이라는데該陵令이職在守護之地에有此作變하니聞極驚駭라犯은은刻期調捉하야犯人을勘處하고當該入直令張쭀邦은木官하고方官으로從便修改之簡온令上有령張쭀邦은木官하고方官上奏하야旣修改하며事錢遣秘書丞致하호더라

이 기사에서 도굴한 적한은 '삭발한 흑의인'이라는 것으로 보아 청일전쟁 이후 한국으로 대거 몰려온 일본 무뢰한들로 보인다. 『고종실록』1906년 7월 24일자에는 "지방관으로 능을 수개케 하며 필역 후에도 비서승을 보내어 치찰致察토록 하다" 라는 가사가 보이고 있어 1906년 7월 이후 현릉을 수리했던 것으로 추정된다.

능을 수리한 후 세키노關野 등이 1909년 이후 몇 번 조사를 한 바 있었으나 도굴에 대한 언급이 보이지 않는다. 그런데 1차 도굴이 있은 10년 후 이마니시今西가 조사할 때 또다시 도굴을 당하여 광의 일부가 함락陷落되어 있었다.[497]

고려 태조 왕건상

---

497　今西龍, 「高麗陵墓調査報告書」, 『大正5年度 古蹟調査報告』, 朝鮮總督府, 1917, p.308.

1992년에는 북한 사회과학원 고고학 연구소에서 현릉을 조사하였는데 현실에는 도굴공과 천정으로부터 빗물과 함께 흘러든 흙이 30, 40센치 두께로 퇴적되어 있었다. 현실 벽에는 벽화가 그려져 있었는데 벽화는 남쪽 벽을 제외한 3벽과 천정에 그려져 있었다. 잔존殘存 부장품副葬品으로 옥띠 장식, 청자상감국화문잔, 금동고리놋주전자, 막새기와, 금동불상, 원통형금구 등이 나왔다.[498]

1992년 현릉에서 발견된 '금동불상'은 당시 현릉의 봉분 북쪽 5m 떨어진 지점에서 출토되었다고 하는데, 연구 결과 고려 태조 왕건의 상이라는 것이 밝혀졌다. 이 상은 2006년 국립중앙박물관에서 빌려와 일반에게 공개되었다.

# 1905년 12월

평양의 정관조, 이봉주, 김희경 등은 "매국적모모대관賣國賊某某大官"의 세에 기대어 평양성을 외국인에게 몰래 팔아 외국인이 성첩을 파괴했다.[499]

# 같은 해

일본인 오카무라岡村, 군수 이우영이 평안남도 강서삼묘를 도굴하다.[500]

---

　"此陵近代盜掘."
498 장호수, 「개성지역 고려왕릉」, 『한국사의 구조와 전개』, 도서출판 혜안, 2000.
499 『大韓每日申報』 1905년 12월 5일자, 12월 13일자.
500 伊藤利三郎, 「江西の高句麗古墳」, 『隨筆朝鮮』, 京城雜筆社, 1935.

## 광개토대왕비 조사

1905년 도쿄제국대학의 파견으로 문과대학교수 이치무라市村瓚次郎와 이과대
학강사 도리이 류조鳥居龍藏가 그해 가을부터 겨울까지의 만주 일대를 조사했
다. 조사과정에서 수일간의 고구려고분에 대한 조사와 광개토대왕릉비를 조사
하고 비의 사진과 전搏 등을 수집해 갔다.[501]

『사학잡지』 제17권 제1호(1906년 1월)에 실린 광개토대왕비 사진은 1905년 도쿄

『사학잡지』 제17권제1호(1906년1월)에 실린 광개토대왕비 사진

明治39년에 岡村 모가 이 분묘를 발견 했다고 한다.
關野貞, 「朝鮮江西に於ける高句麗時代の古墳」, 『考古學雜誌』 第3卷 8號, 1913년 4월, pp.1-2.
1905년에 군수 이우영이 고분을 발굴한 일이 있었는데 현실 벽에 벽화그림이 있었으나
부장품은 남아 있지 않고 단지 제1묘에서 두골(頭骨)을 발견하여 군수가 이것을 가지
고 갔다가 불미스러운 일을 당하여 땅속에 다시 묻었다고 한다.

501 「彙報」, 『史學雜誌』 제17편 제1호, 史學會, 1906년 1월.
鳥居龍藏, 「鴨綠江上流に於ける高句麗の遺蹟」, 『南滿洲調査報告』, 1910.

제국대학의 명을 받아 만주지방을 출장한 문과대학교수 이치무라市村瓚次郎와 이과 대학강사 도리이 류조鳥居龍藏가 가지고 돌아온 사진 중에서 선발한 것이다. "이 사진은 유명한 고구려 호태왕의 고비로 금회 도리이 씨가 친히 그 장소를 방문하여 촬영한 것이다"라 한다. 광개토대왕비의 사진으로는 최초의 것으로 보인다.


## 경주 동천리 굴불사지 사면석불(四面石佛: 보물 121호) 노출과 수난

굴불사지掘佛寺址는 경주시내의 동북방에 있는 소금강산小金剛山 기슭에 있는 백율사栢栗寺로 올라가는 길목에 있다. 이 사찰에 대해서는 『삼국유사』 3권 탑상 塔像 편에,

또 경덕왕이 백률사에 거동하여 산 밑에 이르렀더니 땅속에서 염불하는 소리가 들리므로 사람을 시켜 그곳을 파보니 큰 돌이 있었는데 사방에 사 방불四方佛이 새겨져 있었다. 이 때문에 여기에 절을 세우고 절 이름을 굴 불사掘佛寺라 했으나 지금은 잘못 전해져 굴석사掘石寺라 한다.

이곳은 원래 굴불사지로 9세기에 창건되어 고려 때는 굴석사라 불리어졌다. 이 사찰이 언제 폐사가 되었는지 정확한 기록은 없으나 1981년부터 경주박물 관에서 실시한 발굴조사 결과 사면석불을 중심으로 조영되었던 앞면 1칸 옆면 3칸의 법당터가 확인되었다. 또한 조선시대의 기와도 수습됨으로써 최소한 조 선 중엽까지는 이곳에 건물이 존재하였음을 알 수 있다. 현재 이곳에는 사면석

불만 남아 있는데, 삼국유사에서 창불성唱佛聲이 들렸다는 이야기나 불상이 조
각된 대석大石을 얻었다는 것은 모두 영험靈驗을 강조하는 것이라 하더라도 사
면에 조각된 것은 경덕왕대景德王代에 이루어진 것으로 보는 것이 정설定說이다.

『조선고적도보 제5책』(도판1933~1937) 해설 편에는,

전방에 의衣를 통하여 체구사지体軀四支를 들여다볼 수 있을 듯이 고육조高
肉彫로 한 입보살의 상이 있다. 매우 걸작이라 하겠다. 그 후방에 돌에 음각
한 입불상立佛像 2구가 있다.

라고 기술하고 있다. 오사카大坂의 기록에는 이 불상이 어느 때 어떤 연유인지
는 밝혀진 것이 없으나 오랫동안 땅속에 매몰되어 있던 것을 1909년 소네曾禰
가 경주를 순시할 때 주변의 흙을 파내어 석불을 노출시켰다고 하고 있으며,[502]
오쿠다 게이운奧田耕雲도

수년 전까지 과반過半이 토중土中에 매몰되어 있었는데 고 소네曾禰 통감 순
시 때에 현상現狀과 같이 수축修築했다.

고 하고 있다. 오사카와 오쿠다는 소네의 경주 순시 때인 1909년에 매몰되어
있던 사면불을 노출시킨 것으로 기술하고 있다. 그런데 세키노關野의 기록에는,

---

502  大坂金太郎, 「慶州の傳說」, 『朝鮮』, 1921년 4월, 朝鮮總督府, p.94.

1902년으로 추정되는 발굴전의 사면석불(『조선의 건축과 예술』에 의함)

굴불사掘佛寺는 금강산의 록麓 백률사 아래에 있는 것으로 오늘날 마멸磨滅하여 겨우 석불 1구가 존한다. 내가 처음 왔을 때 토중土中에 매몰되어 겨우 전면 삼존불三尊佛에 음각陰刻한 것만 보였다……. 그 후 이마니시今西 문학사의 실사로 그 주위가 발굴 다른 삼면에 역시 각 불체가 조각되어 있다고 한다. 내가 보았을 때는 전면前面의 삼존불이 반이나 토중土中에 매몰되어 있었다.[503]

라하고 있다. 이마니시 류今西龍의 기록에는,

메이지明治35, 36년경(1902, 1903년) 세키노關野 박사가 조사할 때는 전면 상前面像의 두부頭部만 노출되었고 이하는 묻혀 있었는데 메이지明治38년경

---

503  關野貞, 『東洋協會調査學術報告』第1册, 明治42년, 東洋協會, p.124.

(1905) 그 대부분을 파내어 존상尊像이 나타나 승려들이 많이 모여 공양을 하였다고 메이지明治39년(1906) 내가 답사할 때 이토伊藤 씨에게 들었다. 금회속回 이를 보니 주위를 모두 파내고 석원石垣을 둘렀다[504]

라고 하고 있다. 이마니시가 1906년에 경주를 여행했을 때는 이미 사면불 주위가 파헤쳐져 많이 노출되어 있는 것을 목격하였고 이처럼 노출된 것은 1905년경으로 전해 들었다고 한다. 그러나 오사카大坂의 기록처럼 석불 주위를 파내어 정리한 것은 소네曾禰의 경주순시 때(1909)라고 하고 있는 점으로 보아,[505] 1905년경에 석불 주변의 흙을 제거하고 1909년경에 소네曾禰의 경주순시를 계기로 새로이 단장한 것으로 보여 진다.

1910년 2월에 간행한 『조선미술대관朝鮮美術大觀』에 굴불사 사면석불의 사진 1매가 게재되어 있는데 주위의 흙을 파내고 일부 잡석들은 한곳에 모아두었으며 전면의 삼존불 중 중심불만 나타나 있고 좌우협시불은 어느 곳으로 이동을 했는지 보이지 않는다. 이런 점으로 보아 1909년 소네曾禰가 경주 초도순시전初度巡視前 즉 사면석불의 주변을 정리하기 전의 모습으로 추정된다.

1913년 '경주고적보존회사업시행대요'를 보면 "굴불사지 석불주위에 수선공비를 기부받아 보존상 필요한 철책鐵柵 등을 설치할 계획"[506]인 것으로 보아 소네曾禰의 경주순시 후 데라우치寺內 총독의 경주순시가 잇따르고 경주고적에 대

---

504 今西龍, 「慶州聞見雜記」(大正15년), 『新羅史 研究』,1960, 國書刊行會, p.176.
505 那珂次郎는 「慶州一見」(『史學地理』第3卷 第5號, 1919년 5월, 史學地理學同友會, p.88)에서, "明治42년 曾禰統監이 이곳에 왔을 때 발굴하였다"고 하고 있다.
506 『考古學雜誌』 제3권 11호 1913년 6월.

한 관심이 더해가자 이후 어느 정도 보존의 주의를 기울인 것으로 볼 수 있다.

발굴 이후의 상태에 대해서 1930년의 오야 도쿠죠大屋德城의 기록을 보면,

군수와 함께 당시의 보통학교장 오사카 긴타로大坂金太郎의 안내로 읍의 북
방 30정에 있는 백률사 방면에 놀러갔다. 굴불사지를 방문하여 사면석불을
보았다. 정면 광廣이 약 12척, 미타삼존의 입상을 작하였는데, 본존의 두부는
환조, 체구는 부조, 2협시는 환조, 좌우의 두 측면에 입상을 각하였고 , 배면
背面에는 약사의 입상이 양각되어 있다. ......... 어떤 한 사람이 사면불에 배拜
하는데, 그 이유를 물으니 이 석불은 아들을 구하기 위하여 기도하면 자식을
구할 수 있다고 하는데 금조今朝에 애자愛子를 얻어 보사報謝한다는 것이다.[507]

라고 기록하고 있으며 파괴에 대한 언급을 하지 않고 주위 주민들이 숭앙해오

1909년경의 사면석불(『조선미술대관(朝鮮美術大觀)』에 의함)

507  大屋德城, 『鮮支巡禮行』, 1930년 6월, p.62.

고 있음을 기록하고 있다.

　그런데 타나가 만소田中萬宗의 1930년 기록에는

1914년의 모습
(국립중앙박물관 소장 유리건판)

　　남측에는 3척쯤의 삼존불이 새겨졌을 것

　　이지만 현재는 좌의 시보살을 결하였다.[508]

라고 하여 처음에는 삼존불이었으나[509] 보
살상의 결실을 말하고 있다.

　오쿠다奧田가 1918년 이 전에 본 기록[510]에는

---

508　田中萬宗,『朝鮮古蹟 行脚』, 1930, p.89.
509　여기에 대해 처음부터 남면에는 3존불이 아니라 2존이었다는 주장도 있다. 즉 처음부
　　터 불상 3상을 계획하였다가 공간의 제약으로 인해 2상만을 조각하였다는 주장으로,
　　이는 최민희 씨가 제기하고 있는 바,
　　남면 오른쪽에 불상을 떼어 갔다고 일컬어지는 부분은 현재 수평, 수직으로 쪼는 선이
　　얽켜 있고 전체적으로 두 불상보다는 작지만 앞으로 튀어 나와 있다. "전체면의 공간
　　배치를 살펴보면 이곳은 도저히 하나의 상을 조성할 만한 공간이 되지 못한다" "이곳이
　　쓸모없다고 생각했을 때 수직, 수평방향으로 정을 툭툭쳐서 거칠게 처리하고 깔끔하게
　　다듬지는 않았다" 또 "남쪽면 오른쪽에는 바위면에 바짝 붙여서 주춧돌을 그것도 다른
　　여러 곳에서 보이는 것과 같은 네모난 막돌이 아니고 잘 다듬은 돌을 사용하고 있다.
　　지금은 볼품없지만 자세히 살펴보면 옆면에는 네면 모두에 안상이 조각되어 있는 돌로
　　정성을 들인 것이다. 이렇게 주초석이 다듬어진 것을 보면 바로 앞에 세웠다는 것을 처
　　음부터 이곳에 불상을 조각하지 않았다거나 아니면 적어도 이 건물이 세워질 당시에는
　　이미 불상이 존재하지 않았음을 나타낸다. 일반적으로 전해지는 것처럼 일본인들이 떼
　　어갔다는 말은 완전히 허구인 것이다"고 주장하고 있다.
　　崔珉熙,「統一新羅 窟佛寺址 四面石佛에 관한 考察」,『경주문화』6, 경주문화원, 2000.
510　奧田耕雲,『新羅舊都 慶州誌』, 玉村書店, 1919.

**1914년의 남면 모습**
(국립중앙박물관 소장 유리건판)

동면 좌상 1체

고 9척7촌 두부 7척4촌

비급우수파손鼻及右手破損, 상의 하부는 연

좌蓮座로 생각되는데 매몰되어 알 수 없다.

남면 입상 2체

우 고 5척 우수결손右手缺損

좌 고 4척7촌 두부급좌수결손頭部及左手缺損

서면 입상 1체

고 12척1촌 우수결손右手缺損

연좌 고 8촌

별도로 앞에는 2체가 서 있는데 사면불

과는 별도로 분리되어 있다.

우 고 10척5촌 내 천관天冠의 고 1척6촌으로 천관의 중앙에는 소불상을 각

하였다.

좌 고 7척6촌 흉부에 절折된 좌우의 수手, 결손된 두부

북면 2체 우양각, 좌음각

우 고 5척4촌

우(광배까지)고 7척

남면에 입상이 2개뿐이라고 하고 있어 오른쪽 보살상이 없음을 말하고 있으
며 그리고 본존상 두부가 결손 되었음을 기록하고 있다.

남면의 입상은 원래 3구였겠으나 1구는 정으로 교묘하게 떼어가고 또 다시

본존의 두부를 떼어 간 것이다. 이러한 증거는 후일 간송 전형필과 황수영 등에 의해 의문이 제기되었다.

1960년경에 간송 전형필과 이홍직, 황수영 일행이 사면석불을 살펴보던 중 간송 전형필 선생이 처음 이 문제를 제기하였다. 몇 해 후 한일회담 시에 문화재관계 한국대표로 일본에 건너갔던 황수영 박사에 의해 다시 밝혀지게 되었는데, 이구열은『한국문화재 수난사』에서, "황수영 교수는 교토대학 고고학연구실에서 1915년경에 찍은 '경주굴불사터 사면석불'의 사진원판을 보았다. 거기에 움직일 수 없는 증거가 나타나 있었다. 불두와 보살상을 떼어간 직후의 사진이어서 그 자리는 한눈에 알아볼 수 있게 희고 생생한 상처를 그대로 보여주고 있었다"고 한다.

오쿠다奧田의 기록에서 "소네曾禰 통감의 순시 때에 현상과 같이 수축"이라고 한 점으로 보아 이 일은 1909년 이전 즉 1905년~1909년 사이에 주변의 흙을 제거할 당시에 일어난 일로 추정된다.

1981년 5월 국립 경주박물관은 굴불사지의 사면석불의 정밀실측과 그 주변의 유구를 확인하기 위하여 발굴조사를 행하였다. 지금까지의 이 유적은 60센치 정도 매몰되어 사면불상의 하부가 보이지 않았는데 이 발굴조사로 사면삼존불의 발과 거대한 연화대좌, 남면 두 불상의 이중대좌들, 그리고 동면 약사여래의 무릎 이하부분이 새로 확인되어 굴불사지 사면석불의 전모가 밝혀졌다.

그리고 이곳에는 조선중엽에 이르기까지 몇 차례의 중건된 목조건물이 존재하였음이 밝혀졌다.

이 외에「동사東寺」명문와, 순청자 및 상감청자편들이 조선시대의 상평통보 동전들과 백자편들이 뒤섞여 나왔으며 머리가 결실된 금동여래입상, 금동여래입상

남면

호신불 2점이 서면의 본존 앞에서 발견되었고, 이외 파손되어 떨어져나간 대세지보살입상大勢至菩薩立像의 가슴 부분과 어깨부분, 보관편寶冠片 등이 수습되었다.[511]

## 가토 간가쿠(加藤灌覺)의 회고(1905년의 기억)

가토 간가쿠加藤灌覺의 회고에 의하면, 가토는 1905년에 경북 팔공산사에서 불교관계 자료를 조사하던 중에 고려청자 하나를 발견하였다고 한다. 청자의 밑면에는 '경중景中'이라는 문자가 있었다고 하니 상세하게 조사한 것으로 짐작된다. 1914년에 재차 동화사를 방문했을 때 들으니 1910년 한일합방 직후 대구

---

511  姜友邦, 「慶州 掘佛寺址 四面石佛 發掘調査 速報」, 『박물관신문』 1981년 6월 1일자.

에 있는 서양인에게 팔려 인천을 거쳐 외국으로 반출되었다고 한다.[512]

가도 간가쿠加藤灌覺는 자신이 본 전세품으로서의 청자에 대해 다음과 같이
회고하고 있다.

메이지明治38년(1905)......... 경상북도 팔공산사八空山寺에서 금당金堂의 수
미단하須彌壇下에 장藏하여 둔 약 수 백 년 동안 어떤 사람의 손도 닿지 않
았던 일체장경一切藏經의 고판古板을 조사하던 중 우연히 한 개의 청자기를
발견했다. 그 고高가 2척4촌二尺四寸이나 되고 표면에 우아한 연화당초문蓮
花唐草紋이 양각되어 있고 농후한 유약이 칠해진 대호大壺로 그 저부底部에
「경중景中」이라는 이문자二文字가 있다. 그로부터 11년 후 다이쇼3년(1914)
에 동화사를 방문했는데 여러 사람의 입에서 그 청자에 관한 추억담을 들
었는데, 메이지43년 한일합방 직후 저 대호大壺가 아무도 모르는 사이에
대구재주大邱在住의 서양인에 매도되어 그 다음 인천을 거쳐 외국으로 가
지고 가 버렸다는 것으로 한 때는 이 사찰에서 떠들어 보았으나 부지중에
흐지부지 되어 버렸다고 한다.

그리고 또 하나는 양산 통도사에 출장명령을 받아 그곳에서 본 것으로 속
칭俗稱 마상배馬上盃 즉 고려청자 대종형大鍾形의 향로였는데 한때는 일선방
一禪房의 불단하佛壇下에 있었던 고함古函속에서 다수의 파경이나 고금란古
金襴의 가사편袈裟片과 함께 발견되었다고 전해져 통도사에 남아 있던 확실

512 加藤灌覺,「高麗靑瓷入の傳製品と出土品に就て」,『陶瓷』제6권 6호, 東洋陶瓷研究所,
1934년 12월.

한 전세품의 하나였던 것 같고 내가 그것을 찾아내었을 때는 저 유명한 불
골탑佛骨塔의 좌측에 소불전의 향로로 사용되고 있었던 것이다.

그 후 수년이 지나서 그것에 대하여 이야기를 들으니 오랜 동안 부산에 살고
있던 일본왕래의 상인이 오사카제大阪製의 큰 진유眞鍮향로를 가지고 있을 때
그것을 바꾸는 것 같은 형식을 취하고 어딘 가로 가져가 버렸다는 것이다.

이왕가박물관에는 경상북도 안동군 봉정사에 있던 전세품傳世品이라고 하
는 분청식의 청자상감의 운학문호雲鶴紋壺가 있으나 여하간 이 전세품傳世
品이란 한국에는 거의 없다.[513]

그의 기록대로라면 현재까지 알려진 것으로는 경상북도 팔공산의 어느 절에
전해 왔다는 청자호 1점과 양산 통도사의 청자향로 1점, 봉정사의 전세품이라
고 하는 청자 1점이 전해 졌다고 하나, 그 후 행방에 대해서는 알 길 없다.

당시에 이미 서구의 장사꾼들의 활동이 지방에까지 미쳤음을 짐작할 수 있다.
통감부 시대와 한일합방을 전후하여 여행자나 한일관계의 일본인들, 골동상들에
의해 한국 고미술품들이 일본에 전해지면서 그 수집열이 날로 성행해 갔다.[514]

가토는 1902년부터 도쿄대학 내의 인류학회의 촉탁으로 있으면서 한국 관련
조사에 착수하였다. 1904년에는 중국에 유학을 하면서 한국을 자주 왕래하여 한
국에 대한 조사를 하였으며, 1908년에는 인류학 및 국학 연구를 위해 한국 전토

513  加藤灌覺,「高麗青瓷銘入の傳製品と出土品に就て」,『陶瓷』第6卷 6號, 東洋陶瓷硏究
     所, 1934년 12월, pp.52~56.
514  小山富士夫,「日本에 있는 韓國 陶磁器」『考古美術』105호, 韓國美術史學會, 1970년 3월.

를 실사한 적이 있다.『조선총독부시정25주년기념표창자명감』(1935년 조선총독부)를 보면, 1914년 7월에 조선역사지도의 편찬 촉탁, 1916년 3월에 고적조사사무촉탁, 1924년 11월에 조선관습조사사무촉탁으로 임명된 기록으로 보아 그는 오랫동안 한국에 관계하였기 때문에 한국 관련에는 밝은 자라고 할 수 있다.[515]

## 도쿄국립박물관 구입품

도쿄제실박물관(도쿄국립박물관)에서는 1905년에 경북 선산 부근 출토의 토기를 일괄 구입했으며, 이때 제실박물관에서는 선산 부근에서 발굴한 고려시대의 석가여래입상을 함께 구입했었다고 하는데 석가여래입상은 1966년 외무성에 관리 전환되어 한국에 인도되었다고 한다.[516]

1905년에 시데하라 히로시弊原坦으로부터 기증받은 고와 등을 비롯한 3건이 보인다. 이 고와는 고식람여古式籃輿(구학부서리대신 조병필의 기에 전하여 졌

515 가토는 일제 말기에 시정기념관 관장직을 맡았다. 김재원에 의하면, 해방이 되자 그는 여러 차례 중앙박물관 사무실로 김재원(후에 관장)을 찾아와서 "자기는 일본의 패전을 가장 유쾌한 일로 생각하며, 이제 전주 이씨로 창씨까지 하였으니 시정기념관을 민속관 같은 것으로 고치고 계속 관장이나 그 보좌역으로 있게 해달라고 애원을 하였다"고 한다. 물론 김재원은 단호히 거절하였으며 시정기념관은 국립민속박물관으로 개칭하여 송석하에게 관리하도록 하였다. 해방이 되었을 때 일본인들은 서로 앞서 귀국하려고 애를 썼는데 가토는 이와 달리 남산 밑에 조그만 집에서 한국인 부인과 함께 살다가 죽었다고 한다. 그간에 그가 직업을 가질 수 있는 여건이 아니었기 때문에 평생 수집한 서화 골동과 귀국하는 일본인들이 맡긴 값나가는 물건들을 처분하여 생활했을 것으로 생각된다.
516 「東京國立博物館所藏朝鮮産土器·綠釉陶器の收集經緯」,『東京國立博物館圖版目錄』朝鮮陶磁篇(土器,綠釉陶器), 東京國立博物館, 2004.

던 것) 및 영조어필의 편액古回邦寧과 함께 시데하라로부터 도쿄제실박물관에 기증된 것이다.[517] 시데하라는 일본에서 중학교 교장으로 있다가 1900년에 대한국 학부 중학교 교사로 초빙되어 한국에 건너왔다. 1902년 세키노가 한국건축조사를 할 때 시종 함께하기도 했으며 많은 도움을 주기도 했다.[518] 1905년에는 학부 학정참여관으로 임명되어 활동했다.

1905년에 도쿄국립박물관에서 구입한 한국 유물은 다음과 같은 것이 있다.

---

517 古谷淸, 「韓國碧蹄館址發見の古瓦」, 『考古界』 第6篇 第1號, 1905년 10월.
518 關野는 『한국건축조사보고』에서 幣原坦으로부터 많은 도움을 받았다고 기술하고 있다. 당시 關野의 조사에는 幣原坦이 동행했던 것으로, 한국정부에서는 關野와는 별도로 幣原坦을 보호하라는 다음과 같은 내용이 있다.
光武六年七月十六日(1902년 7월 16일)
발송자 議政府贊政外部大臣臨時署理宮內府特進官 兪箕煥
수신자 沿途各郡守 座下
결재자 主任 交涉 課長大臣 協辦
駐京日本公使의 照會를 接ᄒ즉 貴國官立中學校敎官我邦人 幣原坦 來十八日 由漢城發 將行遊歷于江華開城坡州扶餘恩津慶州陝川等地 所有護照 並公文 按例繕發等因이기로 玆에 訓令ᄒ니 該員이 到境ᄒ거든 妥爲保護가 爲可.
議政府贊政外部大臣臨時署理宮內府特進官 兪箕煥 沿途各郡守 座下 主任 交涉 課長 大臣 協辦 光武六年七月十六日 光武六年七月十六日 起案.
[출처 : 국사편찬위원회 한국사데이터베이스 http://db.history.go.kr].

| 품명 | 출토지 | 출처 | 비고 |
|---|---|---|---|
| 鉢 | 경북 선산 | 『東博圖版目錄』 2004, 圖230 | 구입. 1905년 |
| 壺 | 경주 | 『東博圖版目錄』 2004, 圖136 | 구입. 1905년 |
| 把手付壺 | 경북 선산 | 『東博圖版目錄』 2004, 圖243 | 구입. 1905년 |
| 高麗時代의 釋迦如來立像 | 선산부근 | 『東博圖版目錄』 2004 | 구입. 1905년. 1966년 외무성에 관리 전환되어 한국에 인도 |
| 高杯 | 삼국시대 | 『東博圖版目錄』 2004 | 구입. 1905년 |
| 靑磁象嵌雲鶴 石榴文碗 | | 『東博圖版目錄』 2007, 圖78 | 구입. 1905년 |
| 壺 | 선산부근 | 『東博圖版目錄』 2004, 圖237 | 구입. 1905년 |

| 품명 | 출토지 | 출처 | 비고 |
|---|---|---|---|
| 韓國軍器, 軍用品 | | 「游帝室博物館記(二)」 | 제1관 제9실 |
| 古樂器 | 신라 | 「游帝室博物館記(二)」 | 제1관 제9실 |
| 琴 | | 「游帝室博物館記(二)」 | 제1관 제9실 |
| 花紋席 | | 「游帝室博物館記(二)」 | 제1관 제9실 |
| 錫杖 | | 「游帝室博物館記(二)」 | 제1관 제9실 |
| 古木佛 | | 「游帝室博物館記(三)」[519] | 제1관 제12실 |
| 古陶棺 2具 | | 「游帝室博物館記(三)」 | 제1관 제12실 |
| 고려자기 다수 | | 「游帝室博物館記(四)」[520] | 제3관 제2실 |
| 백자 | 광주분원산 | 「游帝室博物館記(四)」 | 제3관 제2실 |
| 象嵌甁 | 고려 | 『東博圖版目錄』 2004 | 구입. 1941년 |
| 古瓦 | | 「韓國碧蹄館址發見の古瓦」[521] | 기증. 1905년 弊原坦 |
| 古式籃輿 (舊學部署理大臣 조병필의 家에 전하여 졌던 것) | | 「韓國碧蹄館址發見の古瓦」 | 기증. 1905년 弊原坦 |
| 英祖御筆의 扁額 (古回邦寧) | | 「韓國碧蹄館址發見の古瓦」 | 기증. 1905년 弊原坦 |

519 『皇城新聞』 1905년 10월 4일자.
520 『皇城新聞』 1905년 10월 6일자.
521 古谷淸, 「韓國碧蹄館址發見の古瓦」, 『考古界』 第6篇 第1號, 1905년 10월.

| 품명 | 출토지 | 출처 | 비고 |
|------|--------|------|------|
| 高杯 | 경북 선산 부근 | 『東博圖版目錄』 2004, 圖145 | <br>구입. 1905년 |
| 杯 | 경북 선산 부근 | 『東博圖版目錄』 2004 | <br>구입. 1905년 |
| 台付長頸壺 | 경북 선산 부근 | 『東博圖版目錄』 2004 | <br>구입. 1905년 |

하야시나카 사후로林仲三郎가 골동품 경매업을 열다.

1905년 2월에 한국에 건너와 서울에서 여관업을 하면서 삼팔경매라는 골동품 경매업를 겸하였다. 1911년에는 삼팔경매를 주식 조직으로 변경 경성경매 주식회사를 설립하여 운영하였다. 처음에는 주로 중국에서 물건을 가지고 와서 팔다가 후에는 한국 고미술품까지 함께 취급하였다.


1905년에 간행한 『부산항세일반釜山港勢一斑』의 '거류민영업별' 조를 보면, 고물상에 종사하는 사람이 13명으로 나타나 있다.[522]

---

522  相澤仁助, 『釜山港勢一斑』, 日韓昌文社, 1905, p.82.

우리 문화재
수난일지

# 1906년 2월 1일

## 통감부 개청식

『대한매일신보』 1906년 2월 2일자

한일협상조약 제3조에 의거하여 1906년 2월 1일 일본이 경성에 통감부를 설치하였다. 통감부 개청식開廳式은 1906년 2월 1일 아침 하세가와 요시미치長谷川好道 통감 대리가 참석한 가운데 통감부 새 청사에서 거행되었다. 1905년 12월 21일에 통감에 임명된 이토 히로부미伊藤博文가 도쿄에서 아직 부임하지 않아 육군대장 하세가와 요시미치가 임시통감대리로 엄무를 대신했다.[523] 초대총감 이토 히로부미가 경성에 도착한 것은 3월 2일이다.

## 고려 성종(成宗)의 깅릉(康陵)이 도굴의 화를 입다.

『고종실록』 1906년 6월 17일 조에,

---

523  조선총독부 편, 『증보 조선총독부30년사』, 1999.

장례원 경掌禮院卿 김사철金思轍이 아뢰기를,

"개성부윤서리開城府尹署理이고 장단 군수長湍郡守인 윤종구尹宗求의 보고를
연이어 받아보니, 고려조 성종成宗의 강릉康陵이 도굴당하는 변고가 있었
다고 합니다.

지키고 보호하는 곳에서 이처럼 전에 없는 변고가 생긴 것은 듣기에 지극
히 놀라운 것입니다. 도굴한 놈을 기한을 정해놓고 체포하여 법에 따라 엄
하게 처리하고, 사고가 난 곳을 수리하는 일은 지방관으로 하여금 편리한
대로 거행하게 하는 것이 어떻겠습니까?"

하니, 제칙制勅을 내리기를,

"전 왕조의 능들에 계속하여 이런 변고가 생겨 놀라움과 개탄을 금할 수
없다. 해당 범인들을 며칠 안으로 체포하여 조율照律하여 엄하게 다스릴
것이며, 수리하는 일은 전례대로 지방관으로 하여금 빨리 거행하게 하고
수리가 끝난 후에 비서감 승秘書監丞을 보내어 치제致祭하게 하라"

하였다.


1906년 6월 21일자『관보』에는 "음력 정월 초팔일(양력 2월 1일) 밤 알 수 없
는 어떤 적한이 개성부 청교면 배야동에 있는 고려 성종강릉成宗康陵을 훼파毀破
했는데 길이와 폭이 각 6척 깊이 10여척"이나 되었다고 한다. 하루 밤에 파괴당
한 정도가 이 정도라면 한 두 명의 소행이 아니라 대단위의 도굴단에 의해 자
행된 것으로 보인다.

# 1906년 2월 3일

고려 정종(定宗)의 안릉(安陵)이 도굴되다.

개성 청교면 양릉리의 정종 안릉은 2월 3일(음력 정월 10일) 밤에 도굴 파괴
되었는데 길이와 넓이가 6, 7척이고, 깊이가 2장여나 되었다.[524]

『고종실록』1906년 6월 17일 기사를 보면, 고려조 정종定宗의 안릉安陵, 원종
元宗의 소릉昭陵, 문종文宗의 경릉景陵이 모두 도굴당하는 변고가 있었다고 한다.
그런데 이런 도굴 행위는 몰래 한 것이 아니라 능을 수호하는 자가 있음에도
불구하고 도굴을 감행했다하니 대단위의 도굴단의 행위라 할 수 있다.

# 1906년 2월 5일

고려 원종 소릉이 도굴되다.

2월 5일 밤에 개성 북동면 소릉리의 원종 소릉에 흑의의 적한 기십 명이 총
을 차고 들이닥쳐 도굴을 감행했다.[525]

---

524 『官報』1906년 6월 17일자; 『皇城新聞』1906년 6월 22일자; 『大韓每日申報』1906년 6월 21일자.
525 『官報』1906년 6월 17일자; 『皇城新聞』1906년 6월 22일자; 『大韓每日申報』1906년 6월 21일자.

# 1906년 2월 6일

개성 중서면 칠릉동의 제6릉이 6일 밤에 도굴을 당했는데 길이와 폭이 6, 7척이나 되고 깊이가 10여척이나 되었다고 한다.[526]


# 1906년 2월 28일

고려 문종 경릉景陵이 도굴 당했다. 봉분의 북방을 깊이 1장여를 파고 부장품을 훔쳐 달아난 것이다.[527]


# 1906년 2월

## 한국진서간행회(韓國珍書刊行會) 발기

재경성일본인이 한국의 진귀한 고서를 발간하기 위하여 한국진서간행회韓國珍書刊行會를 발기發起했다. 그 명단을 보면 다음과 같다.[528]

---

526 『官報』 1906년 6월 17일자; 『皇城新聞』 1906년 6월 22일자; 『大韓每日申報』 1906년 6월 21일자.
527 『官報』 1906년 6월 17일.
528 『皇城新聞』 1906년 2월 17일자.

회장 : 시데하라 히로시幣原坦

이사 : 니시카와 츠우테즈西河通徹, 다카하시 도루高橋亨

상무이사 : 와타세渡瀬當吉

간사 : 마쓰모토 마사타로松本雅太郎

평의원評議員 : 고쿠분 쇼타로國分象太郎, 시오카와 이치타로鹽川一太郎, 마에다
교사쿠前間恭作, 오오우라 시게히코大浦茂彦, 다나카 겐코田中玄黃, 아유카이 후사
노신鮎貝房之進, 기구치 겐죠菊池謙讓 등이다.

『황성신문』 1906년 3월 31일자 기사에는 입회청원 기한을 연기한다는 내용
과 간행 예정 목록까지 게재하고 있다.[529]


# 1906년 3월 2일

### 이토 히로부미(伊藤博文)의 입성

1905년 12월 21일 이토 히로부미가 초대 통감으로 취임했으나 바로 한국에 건
너오지 않고 일본에 머무는 동안 총무장관으로 임명된 쓰루하라 사다키치鶴原定吉
가 1906년 1월 29일에 한국에 오고, 이어서 농상공부총장 기우치 주시로木內重四郎,

---

529 刊行豫定目錄은 다음과 같다.
　　通文數誌, 朝野全通, 三京誌, 於于野談, 淸江雜著, 政事新書, 東國歷代総目, 東國僧尼
　　傳, 石潭日記, 癸卯時事談錄, 東史綱要, 交隣史, 李忠武全書, 欒翁神說, 山林經濟, 芝
　　峯類記, 磻溪隨錄, 大典會通, 四溟集, 西崖集, 文獻備考.

경무총장 오카 기시치로岡喜七郎이 한국에 건너와 통감부 개청 준비에 들어갔다.

이어 2월 1일에는 임시통감대리 육군대장 하세가와 요시미치長谷川好道는 간단한 개청식을 올린 후 광화문통 구 외부에서 사무를 개시하였다. 한편 이토 히로부미는 2월 28일 시모노세키에서 군함에 승선하여 3월 2일에 경성에 도착하고, 9일에 고종을 알현하여 간단한 취임 인사를 했다.[530]

이후 일본은 1906년 3월 13일부터 통감관사에서 조선의 참정대신 이하 각부 대신이 참여하는 '조선시정개선에 관한 협의회'를 수시로 열어 사실상 조선 내정을 총지휘하기 시작했다.


# 1906년 3월


고려 신종神宗의 양릉陽陵과 고려 현종顯宗의 선릉宣陵이 일본인에 의해 도굴되다.[531]


## 유금사 불기 약탈

영해군 백석면 서산에 있는 유금사遊金寺는 원래 큰 사찰인데 3월 초에 어떤

---

530  서울특별시 시사편찬위원회, 『국역 경성부사』 제2권, 1913, pp.27-28.
531  『高宗實錄』 1906년 3월 4일자; 『官報』 1906년 3월 4일자.

객승 3명이 이 사찰에 와 유숙을 하다가 심야에 이 사찰의 승 8명을 위협 결박하고 이 사찰에 있는 불기佛器와 제반 물품을 약탈해 갔다.[532]

여기서 지칭하는 유금사遊金寺는 오늘날 경상북도 영덕군 병곡면 금곡리 3리 유금사有金寺이며, 영해는 1914년 행정개편에 따라 영덕에 합병되었다.

# 1906년 4월

고려 제3릉, 서구릉西龜陵, 충목왕忠穆王 명릉明陵 등이 도굴되다.[533]

오대산사고본을 폭서하다.[534]

1906년 4월에 도쿄에서 러일전쟁의 대대적인 개선식이 있었다.

이 때 한국에서는 행사를 축하하기 위해 특파대사로 의친왕이 파견되었다. 부사로는 한국군부의 기사라는 자격으로 박중양이 포함되었다. 연회가 계속되던 어느 날 이토 히로부미가 이들을 초대했다. 이 때 박중양이 통역을 했다. 이

---

532 『皇城新聞』1906년 4월 25일자.
533 『官報』1906년 4월 15일.
534 『皇城新聞』1906년 4월 21일자.

것이 계기가 되어 이토의 눈에 들게 되었다. 귀국하자 이토의 추천으로 대구군수로 등용되었다. 때마침 관찰사의 결원이 생기자 관찰사 서리를 겸했다. 이것이 출세의 실마리가 되었다. 박중양이 대구군수로 임관된 것은 1906년 7월이었다. 대구성벽을 철거한 것은 1906년 11월이었다.[535]

# 1906년 5월 13일

## 불국사사리탑 일본에서 소개되다.

경주 불국사에 있던 사리탑이 일본으로 반출되어 5월 13일 우에노上野 세이요겐精養軒 정원에 있는 것으로 소개되다.

이 사리탑이 외국인에게 처음 눈에 띤 것은 1902년으로, 세키노 타다시關野貞가 1902년에 처음 한국에 와서 신라의 구도舊都 경주의 고적을 살피기 위하여『동경잡기東京雜記』를 참고하여 불국사에 왔을 때이다. 당시만 하여도 가람이 매우 황폐했으며 사찰에는 승이 1, 2명에 불과한 아주

1902년의 모습(『조선고적도보』제4책)

535 河井朝雄, (손필헌 역),『大邱物語』(1931), 대구중구문화원, 1998.

빈곤한 절에 지나지 않았다. 이때 세키노關野는 우수한 신라시대의 석탑, 석계단, 석등, 석사리탑 등 신라시대의 가장 발달한 문화 유물이 유존하는 것을 보고 감탄을 하며 조사하고 사진을 촬영하여 돌아갔다. 그 후 1904년에 도쿄제국대학 공학부의 보고『한국건축조사보고韓國建築調查報告』에 이 특별한 사리부도의 사진을 비롯한 불국사의 신라시대 유물을 처음으로 세간世間에 소개하였다.

세키노는 이 부도에 대해 석등으로 오인하고『한국건축조사보고』에서 다음과 같이 설명하고 있다.

옛 나한청羅漢廳이라고 하는 것의 유적 앞에 있는 것은 그 개석을 잃어버리고 잡초 가운데 공허하게 서있다. 기초의 격간장식형格間裝飾形의 흥미있는 기둥의 고조高彫, 운문雲紋의 고아함, 그 상하의 연판의 우아함, 특히 그 상부의 연판은 크게 일본의 약사사의 동원당, 성관음의 기좌基座 중에 있는 것과 흡사하다. 화사석火舍石의 사면에는 혹은 서고 혹은 앉은 불상을 조각하였다. 기타 세밀한 조각이 있는데 지금은 파괴되어 분명치 않다. 하여간 이 석등은 한국에 있어서 내가 본 가장 우수한 것으로서 당시대의 수법 및 정신을 표현한 것 같다.

처음 세키노關野는 이것이 부도탑이 아니라 석등으로 오인하여『동양협회조사 학술보고東洋協會調查 學術報告』에서 '불국사佛國寺 비로전지전毘盧殿址前의 석등롱石燈籠'이란 제하題下에 "내가 한국에서 본 석등 중에서 최우수한 것"이라

고 소개하면서 단면도와 함께 사진(第29圖)을 싣고 있다.[536]

세키노의 극찬은 결국 이 사리탑의 수난으로 연결되어 기나긴 유랑길에 들어서게 했다. 세키노는 1904년에 『한국건축조사보고』를 발표한 후 그 한 책은 당시 개성에 거주하고 있던 일본인 모씨에게 주었다. 세키노가 1902년에 개성에서 고적조사를 할 때에 많은 원조를 받고 신세를 진 바가 있어 그 한 권을 준 것이다. 그런데 이것은 그 자에게 약탈물에 대한 정보를 제공한 결과를 초래하고 말았다.

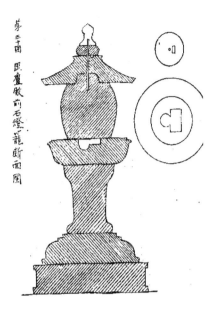

『동양협회조사 학술보고
(東洋協會調査 學術報告)』

세키노로부터 책자를 받은 이 자는 1905년 불국사 유물 중 본 사리석탑을 사승寺僧에게 몇 푼의 돈을 집어주고 매수하여 동경으로 가져 가버렸다. 세키노의 보고서에 나타난 이 사진을 본 일본인은 욕심이 났던 것이다. 뿐만 아니라 세키노의 보고서에 불국사가 곳곳이 허물어져 황폐한 모습을 드러내고 있으니 가난한 사에 얼마의 금전만 지불하면 쉽게 얻을 수 있을 것이라 생각하고 실행에 옮겼던 것이다.

일본역사지리학회지 『역사지리』 1906년 6월호에는 다음과 같은 기록이 있다.

536  關野貞, 「韓國慶州に於ける新羅時代の遺蹟」, 『東洋協會調査 學術報告』 第1册, 東洋協會, 1909, p.110.

지난 월 13일 상야 세이요겐精養軒 정원에 있는 석등

경주 불국사 비로전 앞에 있던 천수백년 역사를 가진 정묘무류精妙無類한

절품으로, 석등의 높이는 7척, 중량은 200관, 개蓋는 땅에 추락하여 매몰되

어 있던 것을 작년 여름 비가 올 때 일본인 모가 발견하여 발굴하여 이를

가지고 왔다고 한다.[537]

『역사지리』1906년 6월호에 의하면 이 사리탑을 불국사로부터 반출한 시기

는 1905년 여름으로, 반출자는 악행을 은폐하기 위하여 개석蓋石이 마치 땅 속

에 있던 것을 비가 오면서 외부로 드러나 이것을 일본인 모가 발굴하여 가져온

것처럼 묘사하고 있다.

『조선고적도보』제4책(도판 1569-1570)을 보면 주변이 잡초로 덮여 있고 뒤

쪽으로 잡목이 보인다. 그리고 해설편에는, 원래 가람의 북방 비로전지毘盧殿址

의 전면에 서 있는데 개석蓋石이 떨어져 지상에 있었다고 하며 근년에 일본으

로 가져갔음을 기록하고 있다.[538]

사리탑이 일본으로 반출된 후 세키노는 우에노上野의 세이요겐精養軒이라는

요리집 정원 앞에 진열되어 일반유지들이 관람하고 있는 것을 보았다. 당시 잡

지『고구가國華』에 이 사진이 실려 있었으며 세키노에게 해설을 의뢰하여 그 해

설까지 써주었다고 한다. 그리고 얼마 후에 이 사리탑은 행방을 감추어 버렸다.

---

537 「高麗時代の石燈」, 『歷史地理』제8권 제6호, 일본역사지리학회, 1906년 6월, p.8.
538 『朝鮮古蹟圖譜』제4책, 해설편.

# 1906년 5월 16일

《부산박람회》

1906년 5월 16일부터 7월 25일까지 부산항내 일본인산업회의소에서 한일상품박람회를 개최하였다. 이 발상은 일본인들로부터 시작되어 그 목적은 상업상에 지식을 발달케 한다고 하면서, 각도 관찰사와 교섭하여 각 지방의 물품을 출품 진열하였다.[539]

농상공부에서는 4월 13일에 한성오서내漢城五署內 각 상민들에게 부산박람회의 상품 출품에 대해 다음과 같은 내용을 고시했다.

> 본년 4월 15일부터 동년 7월 25일까지 부산항 일본인상업회의소에서 한일간에 상품박람회를 개설開設인바 본국에 각종 매품賣品과 신고참고품新古參考品을 물론勿論하고 다수출품하면 응유해회應由該會로 품질을 심사하여 포상증褒商証을 수여할 터이오. 또 한일양국 무역발달에 심유비익甚有裨益이겠기 자특고시茲特告示하니 상민 등의 소유한 일응물품一應物品을 계기출수屆期出售하여 무지지완毋至遲緩함이 위의爲宜라 하였는데 그 절목節目은 여좌如左하니 포상수여건褒賞授與件 금패金牌, 은패銀牌, 동패銅牌 포상褒狀이라.[540]

---

539 『皇城新聞』1906년 3월 21일자 ; 『皇城新聞』1906년 4월 9일자.
540 『皇城新聞』1906년 4월 13일자.

박람회의 개회는 5월 16일에 거행 했는데 관련 기사에는 다음과 같은 내용이 있다.

부항박람釜港博覽

부산항에서 한일박람회를 설함은 이기리記하였거니와 한일양국의 출수 진열품이 수만 종인데 본월 초칠일경에는 완비되어 오는 16일에는 개회식을 거행할 예정이라더라(『황성신문』 1906년 5월 7일자).

박람참원博覽叅員 부산에서 본월 16일에 일한상품박람회식을 거행하였는데 기우치木內 총장과 가토加藤, 미마스三增 양 이사관과 아리요시有吉 부이사관과 이李 학상 이하 아국我國 각 대관과 경성, 인천의 일본거류민장과 상업회의소 대표자와 한일신사 등 오백 명이 내참來叅하였다더라(『황성신문』 1906년 5월 18일자).

또 회기 중인 6월에는 농상공부에서 13도에 다음과 같은 내용을 훈령하였다.

부산항에서 한일 양국인이 협동하여 상품박람회를 현이개판現已開辦하고 진기물품珍奇物品을 무불진렬無不陳列한바 본국 각종 매품과 신고참고新古叅考를 물론하고 다수 출품하면 응유해회應由該會하여 품질을 심사하여 포상을 수여할 터인데 칙則 한일무역발달에 심유비익甚有裨益이기로 자玆에 훈령하노니 귀 관하 각군貴管下各郡에 성화행칙星火行飭하여 상민인 등의 소유한 일응물품—應物品을 본년 7월 25일 폐회 전에 수의출수隨意出售하라[541].

또한 신문에는 광고까지 실었는데, 그 내용은 다음과 같다.

회장은 재부항룡두산하在釜港龍頭山下에 굉장미려宏壯美麗한 집이라.

출품 무량 백만 가지되는 일한물건이 경진기진선미競珍奇盡善美하오니 구경

도 좋고 사기도 편리되고 취미실익겸비趣味實益兼備하와 진眞이 한국미증유

韓國未曾有한 성사야盛事也라.

개기開期 기旣히 50일 경과하오되 구경꾼 벌써 10만 명을 넘어서 또 금반

새로 난 한건韓件을 가加하고 음력 6월 초6일까지 구경시킬 터이오 입장표

가격은 불과 일화이전日貨二錢: 葉錢一錢三分식이오.

복인福引 본월 20일부터 50전五十錢 이상의 물건을 사는 사람에게 매일 재비

를 뽑아 유루遺漏없이 상품을 줄 터인데 이 값이 여러 수천 원 될 터이오.

일한상품박람회 광고문

541 『皇城新聞』1906년 6월 26일자.

경치景致 회관 삼계 루상에서 원근 경치를 바라보니 진眞히 해내무비海内無
比하와 중외中外의 사람들이 완연당년宛然當年의 아방궁阿房宮也라 稱揚하옵
여흥餘興 관외에 타로 여흥장을 설비하고 가무음곡歌舞音曲 기타 취미 있는
일이 많이 준용準備되었으니 먼데서 오시는 손님께는 무상無上한 대접이오
(『황성신문』 1906년 6월 22일자).

이 같이 대형적인 전람은 이 부산박람회가 처음인 것으로 보인다.


# 1906년 5월

## 대안문(大安門)을 대한문(大漢門)으로 개칭하다.

원래 경운궁의 정문은 덕수궁 남쪽 중화문 건너편에 있던 인화문仁化門이었
다. 인화문은 경운궁의 최초 정문으로 그 유래를 조선시대 왕궁의 정문의 이름
에 필히 '화化'자를 사용한 관계에 따라 이 문을 인화문이라 하였다. 인화문의
준성은 명확하지 않다. 1897년 2월 고종이 러시아공사관에서 이 궁으로 올 때
인화문으로 왔다. 그런데 인화문은 전면이 도로가 협소하여 출입이 불편하다
고 하여 폐하였다.[542] 동시 구 정문이던 인화문을 폐하고 건극문建極門을 설치
하였다. 이 문의 위치는 현재 덕수궁 동측 정동정 도로를 면하여 건립한 건극

---

542 小田省吾,『德壽宮史』, 李王職, 1938, pp.42-43.

문과 동일지점에 있었다. 그 후 외곽을 화장함에 따라 문도 개축하고 1899년에 대안문大安門이라 개칭했다. 1899년 3월에 민병석의 글씨로 현판을 달았다. 이 것이 오늘날의 덕수궁의 정문이 된 것이다.[543]

1904년 화재로 1906년 중화전 등을 재건하면서 5월에 동쪽의 대안문大安門을 대 한문大漢門으로 이름을 고치고 궁의 정문으로 삼았다. 상량문은 이근명李根命이, 현 판의 글씨는 남정철南廷哲이 썼다.[544] 어떤 연고인지 '인화'의 구명을 사용하지 않 고 '대한'이라 한 것은 당시 국정의 변화에 따른 것이 아닌가 생각되며, 대안문大安 門을 대한문大漢門으로 고친데 대하여 여러 속설이 있다. 다음과 같은 일화가 있다.

이 대안문을 대한문으로 고친 이면에는 일종의 삽화揷話가 숨어 있다. 전 하는 말에 의하면 고종 말년에 현영운玄暎運이 고종에게 한참 승총承寵을 하고 그의 첩 배정자가 양복을 하고 궁중으로 무상출입을 하게 되니 시신 侍臣 중에 이를 기오질투忌惡嫉妬하는 사람이 고종에게 몰래 아뢰어 어떤

543 『獨立新聞』1899년 3월 3일자; 『皇城新聞』1899년 2월 15일자; 小田省吾, 『德壽宮史』, 李王職, 1938.
544 이재극의 상주로 경운궁 대안문의 수리를 음력 4월 12일로 택일, 사역할 것을 재가하고 대안문을 대한문으로 바꾸게 하다(『承政院日記』1906년 4월 2일조).
門號改題 皇上陛下끠입셔 勅敎를 下ᄒ옵셔 大安門을 現將重修홀터인디 陰本月十二 日에 始役ᄒ야 十四日에 上樑ᄒ고 竣役後에 大安門이란 安字ᄂ 漢字로 改定題板ᄒ라 ᄒ옵셧다더라(『皇城新聞』1906년 5월 2일자).
慶運宮大安門을 重修次로 始役日子ᄂ 陰本月十二日로 上樑은 同月十四日로 擇定하 얏ᄂ디 大安門縣板은 以大漢門으로 改定하라신處分이 下하옵셧다더라(『大韓每日申 報』1906년 5월 7일자).
皇闕大安門을 重修하고 大安門懸板을 以大한門으로 改繕上樑ᄒᆫ다ᄂ 事ᄂ 已揭於前 報어니와 再昨日에 上樑文을 換入하고 懸板을 換揭後致祀하얏다더라(『大韓每日申報』 1906년 5월 19일자).

비기秘記에 보면 관을 쓴 여자가 관 쓴 여자문으로 무상출입을 하면 나라가 망한다고 하였는데 대안문의 안자는 여자에 관을 가한 자인데 이제 관을 쓴 여자(양장한 여자)가 무상출입을 하는 것은 국가에 불리하다하였더니 고종께서는 그 말을 편청하고 즉시 배裵녀의 궁중출입을 엄금하는 동시 대안문도 대한문이라 고치게 되었다고 한다. 그 문액門額은 근세서가로 저명한 유한익劉漢翼의 글씨이다(車相贊,「경성 고궁 순례」,『조광』6권 7호, 조선일보출판사, 1940; 藤田龜若,『京城の光華』, 朝鮮事情調査會, 1926).

대한문. 덕수궁의 정문이니 원래는 대안문이엿다. 태황제 당시에 현영운이 승총을 하며 그 첩 배정자가 양장을 하고 궐내에 무상출입을 하얏더니 시신 중 이를 기악忌惡하는 자가 태황제에게 주奏하되 엇던 비기에 잇스되 대안문大安門의 안安자는 여女자가 관冠을 한 것인데 관 쓴 여자가 그 문으로 출입을 하면 나라가 망한다고 하얏더니 태황제가 그 말을 신청信聽하고 즉시 배씨의 궁중출입을 엄금하고 大安門도 大漢門으로 변경하얏스니 그 문액은 근래 명필 류한익의 소서所書다(門內漢,「京城 八大門과 五大宮門의 由來」,『별건곤』제23호, 1929년 9월).

大安門을 大漢門으로 개칭하였다. 이 문은 경운궁의 정문이다.
이때 전비서승前秘書丞 류시만이란 사람은 겸암謙庵 류운룡의 사손祀孫으로, 그는 류운룡의 비결을 얻어 300년이나 된 묘소를 이장한다고 하면서 또 허위 첨서를 조작하여 남모르게 옛 광내壙內에다 묻어놓았다가 그것을 파내어 은밀히 고종에게 바치었다.

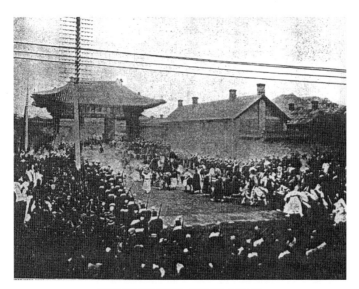

대한문전 광경(『조선』1934년 11월호)

그 첨서를 대충 말한다면 대안문을 대한문으로 고치고, 안동의 신양면으로 천도를 하면 국운이 연장된다고 하였다. 고종은 이 말에 현혹되어 꿈에 그런 징조가 있었다고 말하고, 즉시 그 대안문의 이름을 바꾸고 또 많은 금전을 유시만에게 주어 행궁을 지으라고 하였다. 이에 류시만은 그 돈을 자루에 담아 가지고 와 졸부가 되었으나 고종은 그것을 불문에 부쳤다(『梅泉野錄』제5권 '大安門의 개칭').

## 재한국 일본인 인구

1906년 통감부총무부내사과統監府總務部內事課에서 발간한 『한국사정요람韓國事情要覽』에 수록收錄된 '재한국일본인인호구표在韓國日本人人戶口表(1906년 5월말 현재)'에 근거根據하여 1906년 4월말과 1906년 5월말 사이의 인구 증감增減을 살펴보면 다음과 같다.[545]

| 지 명 | 1906년 4월말 | 1906년 5월말 | 증감(增減) |
|---|---|---|---|
| 경성이사청관내 | 13,807명 | 14,249명 | 증 442명 |
| 인천이사청관내 | 13,212명 | 13,201명 | 감 8명 |
| 군산이사청관내 | 2,814명 | 2,996명 | 증 182명 |
| 목포이사청관내 | 2,529명 | 2,531명 | 증 58명 |
| 마산이사청관내 | 2,355명 | 2,629명 | 증 274명 |
| 부산이사청관내 | 19,119명 | 19,640명 | 증 521명 |
| 원산이사청관내 | 4,525명 | 4,873명 | 증 348명 |
| 성진이사청관내 | 460명 | 548명 | 증 88명 |
| 평양이사청관내 | 3,951명 | 5,946명 | 증 1,995명 |
| 진남포이사청관내 | 2,901명 | 2,891명 | 감 10명 |
| 총 계 | 65,673명 | 69,507명 | 증 3,834명 |

이는 1개월 사이에 무려 3,800여 명에 달하는 인구가 증가하였음을 보여 주고 있다.

1906년 동경에서 발간한 『한국지실정韓國之實情』[546]이라는 책자를 보면, 한국의 실정에 대한 일반적인 소개와 함께 한국거류민韓國居留民의 희망조사希望調査와 이

545  統監府總務部內事課, 『韓國事情要覽』, 1906년 7월, pp.20~26 參照.
546  圓城寺淸, 『韓國之實情』, 東京 樂世社, 1906.

에 따른 국가의 적극적인 보조정책을 소
개하고, 마지막 「한국도항韓國渡航의 심득
心得」 조條에서는 여행권旅行券, 내지여행
취체규칙內地旅行取締規則, 휴대품携帶品, 도
항거리渡航距離, 도항시간渡航時間, 도항비
용渡航費用까지 자세하게 소개하고 있다.

# 1906년 6월 16일

## 일본고고학회 진열품

경성 약도(『한국지실정』)

일본고고학회 본회 총회가 1906년 6월 16일 도쿄미술학교에서 개최되었다.
이 때 회원들이 수집한 유물들이 많이 출품되었는데, 그 중에서도 구로다 다쿠
마黑田太久馬는 한국에서 도굴한 고경 및 도자기를 많이 출품하였다. 그 목록을
보면 다음과 같다.[547]

547 「考古學會記事」, 『考古界』 第6篇 第1號, 1906년 11월.

| 품명 | 출토지 | 출품자 |
| --- | --- | --- |
| 銅製水鉼 | 한국 肅宗陵址 발굴 | 黑田太久馬 |
| 雲鶴手鼎 | 한국 肅宗陵址 발굴 | 黑田太久馬 |
| 雲鶴手豆 | 한국 肅宗陵址 발굴 | 黑田太久馬 |
| 雲鶴手合子 | 한국 肅宗陵址 발굴 | 黑田太久馬 |
| 雲鶴手香爐 | 한국 肅宗陵址 발굴 | 黑田太久馬 |
| 雲鶴手盃 및 臺(菊花紋) | 한국 肅宗陵址 발굴 | 黑田太久馬 |
| 雲鶴手盃 및 臺 | 한국 발굴 | 黑田太久馬 |
| 華華式香爐 | 한국 발굴 | 黑田太久馬 |
| 靑磁盃 및 臺 | 한국 발굴 | 黑田太久馬 |
| 靑磁細口鉼 | 한국 발굴 | 黑田太久馬 |
| 韓雙魚鏡 | | 黑田太久馬 |
| 韓獅子鏡 | | 黑田太久馬 |
| 五華式鴛鴦寶花鏡 | 한국 발굴 | 黑田太久馬 |
| 八花素文鏡 | 한국 발굴 | 黑田太久馬 |
| ?華鏡 | 한국 발굴 | 黑田太久馬 |
| 韓寶花文方鏡 | | 黑田太久馬 |
| 韓寶花蜻蛉文方鏡 | | 黑田太久馬 |
| 八稜鏡 | 한국 발굴 | 黑田太久馬 |
| 韓雙龍鏡 | 한국 발굴 | 黑田太久馬 |
| 兩面方鏡 | 한국 발굴 | 黑田太久馬 |
| 雙鳳寶花八稜鏡 | 한국 발굴 | 黑田太久馬 |
| 韓柄鏡 | | 黑田太久馬 |

| 품명 | 출토지 | 출품자 |
|---|---|---|
| 六花式湖鏡 | 한국 고분 발견 | 黑田太久馬 |
| 韓十二肖鏡 | 한국 발굴 | 黑田太久馬 |
| 菊花雙鳥鏡 | | 黑田太久馬 |
| 韓寶花鏡 | 한국 발굴 | 黑田太久馬 |
| 素背雙紐鏡 | 한국 발굴 | 黑田太久馬 |
| 七寶地文鏡 | 한국 발굴 | 黑田太久馬 |
| 素背鏡 | 한국 발굴 | 黑田太久馬 |
| 沙文鏡 | 한국 발굴 | 黑田太久馬 |
| 韓獅子鏡 | 한국 발굴 | 黑田太久馬 |
| 韓四乳鏡 | 한국 발굴 | 黑田太久馬 |
| 響銅鏡 | 한국 발굴 | 黑田太久馬 |
| 韓國懸佛 | 한국 고분 발견 | 黑田太久馬 |
| 寶花文鏡 | 한국 발굴 | 도쿄미술학교 |
| 寶花文方鏡 | 한국 발굴 | 도쿄미술학교 |

여기에서 가장 주목되는 것은 고려 숙종릉에서 나온 출토품으로, 고려 숙종의 영릉英陵은 『고종실록』 1904년 9월 20일조에 의하면 1904년 9월에 도굴을 당한 것으로 나타나 있다. 숙종릉에서 나온 출토품들은 곧 바로 흩어져 그 중 일부가 구로다 다쿠마黑田太久馬의 손에 들어가 이때 전시가 된 것이다.

구로다는 그의 저택에 '관심당觀心堂'이라는 진열관을 두고 많은 골동들을 수집하였는데 "주된 고물은 조선 고려조의 유품 중 금속품으로 고경古鏡, 고전古錢, 어미식의 시저匙箸, 모자식구帽子飾具, 고동인古銅印, 동완銅椀, 수병水瓶, 동제

불탑銅製佛塔, 형衡, 불상 등"[548]으로 그의 수장품은 대부분 개성 등지에서 도굴한 부장품이 주를 이루고 있었다고 한다. 한 개인이 수장한 것이 이 정도이며, 이런 수집가가 수두룩했을 것으로 보인다.

구로다의 소장품 중 일부는 1916년에 조선총독부박물관에서 구입하기도 했다.

# 1906년 6월 30일

## 고려왕릉이 도굴되었음을 상주하다.

1906년 6월 30일 궁내부대신 겸 예식원장례경 이재극이 개성부윤 권태익·장단군수 윤종구의 보고에 의거하여 고려조의 제1릉 경릉景陵, 제3릉 공민왕비 노국공주릉 및 제4릉 예종릉睿宗陵, 공민왕의 현릉玄陵 등이 굴훼堀毀된 사실과 범인을 속히 형착詗捉하여 엄히 다스리고 굴훼堀毀된 능침陵寢은 지방관으로 하여금 수개修改토록 할 것을 상주上奏하다.[549]

---

548 「黑田氏底に於ける觀心堂」, 『考古學雜誌』 제1권 제3호, 1910년 11월, pp.65-66.
549 『高宗實錄』 光武9년 6월 30일자; 『官報』 光武9년 7월 8일자.

# 1906년 6월

## 고려 정종 안릉의 도굴 사실을 상주하다.

예식원장례경 이용직이 개성부윤 권태익의 보고서에 의거하여 고려조 정종 定宗 안릉安陵이 도굴된 사실을 상주하다. 제制를 내려 범인을 속히 잡아 엄벌하고 수개修改는 지방관으로 거행토록 하며 공역이 필한 뒤에 비서승을 보내어 치제致祭토록 하다.[550]

## 함흥군 성벽 훼철

일본 거류민 단체가 함흥군의 성벽을 훼철하여 도로와 하수구를 만들겠다고 통감부에 청원함에 따라 1906년 6월에 통감부에서 이를 허락했다.[551]

## 재한일본인직업별일람(在韓日本人職業別一覽表)

통감부총무부統監府總務部에서 조사한 1906년 6월말 현재 재한일본인직업별

---

550 『高宗實錄』 1906년 6월 2일.
551 『皇城新聞』 1906년 4월 11일자, 5월 5일자; 『大韓每日申報』 1906년 6월 14일자.

일람在韓日本人職業別一覽表[552]에 의한 직업별 인구를 살펴보면 다음과 같다(괄호 안은 인구).

잡화상雜貨商(5,279), 대공직大工職(3,996), 피고인被雇人(3,429), 관리官吏(2,010), 회사원會社員(1,985), 과자상菓子商(1,795), 어업漁業(1,740), 중계업仲任業(1,676), 농업農業(1,660), 무업無業(1,531), 음식점업飲食店業(1,471), 토목청부업土木請負業(1,299), 여숙업旅宿業(1,296), 요리점업料理店業(1,134), 예기藝妓(1,107), 토방직土方職(1,085), 작부酌婦(1,064), 선원船員(1,054), 석공직石工職(826), 이발직理髮職(676), 운송업運送業(640), 한국고문고원韓國顧問雇員(624), 좌관직左官職(629), 공부직工夫職(603), 연와직煉瓦職(572), 인력차업人力車業(559), 무역업貿易商(554), 질옥업質屋業(521), 약업藥商(514), 목만직木挽職(512), 어상魚商(497), 재봉직裁縫職(474), 의사醫師(437), 하치직鍛治職(436), 주상酒商(419), 미곡상米穀商(399), 중매상仲買商(383), 토공직土工職(382), 관아고원官衙雇員(374), 제유희업諸遊戲業(368), 은행원銀行員(320), 식료제조판매食料製造販賣(318), 금대업金貸業(299), 두부상豆腐商(299), 직공職工(289), 철도사원鐵道社員(288), 세탕업洗湯業(288), 우편집배원郵便集配員(280), 세탁업洗濯業(275), 교사敎師(274), 오복상吳服商(272), 첩직疊職(350), 하숙업下宿業(238), 신문사원新聞社員(229), 재목상材木商(225), 도자상(陶器商(219), 고물상古物商(214), 용달업用達業(192), 팔백옥업八百屋業(186),

552 東洋陶瓷研究所,「在韓日本人職業別一覽表」,『韓國事情要覽』第2輯, 統監府總務部, 1907, pp.54~58.
이 통계는 京城, 仁川, 群山, 木浦, 馬山, 平壤, 鎭南浦, 釜山, 元山, 城津理事廳의 報告를 토대로 작성한 것으로 職業別 男女, 戶數, 人口數로 분류한 것임.

제주업製酒業(175), 공리公吏(171), 사진업寫眞業(165), 통직桶職(161), 육업肉商(155), 군속軍屬(144), 종교포교사宗敎布敎師(143), 시계상時計商(138), 금물상金物商(129), 행상行商(126), 연초상煙草商(120), 여발결상女髮結商(118), 유제조판매油製造販賣(116), 인쇄조각업印刷彫刻業(106), 안마업按摩業(103), 정미업精米業(102), 인쇄활판업印刷活版業(93), 음식물제조업飮食物製造業(87), 염물직染物職(86), 중차업仲次業(84), 유예가인遊藝稼人(84), 대서업代書業(81), 양복상洋服商(80), 우유업牛乳業(80), 우편취급업郵便取扱業(78), 이물상履物商; 77), 노점상露店商(73), 화직靴職(69), 산파産婆(68), 간호부看護婦(68), 신탄상薪炭商(64), 가구상家具商(64), 요리직料理職(62), 황물상荒物商(61), 건물상乾物商(60), 침몰선인양업沈沒船引揚業(60), 서적상書籍商(59), 식목직植木職(56), 통관업通關業(56), 변호사辯護士(55), 제정직提汀職(50), 부선업艀船業(50), 기타합계其他合計(1,824).

총계總計 56,756名

이처럼 무직자가 많은 것은 한국을 식민지화하기 위한 일환으로 이민정책移民政策의 필요성을 일찍부터 주장하던 일본 측임을 볼 때 새삼스러운 일은 아니나, 1906년 재한 일본인직업별일람표에서 고물의 매매를 업으로 하는 고물상의 수가 214명으로 나타나 있다는 것은 당시 도굴이 얼마나 성행했는지를 보여주는 단적인 예라고 할 수 있다. 뿐만 아니라 군사력을 배경 삼아 건너온 무뢰한無賴漢, 깡패, 목공, 토공, 등의 상당수는 도굴이나 골동상에 종사했을 것이라는 추측이 가능하다.[553]

553  정규홍, 『우리문화재 반출사』, 학연문화사, 2012.

# 1906년 7월 7일

## 궁금령(宮禁令) 발포

1906년 7월 3일 경무고문 마루야마 시게토시丸山重俊가 궁중의 조선순검을 내쫓고 일본경찰 50여명을 배치하고, 7월 7일에는 왕궁 각 문에 일본경찰로 파수를 세우고 궁문출입패를 조작하여 관료들의 궁문출입을 통제했다.[554]

즉 궁금령宮禁令을 발포하여 고문경찰顧問警察 즉 일본경찰로 하여금 황궁皇宮 등의 경위警衛를 맡게 하였다. 이는 문감제門鑑制를 정하여 일정一定의 관직을 가지고 있는 자 외에는 궁중출입을 못하게 하고 출입은 문표門票에 의하여 할 수 있게 했는데 문표門票의 발급發給은 고문경찰顧問警察이 하였다.[555] 이는 말이 "잡배들이 함부로 출입할 수 없게 하기 위한 것"이지 조선의 궁宮을 완전히 장악하겠다는 속셈이다.

『매천야록』의 '이토 히로부미伊藤博文의 궁금조치宮禁措置' 조에는 다음과 같이 기록하고 있다.

이등박문이 대궐문으로 병력을 파견하여 무당들과 대소관원들의 출입을 막고 통감부에서 발행한 출입표가 없으면 들어가지 못하게 하므로, 이 궁

---

554  사회과학원 역사연구소, 『일제조선침략일지』, 사회과학출판사, 1973.

555  京城府, 「統監府の組織と其の指導及び施設」, 『京城府史』第2卷, 1934, p.78; 統監官方, 『韓國施政年報』, 1908, p.67-68.

금壺禁으로 인하여 대궐이 쓸쓸하기 시작하였다.

고종은 덜렁하게 혼자 앉아 사람을 볼 수 없었으므로 두려움을 느껴 울었고, 눈에는 모두 종기가 나 있었다. 그리고 하루는 태자에게 말하기를, "아이야, 들은 말에 의하면 지금 세계의 열강들이 비록 남의 나라를 빼앗을지라도 그 나라 임금은 죽이지 않는다고 하니, 우리 부자가 혹 죽음을 면할 수 있겠느냐?"라고 하였으며, 도민들은 대궐을 가리키며 비웃기를, "지금은 어찌 별입시別入侍를 부르지 않고 있을까?"라고 하였다.

그리고 고종은 의친왕 강堈을 불렀으나 강은 병을 칭하여 가지 않자, 그 다음날 고종은 김덕수金德秀의 산정山亭으로 가서 술을 많이 마시고 돌아왔다.

이 후 일제강점과 아울러 경복궁은 허울만 궁궐宮闕이지 완전히 일제의 손아귀에 들어가게 되었다.

# 1906년 7월 12일

도쿄국립박물관에서는 1906년 7월 12일자로 청자상감국화문합자靑磁象嵌菊花文盒子를 구입했다.[556]

---

556 『東博圖版目錄』 2007, 圖134.

# 1906년 7월

## 고려왕릉 개수(改修)를 상주하다.

예식원장례경 남정철이 개성소재 고려조의 현릉顯陵 및 총릉聰陵이 굴훼掘毁된 바 범인을 법부로 하여금 형착詞捉케 하고 능을 전례에 준하여 지방관으로 하여금 수개케 할 것을 상주하다. 제制를 내려 범인을 속히 형착詞捉하여 엄승하고, 또 지방관으로 릉을 수개케 하며 필역 후에도 비서승을 보내어 치찰致察토록 하다.[557]

## 윤근수의 묘가 도굴 파괴되다.

월정月汀 윤근수尹根壽의 묘소가 도굴되었다.[558] 『매천야록』에는 "도둑들이 떠난 후 옥호玉壺 1개, 옥합玉盒 1개가 남아 있었다. 그 묘는 장단에 있다."라고 기록하고 있다.

---

557 『高宗實錄』 1906년 7월 24일자.
558 『皇城新聞』 1906년 7월 4일자.

# 1906년 8월

## 대구이사청 설치와 경상감영의 훼손

1906년 8월, 대구이사청 설치가 공포됨과 동시에 부이사관이 들어왔다.

박중양은 일본 경무관리와 계약하여 경찰사무를 위임하고,[559] 부군공해府郡公廨를 임의로 탈취하여 선화당宣化堂과 징청각澄淸閣과 기타 대청大廳과 방옥房屋을 일인에게 차여借與하였으며,[560] 군서기청을 농공은행에 방매하여 매월 30원씩 받고, 군아외장郡衙外墻을 부수고 기와 가격 30원과 석재 값 7원 15전을 받았다.[561]

선화당은 일본재무관, 경찰보좌관, 우편관리가 주접할 때 청사를 개조하기도 했다.[562] 중요한 곳에는 재무관, 경찰관, 우편관이 거접居接하고 한국 관헌은 거주할 처소가 없게 되었으며,[563] 선화당과 징청각과 각 공해에는 일본관헌이 주접하였으니 정식으로 임명되어 내려오게 될 관찰사가 주접시무住接視務할 처소마저 없게 되었다.[564]

『개화기의 대구부사』에는 다음과 같이 기록하고 있다.

559 『大韓每日申報』 1906년 9월 7일자.
560 『大韓每日申報』 1906년 9월 11일자.
561 『大韓每日申報』 1906년 11월 24일자.
562 『皇城新聞』 1906년 10월 24일자.
563 『皇城新聞』 1906년 10월 23일자.
564 『皇城新聞』 1906년 11월 17일자.

1906년 8월, 대구이사청 설치가 공포됨과 동시에(아직 이사관은 임명되지 않음) 부이사관 오카모토岡本理平는 5, 6인의 직원 및 통역을 데리고 개청에 앞서 대구에 와 그 준비를 서둘렀다. 청사를 처음에는 감영 내의 일부인 선화당을 빌려 쓰고(대구 이사청이 현 대구부청 위치에 부지 약 5,000평을 매입하여 짓고 이곳으로 통하는 도로 부지의 기부를 민단 유지들에게 받아 이전한 것은 1909년 12월의 일이다) 9월 15일 대구이사청 개청식을 성대히 거행하였다. 내빈 300여 명 중에는 한, 일, 청 및 구미인이 섞여 있었다. 이토 통감을 비롯한 한, 일인의 축사와 축전, 대구군수 박중양과 거류민 대표 가게야마影山秀樹, 다도꼬로田所幸衛의 축사 연설, 오카모토 부이사관의 답사 낭독이 있었으며 기타 거류민의 여흥 등으로 성황리에 마쳤다.[565]

『황성신문』 1906년 11월 17일자에는 다음과 같은 기사가 있다.

대구전설

대구에서 온 사람의 전하는 말을 들은즉 대구부는 본래 삼남에서 유명한 웅도거부로 관사가 웅걸하고 성곽이 견고하여 아한 가도 중 제일이라 부르더니 해 군수 박중양 씨가 관찰서리한 후로 성곽은 훼철하여 석재는 한 덩어리—塊에 1냥씩 방

565 大邱府, 『開化期의 大邱府史』, 1943(손필헌 역, 2009).

경상감영 선화당(중앙박물관 소장 유리원판)

매하고 공해公廨는 일체 중수하여 신식제로 개정하고 개화의 법을 의방依
倣하여 공사당公事堂은 1처에 설設하고 <중략> 선화당宣化堂과 징청각澄淸閣
과 각 공해公廨에는 일본관헌이 주접住接하였은즉 정임正任 관찰사가 내려
와 주접시무住接視務할 처소가 난처하다더라.

이때까지만 하여도 관찰사는 부임하지 않은 상태로, 선화당과 징청각 등을
모두 일본관헌들이 차지하였다. 그런데 문제는 신임 관찰사가 부임해 오면 집
무를 볼 장소가 없어진 것이다. 박중양은 이 같은 문제도 고려하지 않고 일본
관헌들과 계약을 한 것이다. 한국 정부로서는 고민이 아닐 수 없었다.

1906년 10월 22일부 의정부참정대신 박제순이 경상북도관찰사서리 대구군
수 박중양에게 보낸 '대구관찰부의 선화당과 징청각을 이사청에서 사용하는 데
대한 훈령'의 내용은 다음과 같다.

의정부 훈령 제4호(광무10년 10월 22일)[566]

현現에 통감부 조회를 접한 즉 대구관찰부 선화당을 이사청사무소로 충용하기위하여 동부군수同府郡守의 승낙을 거쳐 상당한 수리를 가한바 신임 관찰사 부임에 당當하여 집무상 필요로써 환부還付할 사事와 그 대용代用하기 위하여 징청각澄淸閣이나 혹 동화당양해사同和堂兩廨舍 중 대여貸與할 사事는 각하의 승인과 같이 본관이 해소該所 주재 이사관에게 전훈電訓한 후 귀의貴意를 용용容容하여 선화당宣化堂을 반환케 조치措實한바 그 대신에 징청각을 차용하여 상당한 수선修繕을 가함에 대하여는 각하閣下의 이의異意가 없으므로 인지認知하오며 또 선화당을 수선한 비용에 관하여는 당해當該 이사관의 명세서明細書 도달到達함을 사俟하여 상환償還하시기를 청구할 터이오니 예위조량위반등인預爲照亮爲盼等因이기로 자茲에 훈령訓令하오니 조량照亮한 후 선화당은 환령還領하고 징청각은 차교借交함이 위가爲可.

의정부참정대신 박제순

경상북도관찰사서리대구군수 박중양 좌하

위와 같은 훈령이 내려왔음에도 불구하고 박중양은 아무런 조치를 취하지 않았음인지, 1906년 12월에 관찰사 한진창韓鎭昌이 정식 부임해서 대구에 와보니 동서편 공해公廨를 훼철하고 선화당 앞에는 신작로가 나있었으며[567] 모든 건물을 이사청에서 사용하고 있었다. 한진창은 훼철한 대구부성과 관청을 살피고

---

567 『皇城新聞』1906년 12월 12일자.

경상감영 징칭관(국립중앙박물관 소장 유리건판)

일본인 거류민장에게 그 사유를 묻어 대략의 내막을 알 수 있었다. 한 관찰사는 수차 선화당 등을 돌려받고자 대구 이사청에 요구를 했으나, 군수 박중양의 승인을 받은 것이라고 하여 돌려주지 않으려 했다.[568] 한진창 관찰사는 내부로 보고하고 통감부에 교섭하야 겨우 선화당만 돌려받게 되었다.[569] 1907년 3월에 와서야 관찰사의 집무는 선화당에서 볼 수 있었으며, 징칭각은 대구이사청으로 사용했다. 대구이사청은 1909년 12월에 와서야 대구부청으로 옮겨가게 된다.

대구경찰서에서 고려자기 42점을 압수 유치하다.

---

568 『皇城新聞』1906년 12월 12일자.
569 『大韓每日申報』1906년 12월 20일자;『梅泉野錄』제5권.

이유인즉 대구 김정여라는 자가 고려분묘에서 고려자기를 도굴하여 대구 서문 내의 허모라는 자의 집에 임시 보관하였다가, 일본인에게 팔기 위하여 짐꾼을 불러 운반하던 중 순검에게 발각되어 압수당한 것이다.[570]

# 1906년 9월 8일

### 이마니시 류(今西龍)의 경주 고적조사

세키노 다음으로 고적조사를 목적으로 한국에 건너온 자는 이마니시 류今西龍이다. 그는 당시 대학원생 신분으로 1906년 9월에 수학여행을 와 경주에 18일 정도 머물면서 경주 일대를 답사 및 고분을 발굴하였다. 그의 여행은 단순한 수학여행이 아니라 사전에 상당한 준비를 한 것으로 보인다. 여행에 앞서 그의 은사인 쓰보이 구메죠坪井九馬三로부터 여러 가지 지도를 받고, 세키노의 『한국건축조사보고』를 참고했다. 또한 경주에서는 계림학교 교사 이토 후지타로伊藤藤太郎의 도움을 받았으며, 경주경무부의 경부로부터 호위를 받으며 조사를 했던 것이다.[571]

당시 이마니시의 일정을 보면, 1906년 9월 8일 밤에 한국 부산에 상륙하여 9일 경주로 향하여 출발했다. 신라유적 조사를 하기 위해 부산에서 경주로 들어가는 도로는 3개인데, 그 중 울산 방면을 경유했다. 중도에 통도사에서 자고,

570 『大韓每日申報』1906년 9월 4일자.
571 今西龍, 「新羅舊都慶州地勢及び其遺蹟遺物」, 『東洋學報』第1卷 1號, 東洋協會 調査部, 1911.

13일에 경주에 들어와 경주 부근 남산성, 월성, 명활성, 관문성, 사천왕사, 망덕사, 계림, 문무왕릉, 김유신묘, 안압지, 폐사지의 석탑 등을 조사하고 10월 1일 경주를 출발하여 울산으로 향한 것으로 나타나 있다.[572]

그의 조사과정에서 남산성에서는 석벽 근처에서 고와 수점과 완전한 토기 수 점, 가치가 있는 토기파편 일괄, 불상파편 들을 채집했다. 사천왕사지와 망덕사지에서는 아름다운 보상화문

이마니시 류

벽돌과 수십 개의 고와를 채집했다. 분황사, 월성 등지에서 평기와, 막새기와 귀면와, 문양이 있는 벽돌파편 등 100여 개를 채집했다. 남산, 북산, 소금강산, 낭산의 산정에서 완전한 토기 20여 개와 파편을 발굴 채집했다.

그는 황남리의 고분군 중에서 2기를 발굴 시도했다. 한 기는 도굴분으로 목적을 달성하지 못하고, 다른 한 기는 비록 시굴에 그쳐 고분의 중심부에는 도달하지 못하고 적석목곽분積石木槨墳의 기초적 지식만 구하였다. 이 고분에서 토기 13점을 발굴하였으며, 출토된 유물과 경주 일대에서 수집한 고와들은 모두 도쿄대학 문과대학으로 반출해갔다.[573] 그동안에 경주 일대를 답사 및 발굴한 내용을 1910년 동양학회 강연회에 발표하였다. 이때 발표한 원고를 약간 정

572 「本會26會例會記事」, 『歷史地理』 第9卷 1號, 歷史地理學會, 1907년 1월.
573 『朝鮮古蹟圖譜 第4卷』에는 1906년 가을에 今西가 發掘한 遺物(圖版番號 1814~1822)이 東京工科大學藏으로 手錄되어 있다.

정訂正하여 『동양학보東洋學報』에 발표하기도 했다.

그 내용의 일부를 보면,

소생의 여행 당시는 고분의 도굴이 성행하지 않았으나 그 후 개성 부근에서 고
려시대 분묘 도굴이 대 유행함에 따라 경주에서도 발굴이 성하여 소생小生이 작
년 대구에서 이들 발굴품이 고물상의 손에 적취積聚되는 것을 보았는데 <중략>
소생小生은 대형의 것 1개와 중형의 것 수 개를 조사하였다.

그 한 개는 이미 발굴發掘: 盜掘되어 내부가 파괴되어 있어 연구의 목적을
달성할 수가 없었다. 다른 한 개에서는 13개의 토기를 발견하였다고는 하
나 연구자로서는 매우 부끄럽게도 부주의로 그 배치와 인골人骨의 유무有
無에 관해서는 알 수가 없었다.

고분은 근년에 한국정부의 정령문이政令紊弛의 결과로 나의 여행 당시는 도
굴이 빈번히 행하여져 그 발굴품은 전부 일본상인의 손에 들어가 버려 고
분 내 유품은 부산에서와 대구에서 비교적 자세히 알 수 있었지만 ……[574]

라고 하고 있어 이미 1906년 이전에 도굴이 상당히 성했음을 보여주고 있다.
또 부산에서 고기물이 매매되는 것을 보았으며, 부산의 야하시矢橋가 소장하고
있는 서화, 고기물과 이와사키 슈세이岩崎修省가 소지하고 있는 도굴품을 보았다

---

574 今西龍, 「新羅舊都慶州地勢及び其遺蹟遺物」, 『東洋學報』第1卷 1號, 東洋協會 調査部,
　　1911, pp.80-81.

고[575] 한 점으로 보아 이 때 이미 고미술 거래가 상당히 있었을 것으로 보인다.

이마니시가 공과대학으로 반출해간 유물들은 여러 번에 걸쳐 전시되었는데, 1차적으로 1906년 11월 24일 일본 고고학회례회에서 전파편塼破片 4개와 유개대부감有蓋臺付坩 1개를 출품하였다. 이미니시가 출품한 이 전은 연화문 또는 보상화문이 있는 전으로 경주 사천왕사에서 채집한 것이며, 유개대부감은 경주 북산에서 발굴한 것으로 고고학회의 주목을 받았다.[576]

이마니시가 반출한 고와를 원품으로 하여 다카하시 겐지高橋健自가 『한국경주고와보韓國慶州古瓦譜』 1책을 만들어 역사지리학회에 기증했는데,[577] 1907년 1월 26일 일본 고고학회례회에서 이마니시는 '경주 지방 답사담'을 발표하고 고와와 『한국경주고와보』을 출품했다.[578]

1907년 4월 5일부터 8일까지 도쿄대 공과대학에서 《동양예술전람회》를 가졌는데, 진열품은 대부분 이토伊東, 세키노, 이마니시 등이 청국과 조선에서 가져간 유물들과 탁본 및 사진들이었다. 그 중에서 조선 및 만주실에는 조선의 토기, 고와 및 사진 등이 진열되었는데, 토기는 이마니시가 1906년 한국에서 가져간 것으로 신라 구도 경주에서 발견한 것으로 주목을 받았다. 한국의 유적 유물에 관한 사진들도 많이 진열되었는데 이것들은 세키노가 1902년에 한국에

575  今西龍, 「朝鮮にて發見せる曲玉及金環等」, 『東京人類學會誌』 264號, 1908.
576  「考古學會記事」, 『考古界』 第6篇 第3號, 1907년 1월.
577  「本會26會例會記事」, 『歷史地理』 第9卷 1號, 歷史地理學會, 1907년 1월.
578  「考古學會記事」, 『考古界』 第6篇 第6號, 1907년 3월.

이 9종의 도기는 이마니시가 1906년 경주 북산고분 내에서 발굴하여
도쿄대 문과대학으로 반출한 것이다.

서 촬영한 것들이었다.[579] 2개월 후 이 유물들은 1907년 6월 5일부터 7일까지
도쿄대학 공과대학에서 개최한 《공과대학건축학과제2회전람회》에 전시되었
다. 이 전시는 주로 동양예술에 관한 물품을 진열했는데, 이토伊東, 쓰가모토塚

579 「工科大學東洋藝術展覽會」, 『歷史地理』 제9권 5호, 歷史地理學會, 1907년 5월.

本, 세키노關野, 이마니시今西 등이 중국과 한국에서 수집한 사진, 실물, 탁본 등으로 무려 수천 점에 달했다.[580] 한국 유물은 어떤 것인지는 목록이 없어 알 수 없으나 세키노와 이마니시의 행적으로 볼 때 주로 신라시대, 고려시대 건축에 관한 사진과 유물들로 짐작된다.

1909년 고고학회 제14총집회에서는 일본에 현존하는 한국종의 탁본을 특별 전시를 했는데, 세키노는 한국에서 수집한 조선종 탁본 및 사진을 출품했다.[581]

그의 조사는 경주의 남산성, 사천왕사지, 분황사지, 월성 등지에서 고와, 토기, 불상파편 등을 수백점 채집했다. 또 고분 2기를 발굴하여 그 중 1기에서 토기 등을 발굴하기도 했다.[582]

## * 이마니시가 반출한 유물[583]

| 1906년 9월 | 경주 | 황남리 고분 2기 | 토기 13개 등 발굴[584] | 신라 | 동경공과대학 |
|---|---|---|---|---|---|
| 1906년 9월 | 경주 | 남산성 조사 | 고와 수개, 토기 수개, 불상파편 | 신라 | 동경공과대학 소장. 출처 |
| 1906년 9월 | 경주 | 사천왕사 | 문양 있는 塼, 고와 십 수개 | 신라 | 동경공과대학 소장. 출처 |

---

580 「工科大學建築學科展覽會」, 『史學雜誌』 第18編 第5號, 史學會, 1907년 6월.

581 「考古學會記事」, 『考古界』 第8篇 第4號, 1909년 7월.

582 今西龍, 「新羅舊都慶州地勢及び其遺蹟遺物」, 『東洋學報』 第1卷 1號, 東洋協會 調査部, 1911년 1월.

583 今西龍, 「新羅舊都慶州地勢及び其遺蹟遺物」, 『東洋學報』 第1卷 1號, 東洋協會 調査部, 1911년 1월.

584 『朝鮮古蹟圖譜 第4卷』에는 1906년 가을에 今西가 發掘한 遺物(圖版番號 1814~1822)이 東京工科大學藏으로 手錄되어 있다.
　그의 기록 중에는 사천왕사지에서 수집한 寶相華文塼과 수십 개의 古瓦는 동경 문과대학에 藏했다는 기록도 보이고 있다(今西龍, 「新羅舊都慶州地勢及び其遺蹟遺物」, 『東洋學報』 第1卷 1號, 東洋協會 調査部, 1911년 1월).

# 1906년 9월

## 건축소 설립

구 한국 정부 탁지부 소관으로 1906년 9월에 건축소를 설립했다. 이곳에서는 주로 한국 정부에 속한 각 관아의 청사와 관사의 신축, 보수에 관한 사무를 관장하였다. 1908년 8월에는 칙령으로 '건축소관제'를 개정하여 임시세관 공사부를 없애고 이를 건축부로 합병하였다. 이로써 한국 정부에 속하는 모든 건축 공사는 모두 이곳 소관으로 하였다.[585]

이 달에 도쿄국립박물관에서는 다음과 같은 한국 유물을 구입했다.

| 유물 명 | 출토지 | 출처 | 비고 |
|---|---|---|---|
| 青磁盤口瓶 | | 『東博圖版目錄』2007, 圖13 | 구입, 1906년 9월 18일 |
| 青磁輪花形托 | 전남 강진 | 『東博圖版目錄』2007, 圖22 | 1906년 7월 17일 |
| 青磁壺 | 전남 강진 | 『東博圖版目錄』2007, 圖23 | 구입, 1906년 9월 18일 |
| 青磁唐草文碗 등 2점 | 전남 강진 | 『東博圖版目錄』2007, 圖25, 118 | 구입, 1906년 7월 17일 |
| 青磁唐草文輪花鉢 | 전남 강진 | 『東博圖版目錄』2007, 圖27 | 구입, 1906년 9월 18일 |
| 青磁鸚鵡文鉢 | | 『東博圖版目錄』2007, 圖30 | 구입, 1906년 9월 18일 |
| 青磁印花牧丹文鉢 등 청자 117점 | | 『東博圖版目錄』2007, 圖35, 37, 38, 39, 51, 64, 65, 66, 67, 88, 90, 91, 93, 99, 106, 119, 120 | 구입, 1906년 9월 18일 |

---

585  서울특별시 시사편찬위원회, 『국역 경성부사』 제2권, 1913, p.266.

| 유물 명 | 출토지 | 출처 | 비고 |
|---|---|---|---|
| 白磁輪花皿 | | 『東博圖版目錄』2007, 圖163 | 구입, 1906년 9월 18일 |
| 粉青印花菊花文鉢 등 粉青沙器 3점 | | 『東博圖版目錄』2007, 圖173, 182, 189 | 구입, 1906년 9월 18일 |

## 고려 고종(高宗)의 홍릉(洪陵)이 도굴의 화를 입다.

고려 고종高宗의 홍릉洪陵은 강화군에 있는데 능 위의 서변을 파굴하여 길이 6척, 광이 3척 깊이5척이나 되었다.[586]

『고종실록』1906년 10월 15일 조에는 다음과 같이 기록하고 있다.

이도재가 고려 왕조 홍릉을 도적 맞은데 대해 보고하다

장례원 경掌禮院卿 이도재李道宰가 아뢰기를,

"방금 강화 군수江華郡守 안학주安學柱의 보고를 보니, 본 군에 있는 고려 고종高宗의 홍릉洪陵을 파헤치는 변고가 있었다고 합니다. 지키고 보호하는 곳에 이런 변고가 생긴 것은 듣기에 지극히 놀라운 일입니다. 해당 범인은 기한을 정해놓고 염탐하여 체포해서 법에 비추어 감처勘處하고, 탈이 생긴 곳을 개수하는 일은 지방관으로 하여금 편리한 대로 거행하게 하는 것이 어떻겠습니까?"

하니, 제칙制勅을 내리기를,

"전대 왕조의 능침陵寢에 이처럼 전에 없던 변고가 생겼으므로 놀라움과 한탄

---

586 『皇城新聞』1906년 10월 19일자.

을 금할 수 없다. 해당 범인을 며칠 안으로 염탐하여 붙잡아 법에 비추어 엄하게 다스리도록 하라. 개수하는 일은 전례대로 지방관으로 하여금 속히 거행하게 하고 개수가 끝난 뒤에 비서감 승秘書監丞을 보내 치제致祭하게 하라"

하였다.

# 1906년 10월

제일은행조선인쇄국에서 한국의 현행 화폐 및 고대화폐를 진열하고 한일 대관 및 주한 각 유지들을 초청하여 관람케 했다.[587]

원흥사에 일본 승이 들어오다.

경성 동대문 밖 원흥사元興寺를 궁내부에서 사용할 참으로 불상을 타처로 옮기고 승려들을 모두 다른 사찰로 내보냈는데, 일본 승이 일본 불교를 확장하기 위해 원흥사를 빌려 들어오기로 했다.

원흥사는 1902년에 왕실의 만세를 기원하기 위하여 권중석의 명의로 윤허를 받아 건립한 왕실 원찰이라는 설이 있는데,[588] 그 창건연대가 명확치 않다.『황성신문』1902년 1월 6일자에 의하면, "1902년 1월 4일에 원흥사元興寺, 舊名은 詔興寺에서 경산京山 32사의 승종僧從 및 처사處士 등 800여 명이 회집會集"한 기

---

587 「韓國古代貨幣」,『歷史地理』제8권 제11호, 日本歷史地理學會, 1906년 11월.
588 「風俗集」,『中樞院調査資料』, 한국사 데이터베이스.

록이 보이고 있다. 따라서 원래 조흥사詔興寺라는 사찰이 있던 곳에 1902년 이전에 왕실 원찰을 새로 건립한 것이 아닌가 여겨진다.

『매천야록』에는 1906년에 "일본인 승 보도寶道가 동대문 밖에 원흥사元興寺를 짓고 13도 사찰을 관할하다. 영친왕을 대법주大法主로 추대하고 정부를 모방, 각 국, 과를 두어 교권의 확장을 시도하다"[589]는 내용이 보이는데, 사찰을 새로 지었다는 것은 일본 사찰로 변모한 것을 달리 표현한 것으로 해석해야 할 것으로 생각된다.

『대한매일신보』 1906년 8월 2일자를 보면 경무사警務使 박승조가 원흥사 승에게 훈령하여 불상을 타 사로 옮기고 절을 비우라고 했다는 기사가 보인다. 이는 일본승이 원흥사로 들어오기 위한 사전 작업으로 보인다.

즉 1906년 8월에 궁내부에서 사용한다는 핑계로 원흥사 승들을 내보내고, 10월에는 그 곳에 일본인 승들이 들어오게 된 것이다.


# 1906년 11월 4일


**고려 숙종릉이 도굴되었음을 상주하다.**


예식원장례경 조정희가 장단군에 있는 고려조 숙종肅宗 제2릉, 제3릉이 적한에게 훼파되었음을 상주한 바 제制를 내려 범인을 곧 형착詗捉하여 조율 엄승嚴

---

589 『梅泉野錄』 5卷 光武10년 8월.

繩케 하고 례에 따라 지방관으로 하여금 속히 개수하게 하다.[590]

# 1906년 11월 17일

## 종교(宗敎)의 선포(宣布)에 관한 규칙(規則) 발포

통감부는 일본불교에 의한 조선사원을 지배하기 위하여 1906년 11월에 통감부령統監府令 제45호로 「종교宗敎의 선포宣布에 관한 규칙規則」을 발포하여 조선사찰의 관리 위탁제도를 실시하였다.[591] 그 4조에 "교종파敎宗派의 관리자管理者 또는 제2조의 포교자布敎者 기타 제국신민帝國臣民은 한국사원의 관리 위탁에 응할 시에는 필요한 서류를 첨부하여 그 사원 소재지의 소할이사관所轄理事官을 거쳐 통감부의 허가를 받는다" 하였다. 이 규칙이 발포되자 일본 각 종파는 서로 앞을 다투어 한국 사원 관리를 통감부에 신청하였다.

이에 따라 한국의 사찰들은 스스로 일본 종파宗派와 연합聯合을 하거나 그 관리를 넘겨줌으로서 승려 등이 천시 받는 현재의 경우를 벗어나고 관가사인官家士人의 학대虐待를 면하는 것이라 생각하여 일본 사원의 보호를 받고자 했다.[592] 1906년에는 봉원사奉元寺 승려 이보담李寶潭, 화계사華溪寺 승려 홍월초洪月初 등

---

590 『高宗實錄』 1906년 11월 4일자.
591 統監府令 第45號(1906년 11월 17일).
592 高橋亨, 『李朝佛敎』, 1973, 國書刊行會, p.918.

은 일본 정토종淨土宗의 후원 아래 불교연구회佛教研究會를 조직하고 공공연하게 정토종淨土宗의 이름을 빌었으며, 1908년 묘향산 보현사普賢寺 승려들은 임제종 묘심사臨濟宗妙心派에 예속歸屬하였으며, 이회광李晦光은 일본으로 건너가 조동종曹洞宗과 연합협약聯合協約을 체결締結하였다.[593] 이어 각도의 많은 사찰들이 일본 종파에 관리를 요청하였다.

이때 일본 종파에 관리를 요청한 사원들 중 통감부로부터 허가를 얻은 사찰은 김천 직지사, 철원 사신암, 박천 심원사, 과천 연주암, 영변 법흥사, 영동 영국사, 고산 화암사, 합천 해인사, 동소문밖 화계사, 진주 대원사, 용담 천황사, 회양 장안사, 전주 학정사, 동소문 외 봉국사, 동래 범어사, 구례 화엄사 등이다.[594]

일본불교 각 종파는 한국에서의 불교침투를 '개교改教'라는 명분 하에 경쟁적으로 추진하였다. 각 종파의 개교 최고 책임자는 '개교총감改教總監'이라 하여 한

---

593　武部欽一,「寺刹令の發布と其の運用に就て」『조선총람』, 1933년, 朝鮮總督府, p.661.
『東亞日報』1920년 7월 2일자에 李晦光과 관련한 다음과 같은 기사가 있다.
지금으로부터 14년 전(丁未) 봄에 이회광이 비로소 원종 종무원을 설립하고 스스로 大宗正이 되야 조선불교의 주권을 잡았는데, 그 후 얼마 아니되어 불교유신을 주창하여 다대한 반대를 받고 경륜이 실패로 돌아가매 이회광은 자신의 지위를 도모코자 조선승려 50여 명을 모아서 말하기를 조선의 불교는 일본불교의 세력을 빌지 아니하면 조선불교의 개혁을 도모할 수 없다는 취지를 설명하고 일본 曹洞宗에 부속케 할 것을 요구하매, 50여 명의 승려는 이회광의 감언이설에 미혹하여 쾌히 승낙하고 련서하야 날인을 마친 후 의기양양하게 일본으로 건너갔었다. 그가 일본에 건너간 후 일본 조동종 종무 대표자 弘津說三과 7개조의 보호조약을 맺은 후에 다시 조선으로 돌아와서 圓宗宗務院의 인가를 도둑코자 운동을 하였다. 그러나 이회광의 경륜은 뜻과 같이 순탄치 못하고 이듬해 신해년 봄에 호남 각 사찰의 승려 한용운, 박한영, 진진응, 김종래 제씨가 일제히 분개하여 맹렬히 반대하여 임시로 臨濟宗宗務院을 전라도 순천 송광사에 설립하고 반대의 성토문을 조선내 각 사찰에 선포하는 동시에 종무원의 설립인가를 당국에 제출하였다.
594　靑柳南冥,『朝鮮 宗教史』朝鮮硏究會, 明治44년, p.134.『朝鮮佛教資料集』

국의 불교침투를 주도하였다.[595]

# 1906년 11월

## 박중양의 대구성첩 철거

1905년까지 그 형태가 남아있던 대구부성은 관찰사 민응주가 축조한 것으로 성벽 안쪽을 문안門內이라 하고 밖을 문밖門外이라 하였다. 성벽의 연장 길이는 약 십리, 높이는 평균 2장여 전부 절석切石으로 축조되었고 3자 정도의 간격을 두고서 5치寸 크기의 정방형 총안銃眼을 뚫어 놓았다. 남문이 정문으로 영남문, 북이 공북문, 동이 진동문, 서쪽이 달서문으로, 출입을 감시하였던 것이다.

이 성벽은 1906년 11월 박중양이 대구 군수와 관찰사서리를 겸무하던 때 이를 과감히 헐어 원정(북성로), 동성정(동성로), 남성정(남성로), 서성정(서성로)을 잇는 원형의 길을 만들었다. 그러나 이에 앞서 일본인들에 의해 이미 일부가 파괴되었다.

1904년 러일전쟁이 일어나고, 경부철도 부설공사는 속성이 요구되어 대구에 건축사무소가 설치되고 일본인의 왕래가 급증하였다. 남문 밖에서 달성산하에 이르는 도로변에는 일본상점으로 채워 성황을 이루었다. 1904년 2월 말에 약

---

595 『大韓每日申報』 1906년 10월 16일자.

200인이었던 일본인이 6월 말에는 1,000명 이상이 되었다.[596]

일본인의 이주가 급증하자 철도국 및 군대와 협의하여 동문 부근의 철파에 착수하여,[597] 1905년 11월에 일본수비대가 성벽 일부를 철거하고 소위 성벽도로를 만들었다.[598] 이를 동성, 서성, 남성, 원정통으로 구분하였다. 당시 대구군수 김한정金漢鼎는 일본인이 서문 성남벽을 무단으로 훼파하고 있는 모습을 보고 일본수비대장에게 이를 중지할 것을 요청했으나 실패를 하고 말았다.[599]

박중양

대구의 성첩이 완전히 파괴 철거된 것은 1906년 7월에 박중양이 대구군수로 부임해오면서이다. 1906년 가을, 오까모토 부이사관과 가게야마 민장대리는 시가지 정비개정에 차안하여 그 첫 일로 성벽을 파괴하고 그 자리를 그대로 5칸 폭 도로를 만들 것을 계획하여 대구군수 박중양에게 권하자 박중양은 이를 쾌락했다.[600]

박중양 대구군수 겸 관찰사서리는 한국 정부의 인가를 받기에 앞서서 성벽 훼파에 착수하고 이어서 다음과 같은 보고서를 한국 정부에 제출하였다.

596 大邱府, 손필헌 역,『開化期의 大邱府史(1943)』, 도서출판 서우실, 2009.
597 大邱府, 손필헌 역,『開化期의 大邱府史(1943)』, 도서출판 서우실, 2009.
598 『大韓每日申報』1905년 11월 26일자.
599 『大韓每日申報』1906년 2월 2일자.
600 大邱府, 손필헌 역,『開化期의 大邱府史(1943)』, 도서출판 서우실, 2009.

대구부성첩이 연구年久하여 토석이 곳곳에서 붕괴되어 오직 행로에 방해만 될 뿐만 아니라 심히 위험하오니 이 성첩을 철거하고 5칸대로五間大路로 넓히면 좌우에 민호民戶가 들어서서 절로 시사市肆를 이루게 될 것인즉 대구시청으로 주관케 하야 이 사업을 실행코저 이에 보고하오니 사조처분査照處分하심을 복망伏望

광무10년(1906) 10월

경상북도관찰사서리 대구군수 박중양[601]

그러나 한국 정부는 이를 허가하지 않았다.[602] 불인가不認可 통지를 접하였을 때에는 이미 성벽의 태반은 파괴되고 난 뒤였다.

박중양은 눈 깜짝할 사이에 해치울 작정이었다. 그 기밀에 참가한 것이 이와세岩瀬淨, 나카에中江五郎平, 이토伊藤元太郎, 사이토齋藤芳造 등이었다. 박중양의 속뜻을 전해들은 이들 네 명은 극비리 한일 인부 60명을 부산에서 고용하여 하루 밤새에 성벽의 이곳저곳을 파괴하였다.[603]

박중양은 성첩을 헐어 일본인들에게 석재 한 덩이에 1냥씩 받고 팔았으며,[604] 성위의 고목도 역시 팔아버렸다.[605] 박중양의 생각으로는 설사 몇 곳을 허물어 놓으면 수복할 일은 없을 것이고 시대에 눈떠서 정부에서도 파괴 작업

601　大邱府, 『開化期의 大邱府史』, 1943(손필헌 역, 2009).
602　『皇城新聞』 1906년 11월 19일자.
603　河井朝雄(손필헌 역), 『大邱物語』(1931), 대구중구문화원, 1998.
604　『大韓每日申報』 1906년 11월 20일자.
605　『大韓每日申報』 1906년 11월 24일자.

을 계속하도록 해줄 것이라고 기대하고 있었다.

『황성신문』 1906년 12월 1일자에는 다음과 같은 기사가 보인다.

대구군수 박중양 씨가 해군성첩該郡城堞을 상부훈칙上部訓飭도 미승未承하고 자의훼철自意毁撤하얏다함은 각신보상各新報上에 이미 고보하였거니와 다시 들은즉 해 군성첩이 원래 광대하여 외석내토外石內土로 견고하게 건축한 것인데 박군수가 당초에 일본인으로 계약할 시에 이 성첩를 훼철 후 석재 는 임의로 방매하거나 인사응용因事應用하거나 사량위지思量爲之하고 그 대 금으로 이 성토를 굴이掘移하라 하였더니 석재는 일본인이 몰수이용沒數移 用하고 해성토該城土는 상금유재尚今遺在한데 만약 임우霖雨가 연주連注하면 성 아래에 거주하는 인민가사人民家舍는 자연 압복壓覆이 되리라더라.

성벽은 원래 내부는 흙으로 쌓고 외부는 석재를 사용하여 쌓았는데 석새를 팔아 먹은 박중양은 남아 있는 흙더미를 처리하기 위하여 내부에 보고하기를 성첩을 훼 철한 기지에 토석물이 쌓여 있어 인민의 왕래에 장애가 되니 정부에서 조사위원을 보내 처리하든지 군수 임의대로 처리케 해달라고 보고했다.[606] 원래 계획은 석재를 판 돈으로 나머지 토석물을 처리하기로 했으나 석재를 판 돈을 착복한 것이다.

---

606 『皇城新聞』 1907년 2월 2일자.
　　大倅報告
　　大邱郡守 朴重陽氏가 內部에 報告ᄒ되 本郡城堞을 毁撤ᄒᆫ 基址에 一般 土石物이 堆
　　積ᄒ야 人民往來에 妨碍不小ᄒ니 政府에서 調査委員을 派送ᄒ야 從長處理ᄒ던지 本
　　郡守로 從便處置케 ᄒ던지 指一示明ᄒ라 ᄒ얏다더라.

박중양은 성벽 파괴공사를 착수하면서 내부대신에게 신청서를 우송했다. 8일째에 불인가 명령이 통달되었는데, 이미 성벽은 철거 후인지라 박중양의 신변이 위태롭게 되었다. 한국 정부에서는 박중양의 독단에 대해 징계 논의가 있었으나 이를 무마한 것이 이토였다.

박중양은 1907년 3월 1일부로 한국 정부에 다음과 같이 보고하고 있다.

성벽의 철거에 대한 내부지령 중에서 성터의 벽과 누문樓門을 허는 일을 외지인에게 주려고 청한 조치는 심히 부당하니 결코 인허불가이오니, 다른 방침을 연구하여 도로를 개척함으로써 인민의 편의와 도군의 공공으로 이용할 수 있는 계획을 해당 도관찰사에게 보명報明하게 하고 다시 본부本部에 전보轉報하게 할 것인바 각 문과 망루를 길이 이용할 것이며 성첩기지에 도로를 개척할 방략方略은 차례로 보명청원報明請願할 것이나 토괴土塊에 있어서는 심히 위험하여 잠시라도 방치할 수 없는 일이라 서장대西將臺로부터 서문까지는 토석을 제거하여 교통에 장애됨이 없이하였으나 서문에서 서소문을 경유하여 망경루까지에 이르는 일대의 토벽은 3월 5일부터 시작하여 3주일 내에 토사를 일개인의 사용으로도 남김없이 철거하겠사오며 망경루에서 북문을 지나 동장대까지는 이미 평탄지平坦地이나 동장대에서 동문 및 동소문을 경유하여 남장대에 이르기까지의 토괴는 아직 철거할 비용이 없을뿐더러 달리 조처措處할 방도가 없기로, 대구시 시민에게 명하여 이전부터 해오던 부역의 예에 따라 시민의 의무로 매 1개동에 토벽 몇 칸씩을 획정담당劃定擔當시켜 철거하게 함이 어떠하올런지, 이는 바로 대구시민의 의무적 사업일뿐더러 대구시민에게 춘추로 호시전戶市錢을

처수치 아니한 까닭에 시민이 스스로 나아와 공역公役에 부참赴參하는 관
례가 있사옵기 각 동에 배정한 기록을 첨부하여 이에 보고함.

광무 11년(1907) 3월 1일

대구군수 박중양

1907년 3월에 내부內部에서 "인민에게 방해가 없으면 철거케 하고 도로를 개
척하여 인민왕래에 편리케 하라"는 훈령이 내려오자[607] 이에 박중양은 주변 주
민들을 동원하여 모두 철거하니 대구부성의 형태는 완전히 사라지게 된 것이
다. 성벽 철파공사는 1907년 4월에 모두 완료하였다.

박중양과 이토 히로부미 간의 관계가 밀접하게 된 것은, 1906년 4월에 도쿄에
서 러일전쟁의 대대적인 개선식이 있었던 때이다. 이 때 한국에서는 대 행사를
축하하기 위해 특파대사로 의친왕이 파견되었다. 부사로는 육군부장이며 한국
군부의 기사라는 자격으로 박중양이 포함되었다. 연회가 계속되던 어느 날 이토
히로부미가 이들을 초대했다. 이 때 박중양이 통역을 했다. 이것이 계기가 되어
이토의 눈에 들게 되었다. 귀국하자 이토의 추천으로 대구군수로 등용되었다.
때마침 관찰사의 결원이 생기자 관찰사 서리를 겸했다. 이것이 출세의 실마리가
되었다. 박중양이 대구군수로 임관된 것은 1906년 7월이었다.[608] 이때부터 대구

---

607 『皇城新聞』1907년 3월 8일자.
　　撤城開路
　　大邱郡守 朴重陽氏가 內部에 報告ᄒ기를 該郡城堞毀撤ᄒ 土塊를 市中各洞人民 等으
　　로 撤去케 ᄒ다 ᄒ얏ᄂᄃᆡ 內部에서 訓令ᄒ되 人民의게 妨害가 無ᄒ거던 赴設撤去케
　　ᄒ고 道路를 開拓ᄒ야 人民往來의 便利케 ᄒ라 ᄒ얏더라.
608 河井朝雄(손필헌 역),『大邱物語』(1931), 대구중구문화원, 1998.

군수 박중양은 일본인을 매우 잘 섬겨 이토 히로부미伊藤博文가 우리 정부에 부탁하기를, "한국에서 가장 좋은 관리는 오직 박중양이다" 라고 하였다.[609] 박중양은 일본 관리들의 힘을 등에 업고 일제강점기 동안 권세를 휘둘렀다.

박중양은 1907년 6월 10일자로 평남관찰사로 발령받아 대구를 떠났는데,[610] 평양에 가서도 그 버릇을 버리지 못하고 평양 송룡섭의 7대조가 건축한 일영재日影齋를 박중양 임의로 외국인에게 팔아버려 송씨가 내부로 보고한 일도 있었다.[611]

당시 의병들의 항거가 전국에서 일어나 치열해 지자, 일제의 간교한 수단에 동조하여 각도 군에 선유하기 위해 1907년 10월부터 2개월간 선유사로 각지를 돌며 의병들을 회유하는 일을 하였다.[612] 일제에 대한 이러한 공로가 인정되어 1908년 6월 11일자로 경북관찰사로 임명받아 내려온다.[613]

박중양이 관찰사로 대구에 있는 동안 하나의 사건이 있었는데, 1908년 9월에 대구에서 활동하던 한 일본병사가 개에게 물려 죽자 그는 백성들에게 개를 모두 죽이라고 하면서, 그렇지 않으면 처벌을 한다고 했다. 이에 9월 19일부터 10일간 집에서 기르는 개 194마리가 타살되었다.[614] 이로 인해 박중야에게는 '야견박살野犬撲殺'이란 별명이 붙었다. 1934년에는 개의 해로서 『별건곤』에는 개를 특집으로 싣고 있는데, 「박중양과 야견박살野犬撲殺」란 제목으로 다음과 같이 기술하고 있다.

609 『大韓每日申報』1906년 11월 20일자; 『梅泉野錄』제5권.
610 『皇城新聞』1907년 6월 15일자.
611 『大韓每日申報』1908년 1월 18일자.
612 『皇城新聞』1907년 10월 25일자; 12월 5일자; 『大韓每日申報』1907년 11월 12일자.
613 『皇城新聞』1908년 6월 14일자.
614 『梅泉野錄』제6권; 『皇城新聞』1908년 10월 17일자.

지금에는 사견휘체규측飼犬取締規則이 있어서 그 규칙에 의하야 기르는 개가 안이면 소위 야견野犬으로 취급하야 경찰서 가튼대서 박살을 식히는 일이 잇지안은 그 규칙이 생기기 이전에 대구大邱에서 벌서 야견박살이란 불문의 법을 내여 만흔 개를 박살한 사람은 대구 관찰사觀察使로 문제 만흔 박중양朴重陽이다. 그가 그러케 야견박살을 만히하야 일시 개백정 관찰사란 별명까지 엇게 된 것은 무슨 일반 공익에 필요로 그러한 것이 아니라 의례의 화류계에 명물남인 그는 대구에서도 공무여가에는 긔회 잇는대로 긔생집 출입을 만히 하얏는데 하루밤에는 대구에서 긔생촌妓生村으로 유명한 말방아골洞名을 비밀이 놀너가다가 사나운 개떼를 만나서 살을 물리고 옷을 찌기여서 그야말로 개코대망신을 하고 도라와서는 그 이른 날로 대구경찰서에다 야견박살의 긴급명령을 나려서 일시 수천마리의 개를 박살 식혓다고 한다. 말하자면 박중양은 야견박살의 선도자 요원훈이다. 개사회서는 영구히 잇치지지 못할 인물이다.[615]

박중양은 대구에 있는 동안 소네 통감에게 극진 아부하는가 하면[616] 일본인 실업가들과 결탁하여 치부를 했다.[617] 이후에도 충북지사, 조선총독부중추원 부의장 등 해방 때까지 요직을 거치고, 해방 후 군정장관 아놀드 소장으로부터 1945년 9월 23일부로 파면되었다.[618]

615 「萬華鏡」, 『별건곤』 제69호, 1934년 01월.
616 『皇城新聞』 1909년 5월 22일자.
617 『皇城新聞』 1908년 11월 21일자.
618 『每日申報』 1945년 9월 29일자.

# 토지가옥증명규칙(土地家屋證明規則) 및 동시행세칙(同施行細則), 토지가옥증명규칙시행(土地家屋證明規則施行)에 관한 훈령(訓令) 발포

개항 이래 일본인의 토지수매土地收買는 등기제도가 확립되지 않은 상태였기 때문에 일본인의 토지소유에 대해 법적으로 아무런 보장이 없었다.[619] 그렇기 때문에 일본인 지주제를 농촌지배의 근간으로 삼으려는 일제는 그 대안 마련에 착수하여 1906년 7월에 부동산조사회를 설치하고 법학박사 우메가네 지로梅謙次郎를 일본으로부터 불러 그의 지도 아래 관습을 조사케 했다.

거류지 차입약서

1906년 11월에 토지가옥증명규칙土地家屋證明規則[620] 및 동시행세칙同施行細則,[621] 토지가옥증명규칙시행土地家屋證明規則施行에 관한 훈령訓令[622] 등을 발포했다. 종래 외국인에 대하여 거류지 및 부근 1리 안에서 소유권이 인정되었을 뿐[623] 한국에서 외국인이 토지를 소유하는 데에는 많은 불편이 있었지만 이 규칙의 제정 결과 한국에서의 일본인이 기왕 소유한 토지의

---

619 "國內의 土地, 山林, 鑛山은 本國入籍人이 아니면 占有 및 賣買를 不許할 것(高宗實錄 高宗31년 8월 26일)."

620 統監府令 第42號(1906년 11월 16일), 『朝鮮總攬』, 東京博文館, 1907, pp.1467-1468.

621 統監府告示 第126號(1906년 11월 16일), 『朝鮮總攬』, 東京博文館, 1907, pp.1468~1485.

622 統監府告示 第129號(1906년 11월 28일), 『朝鮮總攬』, 東京博文館, 1907, pp.1485~1487.

623 柳在坤, 「伊藤博文의 對韓侵略政策」, 『日帝의 對韓侵略政策史研究』, 玄音社, 1996, p.344

기득권을 보장하여 주었을 뿐 아니라 토지소유권을 공인하는 계약서로 증명을 받아 소유할 수 있기에 이르렀다.[624] 이어 전국에 걸친 토지조사 지적의 측량이 착수되고 이 토지조사는 1906년 12월에 측량법을 시행하고 임야법령林野法令을 반포하였다.

이 토지조사는 그들의 이민정책移民政策과 통치목적統治目的에 가장 우선 과제였던 것이다. 야마미치 죠이치山道襄一는 『조선반도朝鮮半島』에서,

이상과 같이 문운자연文運自然의 발달과 함께 경제적 인종의 도태淘汰기간에 대하여 우리나라(일본)가 한반도의 우월한 민족동화상民族同化上의 최선의 수단으로서, 또 우월한 동포의 이민장려移民奬勵에 있어서, 적어도 앞으로 50년 동안에 3천만 명 정도의 국민을 정착하도록 하지 않으면 아니 된다. ……서로가 통치의 목적을 달성하기 위하여 이민은 국가가 나서서 스스로 이 일을 위해 상당한 보호정책을 쓰지 않으면 아니 된다. 게다가 동양척식회사와 같은 반관반민半官半民회사 성질을 소유하고 자본의 대부분을 토지에 투입시켜서 거주할 사람들이 안주할 수 있도록 전력을 다해서 이민 방법에 경주傾注하여 직책을 완수하는 것을 요한다.[625]

라고 하고 있다.

이 책에서 오쿠마大隈重信: 伯爵, 육군중장 무다牟田敬丸郎, 조선총독부 경무총장 겸 헌병사령관 아가시明石元二郎 법학박사 마쓰이松井茂識 등이 서문序文을 쓰

---

624 『韓國總攬』, 東京博文館, 1907, pp.1487~1489.
625 山島襄一, 『朝鮮半島』, 1911년 5월, pp.26.

고 저자가 기술한 내용에 극찬을 아끼지 않은 점을 보아도 당시 일본의 조선 지배정책에 상당히 반영되었으리라고 생각된다.[626]

## 옥보(玉寶) 봉안

고정왕후考定王后의 옥보玉寶를 창덕궁내 영화당映花堂 연당蓮塘에서 발견하여 11월 22일에 종묘에 봉안했다.[627]

# 1906년 12월

## 고려 능묘조사

관원을 파견하여 역대 고려왕릉을 조사케 하였는데『고종실록』1906년 12월 12일 조에는, "고려 왕조의 능침으로 4표標를 세워 금지 보호구역으로 정한 곳에 몰래 투장偸葬하고, 불법적으로 경작하고 집을 짓는 폐단이 많습니다. 풍덕군豊德郡 북면北面 홍농동弘農洞의 고려 성릉成陵은 땅이 꺼져 잔디가 모두 말라 죽었고, 개성군開城郡 중서면中西面 능고개 고려왕 제3릉의 왼쪽 산, 북동면北東面

---

626 정규홍,『우리문화재 반출사』, 학연문화사, 2012.
627 『皇城新聞』1906년 11월 23일자.

냉정동冷井洞 고려왕 제3릉의 오른쪽 기슭, 중서면中西面 여릉리麗陵里 충렬왕비 忠烈王妃 고릉高陵의 왼쪽 언덕, 장서군長湍郡 서도면西道面 옛터 고려왕 제2릉의 왼쪽 기슭에는 모두 능자리가 있으며 석의石儀는 완연하지만 능이 무너지고 가시덤불이 덮였다고 합니다" 라고 보고를 하고 있다.

## 일본 황실에 물품 증정

한국 황실에서는 특파대사 이지용을 통하여 일본 왕실에 다음과 같은 물품을 증정했다.

은제연구銀製煙具 一櫃, 은제묵즙기銀製墨汁器 一座, 모본단毛本緞 六疋, 납주衲紬 四疋, 은내환銀內鐶 五件, 안항라安亢羅 十疋, 수병차繡屛次 八幅, 피의롱皮衣籠 一雙, 지롱紙籠 一雙, 죽상竹箱 一個, 수대手袋 一座

『황성신문』 1906년 12월 17일자 기사

# 같은 해

## 일본군이 천주사 방화

1906년에는 문경 동로면 간송리 자리한 천주사天柱寺가 당시 상주 주둔 일본군 헌병대에 의해 주지 황창교黃昌敎 화상和尙이 의병을 사내에 유숙시키고 비호했다는 구실로 사찰을 방화 전소시킨 후 황창교 주지를 연행하여 함창에서 총살했다.

천주사는 신라 진평왕 때 초창된 유서 깊은 사찰이나 폐사 이후 경내에 있던 석부도는 인근 초동들에 의해 간송리 저수지에 침몰되었고, 대웅전의 석가모니불상은 동로면 적성리의 칠성암으로 봉안했는데 골동품상이 왕래하더니 행방이 묘연해졌으며, 삼층석탑은 일제 때 일인 교장의 교정미화책으로 동로초등학교 교정으로 이건하였다고 한다.[628]

천주사지 삼층석탑, 고려 때 조성된 것으로
동로초등학교 교정에 옮겨 놓았으나,
다시 제자리에 세우기 위해 간송리에
보관 중이던 것을 2001년 천주사에 복원하였다.

천주사와 관련하여, 『황성신문』 1906년 8월 9일자에는 다음과 같은 기사가 있다.

자중행폐藉重行斃. 문경군 거 이철재는 소이 협잡패류挾雜悖類로 예천군 정토지회장淨土支會長을 자칭하고 행패行悖하다가 관찰부로 착수捉囚하고 정토회淨土會에 쫓겨 났으며, 숨어 다니더니 근일에 나타나 어진御眞을 봉래奉來하고 군수를 압박하며 인민을 침학侵虐하는데 용문사龍門寺에 수 일 봉안하였다가 천주사天柱寺에 다시 봉안하니 천주사는 본래 폐

628 『聞慶誌』, 聞慶誌編纂委員會, 1994.

사廢寺라 1개 승도도 없고 수 칸數間 퇴패頹敗한 법당에 하나의 불상뿐이거
늘 지금 봉안함은 부근 동민에게 토색討索할 흉계라 하더라.

이 기사에서 "천주사는 본래 폐사廢寺라 1개 승도도 없고 수 칸數間 퇴패頹敗
한 법당에 하나의 불상뿐"이라는 것은 천주사의 방화가 1906년 8월 이전에 있
었던 것임을 추정케 한다.


오다치 카메키치大館龜吉 1906년에 한국에 건너와 남산정에서 골동품 가게와
더불어 미소원微笑園이라는 원예점을 열었다.

오다치는 조선자기를 많이 취급하였다. 원래 도쿄에서 식목옥植木屋을 하던
자로 고미야 미호마츠小宮三保松 궁내부차관의 부름을 받고 이왕가의 창경궁 정
원과 경복궁 내의 연못, 창덕궁 조경을 맡아 하였다. 이런 관계로 고미야와 친
분을 가지고 있었다. 오다치는 별도로 골동에 대한 감식안까지 가지고 있었는
데 이것을 알고 있는 고미야는 그에게 "조선물은 무엇이든지 가지고 와라"하여
오다치는 한국 골동을 마구 사들였으며, 이들 중 상당수는 고미야의 주도하에
이왕가 미술관으로 들어갔다.[629]


1906년 통감부에서 간행한 『한국시정일반韓國施政一斑』의 '한국경찰韓國警察' 조

---

629  佐佐木兆治, 『京城美術俱樂部創業20年記念誌』, 京城美術俱樂部, 1942, p.38.

에 의하면,

재류방인在留邦人(일본인)의 증가增加에 반伴하여 부량浮浪, 무뢰도無賴徒도
따라 도항하여 한국 관민官民에 대해 조폭粗暴의 언행言行을 하고 또 종종
비행非行을 감행하여 이러한 등의 부량자浮浪者를 취체取締하기 위해 한국
사정에 적응適應하는 방법을 강구講究하여 1906년 3월에 보안규칙保安規則
을 발포하기에 이른다.

라고 하면서 일본경찰의 수를 대폭 늘렸다. 그러나 이는 명분만 일본 불량배의
통제이지 그 이면에는 한국인에 대한 통제의 수단이었기 때문에 오히려 한국
에서의 일본인의 횡포는 더 심해만 갔다. 이는 군사력을 배경 삼아 불량일인들
이 앞장서서 건너 왔기 때문에 이들에 의해 저질러진 횡포는 더욱 심각하였다.

1905년부터 1906년 사이에는 고려 공민왕릉을 비롯한 개성, 해주, 등지의 고려
고분 약 2천여기를 도굴, 파괴하여 고려자기를 비롯한 귀중한 고려유물을 대량
약탈했다. 공민왕릉에서만도 10여 대의 달구지로 유물을 약탈당했다고 한다.[630]

---

630  사회과학원 역사연구소, 『일제조선침략일지』, 사회과학출판사, 1973.

# 색인